PG 2216
TT
173 C

Alph. Daudet.

TARTARIN DE TARASCON

PAR

ALPHONSE DAUDET

With Introduction, Notes, Exercises
and Vocabulary

BY

BARRY CERF

ASSOCIATE PROFESSOR OF ROMANCE LANGUAGES IN
THE UNIVERSITY OF WISCONSIN

INTER-
NATIONAL
MODERN
LANGUAGE
SERIES

GINN AND COMPANY

BOSTON · NEW YORK · CHICAGO · LONDON
ATLANTA · DALLAS · COLUMBUS · SAN FRANCISCO

𝕿𝖍𝖊 𝕬𝖙𝖍𝖊𝖓𝖆𝖚𝖒 𝕻𝖗𝖊𝖘𝖘
GINN AND COMPANY · PRO-
PRIETORS · BOSTON · U.S.A.

PREFACE

The text of this edition is reprinted without alteration from that of the "Collection Guillaume" (E. Flammarion, Paris, publisher). "Tartarin de Tarascon" should be read by high-school students at the end of their second or in their third year and by college students at the end of the first or in the second year. If this complete edition is too long the instructor may cut at his discretion. The following pages would perhaps best be read or summarized by the teacher: **32** 19 — **34** 20, **43** 3-13, **50** 3 — **51** 26, **52** 4 — **54** 4, **54** 7 — **55** 7, **57** 18 — **63** 16, **64** 7-19, **80** 24 — **82** 14, **86** 12-33, **89** 1 — **92** 10.

It is with great pleasure that I express my indebtedness for many suggestions to my friend Professor W. F. Giese of the University of Wisconsin.

B. C.

MADISON, WISCONSIN

v

CONTENTS

INTRODUCTION

ALPHONSE DAUDET

(Nîmes, May 13, 1840; Paris, December 16, 1897)

Alphonse Daudet was born in the ancient Provençal city of Nîmes, near the Rhone, May 13, 1840. In this same year Émile Zola, destined like Daudet to pass his youth in Provence, was born at Paris.

As a result of the commercial upheaval which attended the revolution of 1848, Daudet's father, a wealthy silk manufacturer, was ruined. After a hard struggle he was forced to give up his business at Nîmes and moved to Lyons (1849). He was not successful here, and finally, in 1856, the family was broken up. The sons now had to shift for themselves.

These first sixteen years of Alphonse Daudet's life were far from unhappy. He had found delight in exploring the abandoned factory at Nîmes. His school days at Lyons were equally agreeable to the young vagabond. His studies occupied him little; he loved to wander through the streets of the great city, finding everywhere food for fanciful speculation. He would follow a person he did not know, scrutinizing his every movement, and striving to lose his own identity in that of the other, to live the other's life. His frequent days of truancy he spent in these idle rambles, or in drifting down the river. Literary ambition had already seized him; he had written a novel (of which no trace remains) and numerous verses. Notwithstanding his lack of application to study, he had succeeded in completing the course of the *lycée*.

In 1856, when it became certain that the father could no longer care for the family, the mother and daughter took refuge in the home of relatives; Ernest, the older of the two surviving sons, sought his fortune in the literary circles of Paris; and Alphonse accepted a position as "master of the study hall" (*maître d'études, pion*) at the college of Alais in the Cévennes. The boy was too young, too delicate, and too sensitive to be able to endure the mental suffering and humiliation to which he was subjected at the hands of the bullies of this school.[1] After a year of martyrdom he set out on his terrible journey to Paris. Here he was welcomed by his brother Ernest.

The two brothers had always felt and always continued to feel the closest sympathy for each other. Ernest believed in Alphonse's genius more than in his own, and bestowed on his younger brother the motherly devotion which Alphonse so gratefully and tenderly acknowledges in "Le Petit Chose," his romantic autobiography, where Ernest appears as "ma mère Jacques."

The first years in Paris were the darkest in the brothers' lives. They could earn scarcely enough to satisfy their most pressing needs; but both were happy, since they were in Paris. Before Alphonse's arrival Ernest had secured regular employment on a newspaper. Alphonse was longing for recognition as a poet, but to earn his living he was forced to turn to prose. His contributions to *Le Figaro* and other newspapers soon made him known. He wrote little and carefully, nor did he forget his literary ideals even when poverty might have excused hurried productions in the style best calculated to sell. His literary conscience was as strong under the trying circumstances of his début as later when success brought independence.[2]

---

[1] See "Le Petit Chose," "Little What's-His-Name."

[2] See E. Daudet, "Mon Frère et moi," pp. 151-152. Daudet frequently says of himself that he was by nature an improviser, that the labor of meticulous composition to which he forced himself was a torture; yet he remained always true to his ideal.

During this period he lived among the Bohemians of the Parisian world of letters; but, though he shared their joys and sorrows, he seems to have emerged unscathed from the dangers of such an existence. Zola met Daudet at this time and has left us an attractive picture of him: "He was in the employ of a successful newspaper; he used to bring in his article, receive his remuneration, and disappear with the nonchalance of a young god, sunk in poetry, far from the petty cares of this world. He was living, I think, outside of the city, in a remote corner with other poets, a band of joyous Bohemians. He was beautiful, with the delicate, nervous beauty of an Arabian horse, an ample mane, a silky divided beard, large eyes, a thin nose, a passionate mouth, and, to crown all that, a certain flash of light, a breath of tender voluptuousness, which bathed his whole face in a smile that was both roguish and sensual. There was in him something of the Parisian street gamin and something of the Oriental woman."[1]

Daudet's first volume was a collection of verse, "Les Amou-reuses" (1858, published by Tardieu, a Provençal). These simple poems are charming in their freshness and naïveté, and established Daudet's reputation as a writer of light verse. The whole volume, and especially "Les Prunes," attracted the attention of the Empress Eugénie. At her solicitation Daudet was made one of the secretaries of the powerful Duke of Morny, president of the *corps législatif* (1860). His duties were purely nominal. He now had money enough to keep the wolf from his door and was free to devote himself to literature.

It was at this time that the stage began to attract him. His first play, "La Dernière Idole," was produced at the Odéon in 1862. Almost every other year between 1862 and 1892 a new play, on untried themes, or adapted from one of his novels and usually written in collaboration, appeared at a Parisian theater. Of all these only one, "L'Arlésienne" (1872), is worthy of its author.

[1] "Les Romanciers naturalistes," pp. 256–257.

Already in 1859, as a result of the suffering of the preceding years and lack of precautions, his health had begun to fail. He spent the winters of 1861–1864 in Algeria, Corsica, and Provence. These voyages were of vital importance in his development. He learned something of the world and became better fitted to study conditions in his own narrow sphere; at the same time he acquired the power of vigorous description and collected material for some of his finest short stories and for the Tartarin series.

A portion of the summer of 1861 he dreamed away in an abandoned mill[1] near Fontvieille, between Tarascon and Arles. From here he sent to the Parisian newspapers *L'Événement* and *Le Figaro* those delightful stories and sketches which were gathered and published in 1869 under the title " Lettres de mon moulin." Of all the many volumes of Daudet's collected works this is the most satisfying : it is here that the distinctive products of his genius are to be sought; and it is on these stories, with a few from later collections, and on " Tartarin de Tarascon," that his claim to immortality will finally rest. It is here that we find several of his most excellent stories : " Le Secret de maître Cornille," " La Chèvre de M. Seguin," " La Mule du pape," " Le Curé de Cucugnan," " L'Élixir du révérend père Gaucher," and others.

In 1865, at the death of Morny, he gave up his secretaryship and applied himself exclusively to literature.

In 1866 he met Julie Allard, and early the next year they were married. To his wife, a lady of exquisite taste, Daudet owed unfailing encouragement and competent, sympathetic criticism.

" Le Petit Chose," his first long work, had been begun in 1866 during his stay in Provence; it was published in 1868. The

---

[1] Daudet did not live in the mill which he has made famous, but he spent there " de longues journées "; he never owned it, but the deed which serves so picturesquely as preface to his book is not entirely apocryphal. See " Trente Ans de Paris," p. 164.

first part, which is of great interest, is largely autobiographical
and covers the childhood and youth of the writer up to his first
years in Paris; the second part is a colorless romance of no
particular merit. Daudet himself confessed that the work had
been written too soon and with too little reflection. " I wish I
had waited," he said; " something good might have been written
on my youth." [1]

" Tartarin de Tarascon " was written in 1869.

Success and happiness had crowned Daudet's efforts. He was
spending his time in all tranquillity, now at Paris, now at Champrosay, where he occupied the house of the painter Delacroix.
Suddenly in July, 1870, the war cloud burst. Daudet lay stretched
out on his bed fretfully nursing a broken leg. On his recovery
he shouldered his gun and joined in the hopeless defense of Paris.

It was the war that killed the old Daudet and brought into
existence the new. Before the war, Daudet himself confesses it,
he had lived free from care, singing and trifling, heedless of the
vexing problems of society and the world, his heart aglow with
the fire of the sun of his native Provence. The war awakened
in our sensitive poet a seriousness of purpose which harmonized
but little with his native genius. Among his friends he never
lost his old-time buoyant gaiety; but his works from now on
show only a trace of it. The charming " Belle-Nivernaise "
(1886), a few " tarasconades," a gleam here and there in all his
works, remind us of our old friend and plead for our sympathy
with the new.

During the next few years he added to his reputation as a
writer of short stories; to this period belong several collections
of tales and sketches: " Lettres à un absent " (1871), " Contes
du lundi " (1873), " Les Femmes d'artistes " (1874), " Robert
Helmont " (1874). A few of the stories are still more or less

---

[1] See " Trente Ans de Paris," pp. 75, 85, and Sherard, " Alphonse Daudet,"
p. 301.

in the manner of the " Lettres de mon moulin " (" Le Pape est mort," " Un Réveillon dans le marais," " Les Émotions d'un perdreau rouge "), but all these volumes, except " Les Femmes d'artistes," are inspired by the war. The playfulness of the youthful Daudet is still apparent here and there in the war stories (" La Pendule de Bougival," " Les Petits Pâtés"), but a sterner tone is prevalent.

The great novels which now follow are the fruit of meditation, the ripening process which the war precipitated, and which was fed from the flame of Flaubert, Goncourt, Zola, and others. Neglecting almost entirely those elements of his genius which came to him as his birthright, he devotes himself henceforth to a study of the problems of life. Our Provençal cicada has a purpose now : nothing else than the reformation of all social abuses. He does not single out one and attack it time after time, but he springs restlessly from one to another, directing high and low his relentless inquiry.

" Fromont jeune et Risler aîné " (1874) is the first of Daudet's great novels and one of his strongest studies. Sidonie, the daughter of humble bourgeois parents, is filled with a longing for luxury and social prominence. She succeeds in becoming the wife of Fromont, a simple, honest workman whose talent and industry have brought him wealth. Sidonie's unscrupulousness in the pursuit of her object spreads ruin. Risler, the partner of Fromont, withdraws large sums from the common treasury to satisfy the extravagant desires of Sidonie whom he loves. Fromont's eyes are at last opened ; he finds the firm, which had always been his pride, on the verge of bankruptcy ; he discovers the perfidy of Sidonie and attempts to force her to beg on her knees the forgiveness of Risler's long-suffering wife. Sidonie flees and becomes a concert-hall singer. Her revenge is complete when by means of a letter she proves to Fromont that she has corrupted his much-loved younger brother. Fromont hangs himself.

Outside the main current of the plot Daudet sketches one of the little dramas of humble life of which he was so fond: the story of Delobelle, an impoverished actor who lives for his art while his devoted wife and daughter Désirée patiently ply the needle to earn bread.

Daudet up to this time had been recognized as the greatest of French short-story writers. The success of " Fromont jeune et Risler aîné " was immediate, and in his succeeding novels he confirmed more and more surely his right to a place in the front rank of French novelists.

From this story of the life of the *petite bourgeoisie* he turns to a wider field. The Bohemia of Paris, a glimpse of the country, and especially the life of the artisan, fill " Jack " (1876). Daudet had known the real Jack at Champrosay in 1868. In the novel Jack is the illegitimate son of Ida de Barency, a shallow demimondaine who is passionately devoted to the boy but brings to him nothing but misfortune. Jack begins his suffering in a wretched school where his mother has placed him after the Jesuits had refused to receive him. This school is supported by the tuition fees of boys from tropical countries, *petits pays chauds*, as Moronval, the villainous director, calls them. The teachers belong to that class of *ratés*, artistic and literary failures, whom Daudet learned to know well during his first years in Paris. One of these *ratés* captivates Ida de Barency, and Jack's life of misery continues. Despite his physical unfitness, he is sent to labor in the shipbuilding yards at Indret, suffers tortures in the stoking room of an ocean steamer, is wrecked, and returns to France in a piteous condition. His love for Cécile, granddaughter of a gentle country doctor, is rapidly making a man of him, when his mother enters again into his life and the poor boy dies miserably in a hospital, killed by despair rather than by disease.

This is perhaps the most powerful of Daudet's novels; it is certainly the most harrowing. The tragedy of the whole is only slightly relieved by the interweaving of the romance of good Bélisaire, the hawker, one of Jack's few friends.

"Le Nabab" (1878) is concerned with politics, the richer bourgeoisie, and the aristocracy. Jansoulet, the "nabob," returns from Tunis with a large fortune and immediately becomes the prey of parasites. He is made the enemy of the banker Hemerlingue through the social rivalry of their wives. He is elected *député* from Corsica. The legality of the election is questioned. Jansoulet is supported by the prime minister, the duc de Mora, but the latter dies suddenly, Jansoulet's election is declared invalid, and he dies from a stroke of apoplexy.

Despite the protest of the author, contemporaries found originals for a number of the characters of this novel. The duc de Mora is Morny, and several others have been identified with greater or less certainty. Félicia Ruys is perhaps Sarah Bernhardt.

The purely romantic element of the work is found in the story of Paul de Géry and the Joyeuse family, a secondary plot having no vital connection with the main story.

In "Les Rois en exil" (1880) Daudet explores a new vein in contemporary society. He explains that the idea of the work occured to him one October evening when, standing in the Place du Carrousel, he was contemplating the ruins of the Tuileries. The wreck of the Empire brought to his mind a vision of the dethroned monarchs whom he had seen spending their exile in Paris: the Duke of Brunswick, the blind King of Hanover and the devoted Princess Frederica, Queen Isabella of Spain, and others. "This is the work which cost me most effort," Daudet says, and the reason is not far to seek. He had always painted "from life," and the difficulties incident to gaining an entrance into the intimacy of even dethroned monarchs were almost insurmountable. The novelist's acquaintances were appealed to, from house-furnishers to diplomats. The story of the composition of " Les Rois en exil " is an interesting study of Daudet's methods, his inexorable insistance on truth, even to the most minute details.

As usual, the characters are sharply contrasted. Christian, the exiled king of Illyria, is detestably weak; Frédérique, his wife, devoting herself completely to the interests of her son, Zara, struggles with the aid of the faithful preceptor, Méraut, to prepare the prince for a throne which he is never to ascend. Of all the characters that appear in Daudet's novels it is perhaps Frédérique whose appeal to the reader is strongest, and Frédérique is almost entirely the product of the author's imagination. We cannot but regret the many visions such as Frédérique which were refused admittance to Daudet's essentially romantic mind by the uncompromising laws of a realism which he had mistakenly accepted as his guide.

The composition of " Les Rois en exil " is defective, but its charm is great. In " Numa Roumestan " (1881) the technique is better. Daudet's first intention was to entitle this work " Nord et midi," his idea being to contrast the north with the south, a theme for which he always had a predilection. Numa is a refined Tartarin; Daudet sends him to Paris, and studies the result. Numa carries all before him by his robust vigor and geniality. The " mirage " effects of the southern sun pursue him to Paris; quick to promise out of the fullness of his hearty enthusiasm, he encourages and disappoints those who trust themselves to him. He deceives his wife, begs her forgiveness with abundant tears, and in a disgusting manner deceives her a second time. The book ends with the picture of Rosalie Roumestan bending over her new-born son. " Will you be a liar too? " she asks. " Will you be a Roumestan, tell me? "

" L'Évangéliste " (1883), a psychological study rather than a novel, is a heartbreaking picture of the inhumanity of religious fanaticism.

"Sapho" (1884) is so essentially French in spirit that it can hardly be understood by American readers. Daudet dedicates it "To my sons when are twenty." It is intended as a lesson, and if naturalistic works ever can carry a lesson this one certainly does. It is a striking picture of the evils of *faux ménages*. On the whole "Sapho" is disagreeable, yet of the novels it seems to be Daudet's masterpiece, perhaps because it is the most romantic. The truth may be photographed in its most minute realistic details, as in Zola, or it may be colored by poetic fancy; this has happened in "Numa Roumestan" and especially in "Sapho," the two novels of Daudet which appear most likely to live. In "Sapho" there is a tender note which is lacking in "Jack" and in "Fromont jeune et Risler aîné"; Daudet's nature fitted him to inspire pity rather than indignation. And we must remember that while writing "Sapho" he had in mind the future of his own sons. He looks forward, and in hope of a fortunate issue tells frankly, in a kindly manner, a true story which he hopes may be fruitful of good results. If, instead of assuming the rôle of inquisitorial censor, naturalists would show sympathy for erring mankind, if they would look forward with hope instead of fixing their horrified eyes on the present or the past, their judgments would not tend to make us give up in despair, but might encourage and instruct. "Sapho" is the last of the great novels.

"L'Immortel" (1888) is a weak and unjust satire directed against the French Academy. "Rose et Ninette" (1892) is a study of the evils of divorce; "La Petite Paroisse" (1895), the only one of the novels with a happy outcome, is a study of jealousy. In "Soutien de famille" (1898, posthumous) two brothers are contrasted; the older, as a matter of course recognized as the head of the family, is weak, and the younger is the real "prop of the family."

Just after "Sapho" (1884) Daudet's health had begun to

decline. Long years of suffering follow, but, although in almost constant pain, the indefatigable worker remains at his desk.

In " Souvenirs d'un homme de lettres " (1888) and " Trente Ans de Paris" (1888) Daudet tells the story of his life and literary activity. It is through these works that we become intimately acquainted with our author, and we are not disillusioned. " Entre les frises et la rampe " (1893) contains studies of the stage and its people.

Daudet claimed to be an independent,[1] and was indignant when an attempt was made to class him with any school. He was certainly independent in his youth, but in his second period, after the war, he became a realist with Flaubert and Zola and an impressionist with Goncourt.

It is, however, the southerner in Daudet that remains most pleasing. It is in those works which are directly inspired by his native land of dreams that he is most completely himself, and therefore most charming. It is here that he discloses his kinship with Musset. With all the delicacy of Musset and at the same time a saneness which Musset did not always possess, what might he not have accomplished if he had only continued as he began ? Even as it is, the best Daudet is the young Daudet, the brother of Musset. In his so-called great works, the long novels where questions of the day are fearlessly treated yet never solved, the works which are frequently considered his surest claim to immortality, we have an entirely different Daudet, excellent of course, and strong too if you like, but not the Daudet that nature had intended to produce.

Surely it would have been better if he had never gone to Paris, but, like his friend Mistral, had remained in Provence

---

[1] He consistently refused to have his name placed in candidacy before the Academy. In a foreword prefixed to " L'Immortel " he declares : " Je ne me présente pas, je ne me suis jamais présenté, je ne me présenterai jamais à l'Académie."

and devoted his essentially poetic genius to an expression of the spirit of the south. His keenly sensitive nature was too delicate for intercourse with the virility of a Zola or the subtlety of a Goncourt. Paris made of him a realist, and the world lost by the transformation.

Daudet's love for his native land was intense. Its images were ever present to him ; its poetry haunted him throughout his life. He urged young men ambitious of literary laurels to remain in their native provinces, to draw their inspiration from the soil, confident that something great and beautiful would result. Why did he not take for himself the counsel he so incessantly offered to others? An untiring curiosity which accompanied a remarkable acuteness of all the senses, and an emotional and intellectual receptivity which rendered him quickly and profoundly impressionable, equipped Daudet to express the poetic spirit of the south in its epic as well as its lyric qualities. He was aware of this himself. " I believe that I shall carry away with me," he said, " many curious observations on my race, its virtues, its faults." [1] And in speaking of the " Lettres de mon moulin," the only volume of his works in which his southern nature is given free rein, he says many years after its publication, after he had written his best novels, " That is still my favorite book."

Daudet's remarkable power of observation was innate. From his youth he exercised this instinct and carried a notebook in which he set down impressions, studies, and sketches of characters and scenes. These notebooks proved to be of inestimable value to the realist ; and the natural inclination to seek the naked truth, to which they bear witness, strengthened the determination of the postbellum Daudet to enter the ranks of the sociological

[1] Léon Daudet, "Alphonse Daudet," p. 183; read the whole chapter. "En lisant Eugénie de Guérin, je m'écrie : ' Pourquoi n'avoir pas tous vécu chez nous, dans nos coins ? ' Comme nos esprits y auraient gagné au point de vue de l'originalité au sens étymologique du mot, c'est-à-dire vertu d'origine." — " Notes sur la vie," p. 141.

novelists. So far as possible, he borrowed every detail of character and environment from real life; almost all his characters represent real persons whom he studied with a view of using them in his books. Daudet's is a microscopic, notebook realism quite different from the universal verity of Balzac, but there are many pages prompted by an exquisite sympathy or a violent passion in which the indomitable personality of the author breaks through the impassiveness imposed by the accepted masters of the craft. Sadness is the prevailing tone in his work, the sort of sadness that proceeds from pity. Where sadness does not dominate in Daudet, irony takes its place. These two qualities, sadness which is inspired by pity for human suffering and irony which betrays impatience with human folly, these two qualities which are the heart and soul of Daudet's work are the enemies of that impassiveness which is the indispensable attitude of the realist, and which Daudet tried in vain to acquire.

Paris, the war, his intercourse with Flaubert and Goncourt and Zola, were the influences, then, that transformed Daudet, most easily susceptible to impressions from without. The Daudet of the great novels is not the real Daudet, however; the real Daudet is the author of " Les Amoureuses," of the " Lettres de mon moulin," and of " Tartarin de Tarascon."

But even in the " Tartarin " series he is not entirely himself. The pure stream of his native simplicity and naïveté is already tinged with the worldly-wiseness of the Parisian. In the " Lettres de mon moulin " the writer is still in sympathy with his native land, while in the earliest of the " Tartarin " series, " Tartarin de Tarascon," there is already a spirit of disdainful raillery which Daudet learned in Paris. Tarascon was piqued when " Tartarin de Tarascon " appeared. Indeed, there is more than a little in the book that may well offend local pride.

In " Numa Roumestan " the satire is still less sympathetic and less good-natured. Numa is utterly detestable. He is a visionary;

we readily forgive such a weakness, and we are amused by this characteristic trait of the south in Bompard and Tartarin. These two are visionaries and liars ; they are cowards too, boastful and conceited. But they have never had the happiness of others in their hands. If a true child of the south, such as Tartarin or Bompard, were placed in a position of trust, he would not prove equal to the occasion and the result would be a Numa Roumestan. That is Daudet's verdict, and certainly his decision is not flattering to the south. Is this the decision of the better Daudet ? is it not a Parisian Daudet, whose sympathy for his native land has been warped by the play of Parisian mockery on his sensitive, easily-convinced nature ?

It is precisely in "Numa Roumestan," where he is making his most complete study of the character of the southerner, that Daudet is most pessimistic. Le Quesnoy, the worthy northerner, deceives his wife as does Numa, the lying southerner. The spirit of the novel is epitomized in such sentiments as "Joie de rue, douleur de maison," "Au nord au midi — tous pareils, traîtres et parjures," "Grand homme pour tout le monde excepté pour sa femme." A decided pessimism pervades the great novels. Optimistic Daudet is frequently said to be. He was truly so by nature, he is so in the "Lettres de mon moulin" and in all his work before the war, but his pessimism is unquestionable in the great novels.

Surely nature did not intend Daudet to become a pessimist ; he loved mankind, he had many devoted friends and no enemies. He carried happiness wherever he went. The attic of Auteuil, the rendezvous of the Goncourt group, is dark and gloomy. A serious, mirthless band surrrounds the armchair of the patriarch. The door opens and Daudet enters. Old Goncourt rises to greet him : "Eh bien ! mon petit, ça va ? " "Assez bien, mon Goncourt" is the reply. The terrible malady has already seized the younger man, but he still radiates life and cheer : his lightness of heart dispels the gravity of the company; little by little his animation is communicated to them all, and the attic resounds with peals of laughter.

It was always so. The sympathy of Daudet, the man, was unfailing; his pity for the weak, his love for his family and friends, his hatred of villainy, were boundless. He delighted in little acts of charity the source of which remained unknown to the world and even to the recipient.

"My father said to me again and again," Léon Daudet tells us, "'I should like, after I have accomplished my task, to set myself up as a merchant of happiness. My reward would be in my success.'" This longing, so entirely characteristic of the man, is manifest everywhere in his earlier work, only rarely in the great novels; unfortunately the great novels were his "task."

If only he had continued as he began, if only he had remained the poet of the "Lettres de mon moulin"; if only he had not been led astray by his "task," he might have brought to the world of readers that happiness which he brought to his few friends in the attic of Auteuil.

We are told the story of the publication of "Tartarin de Tarascon"[1] by Daudet himself in his "Trente Ans de Paris." It began to appear in the *Petit Moniteur universel*, but did not appeal to the readers of this popular newspaper. Publication was interrupted after some ten installments, and the work was

[1] The other books of the "Tartarin" series are inferior to "Tartarin de Tarascon" (1872). "Tartarin sur les Alpes" (1885) relates the adventures of the hero while climbing the great mountains of Switzerland in order to prove that he is worthy of remaining P. C. A. (*Président du Club Alpin de Tarascon*.) In "La Défense de Tarascon" (1886, only a dozen pages long) we have a characteristic picture of the city preparing to resist the German invasion. "Port-Tarascon" (1890) is the last and poorest of the series. Tartarin leads his compatriots in a colonizing expedition to the South Seas, and then brings them home again. Finally, in self-inflicted exile, "across the bridge" in Beaucaire (cf. note to **13** 28), the great man dies.

carried to the *Figaro*, by whose more aristocratic clientèle literary irony was not unappreciated. The hero was first called *Chapatin*, then *Barbarin* (cf. note to **56** 12), and finally *Tartarin*. "Tartarin de Tarascon" is a *galéjado, une plaisanterie, un éclat de rire*. Continuing, Daudet says: "Only one who was raised in southern France, or knows it thoroughly, can appreciate how frequently the Tartarin type is to be met there, and how under the generous sun of Tarascon, which warms and electrifies, the natural drollery of mind and imagination is led astray into monstrous exaggerations, in form and dimension as various as bottle gourds."

Daudet, like our Dickens, succeeded in producing characters invested with such reality that in the minds of readers they become veritable beings. Of all his creations Tartarin is the most widely known, and the world's conception of a French southerner is derived from the portrait of this hero.

As is usual in the works of Daudet, the character of Tartarin is not wholly fictitious. The home of the cap-hunters was really not Tarascon, but a village five or six leagues away on the other side of the Rhone. It was from this village, and in company with the prototype of Tartarin, that Daudet set out for Africa in 1861, chiefly to recover his health and incidentally to hunt lions. The novel is a souvenir of the author's sojourn in the home of the real Tartarin and of the trip which the two made together,[1] the whole being greatly modified by the play of the novelist's Provençal imagination.

To appreciate "Tartarin de Tarascon" is not easy for a foreigner ; and by foreigners is meant all those who have not lived in and do not know Provence. Americans and Parisians (see pages 16–17) look on Tartarin and his compatriots as mere liars.

[1] See the following notes of this edition for evidence of the extent to which Daudet used the notes jotted down in Africa in the composition of "Tartarin" : **70** 21, **73** 27, **81** 5–6. See also "Souvenirs d'un homme de lettres," p. 44, where he speaks of the notebook from which he extracted "Tartarin" and other works.

They are not liars : they are suffering simply from the effects of
a mirage. To understand what is meant by a mirage, you must
go to the south of France. There you will find a magic sun
which transforms everything, which takes a molehill and makes
of it a mountain. Go to Tarascon, seek out a man who almost
went to Shanghai, look steadfastly at him, and if the southern
sun is shining upon him you will soon be convinced that he has
actually gone to Shanghai.

In reading " Tartarin de Tarascon," therefore, remember that
Tartarin's world is small and his imagination large ; that he never
lies, though he rarely tells the truth. Do not make the mistake
of thinking Tartarin a lunatic. Just as his immortal predecessor
Don Quixote was thoroughly sane except in that which touched
the realm of chivalry, so Tartarin is a normal Frenchman except
when he is under the influence of the southern mirage.

Daudet says in " Trente Ans de Paris," page 142, that the
home of the real Tartarin was five or six miles from Tarascon
on the other side of the Rhone. In an article which appeared
in " Les Annales," July 6, 1913, Charles Le Goffic tells of a
visit to the house in Tarascon known as *la maison de Tartarin*, and reports a conversation he had with Mistral, the great
Provençal poet, an intimate friend of Daudet. Mistral said that
the real Tartarin lived at Nîmes, eighteen miles from Tarascon,
to the west of the Rhone, and was no other than Raynaud,
Daudet's own cousin. " Raynaud," Mistral told Le Goffic, " had
travelled among the *Teurs* and talked about nothing but his
lion hunts ; he talked about them with his lower lip extended
so as to form a terrible pout (*moue*), which gave a character of
good-natured ferocity to the little gentleman's honest face.
Raynaud recognized himself in Tartarin and became very angry
with Daudet; the reconciliation between the cousins was not
effected till toward the end of the novelist's life."

BIBLIOGRAPHICAL NOTE

A definitive edition of the works of Daudet has been published by Houssiaux, in octavo, 1899 ff. (18 volumes). Convenient editions of most of them are published by Flammarion, Lemerre, Fasquelle, and others.

The best sources for the study of Daudet's life and works are his *Trente Ans de Paris*, *Souvenirs d'un homme de lettres*, *Notes sur la vie* (Paris, 1899), his brother Ernest's *Mon Frère et moi* (Paris, 1882), and his son Léon's *Alphonse Daudet* (Paris, 1898).

The following may also be consulted:

J. Brivois, *Essai de bibliographie des œuvres de M. Alphonse Daudet*, Paris, 1895.

H. Céard, introduction to the definitive edition.

B. Diederich, *Alphonse Daudet*, Berlin, 1900.

R. Doumic, in *Portraits d'écrivains* and *Études sur la littérature française*, Vol. III.

Henry James, in *Partial Portraits*.

J. Lemaître, in *Les Contemporains*, Vol. II.

R. H. Sherard, *Alphonse Daudet*, London, 1894.

B. W. Wells, in *A Century of French Fiction*, New York, 1903.

E. Zola, in *Les Romanciers naturalistes*.

The illustrations in the following articles are of interest:

J. A. Hammerton, "The Town of Tartarin," in *The Critic*, vol. 47, pp. 317 ff.

A. B. Maurice, "The Trail of Tartarin," in *The Bookman*, vol. 14, pp. 128 ff.; vol. 15, pp. 520 ff.

WORKS OF ALPHONSE DAUDET

POEMS, NOVELS, TALES, AND SKETCHES

Les Amoureuses; poèmes et fantaisies (including La Double
Conversion, Le Roman du Chaperon rouge, and other poems),
1857–1861.

Le Petit Chose, 1868.

Lettres de mon moulin, 1869.

Lettres à un absent, 1871.

Aventures prodigieuses de Tartarin de Tarascon, 1872.

Contes du lundi, 1873.

Les Femmes d'artistes, première série (not continued), 1874.

Fromont jeune et Risler aîné, 1874.

Robert Helmont, 1874.

Jack, 1876.

Le Nabab, 1877.

Les Rois en exil, 1879.

Numa Roumestan, 1881.

L'Évangéliste, 1883.

Sapho, 1884.

Tartarin sur les Alpes, 1885.

La Belle-Nivernaise, 1886.

La Défense de Tarascon, 1886.

Trente Ans de Paris, 1888.

L'Immortel, 1888.

Souvenirs d'un homme de lettres, 1888.

Port-Tarascon, 1890.

Rose et Ninette, 1892.

Entre les frises et la rampe, 1894.

La Petite Paroisse, 1895.

La Fédor, 1897.

Le Trésor d'Arlatan, 1897.

Soutien de famille, 1898.

Notes sur la vie, publié par Mme A. Daudet, 1899.

PLAYS

La Dernière Idole, 1862 (with E. L'Épine).

Les Absents, 1864.

L'Œillet blanc, 1865 (with E. Manuel).

Le Frère aîné, 1867 (with E. Manuel).

Le Sacrifice, 1869.

Lise Tavernier, 1872.

L'Arlésienne, 1872.

Fromont jeune et Risler aîné, 1876 (with A. Belot).

Le Char, 1878 (with P. Arène).

Le Nabab, 1880 (with P. Elzéar).

Jack, 1881 (with H. Lafontaine).

Sapho, 1885 (with A. Belot).

Numa Roumestan, 1887.

La Lutte pour la vie, 1889 (taken from " L'Immortel ").

L'Obstacle, 1890.

La Menteuse, 1892 (with L. Hennique).

TARTARIN DE TARASCON

*"En France tout le monde
est un peu de Tarascon."*

PREMIER ÉPISODE

A TARASCON

I

Le jardin du baobab.

Ma première visite à Tartarin de Tarascon est restée dans
ma vie comme une date inoubliable ; il y a douze ou quinze ans
de cela, mais je m'en souviens mieux que d'hier. L'intrépide
Tartarin habitait alors, à l'entrée de la ville, la troisième maison
à main gauche sur le chemin d'Avignon. Jolie petite villa taras- 5
connaise avec jardin devant, balcon derrière, des murs très
blancs, des persiennes vertes, et sur le pas de la porte une
nichée de petits Savoyards jouant à la marelle ou dormant au
bon soleil, la tête sur leurs boîtes à cirage.

Du dehors, la maison n'avait l'air de rien. 10

Jamais on ne se serait cru devant la demeure d'un héros.
Mais quand on entrait, coquin de sort ! . . .

De la cave au grenier, tout le bâtiment avait l'air héroïque,
même le jardin ! . . .

O le jardin de Tartarin, il n'y en avait pas deux comme celui- 15
là en Europe. Pas un arbre du pays, pas une fleur de France ;
rien que des plantes exotiques, des gommiers, des calebassiers,
des cotonniers, des cocotiers, des manguiers, des bananiers, des

palmiers, un baobab, des nopals, des cactus, des figuiers de
Barbarie, à se croire en pleine Afrique centrale, à dix mille lieues
de Tarascon. Tout cela, bien entendu, n'était pas de grandeur
naturelle ; ainsi les cocotiers n'étaient guère plus gros que des
5 betteraves, et le baobab (*arbre géant, arbos gigantea*) tenait à
l'aise dans un pot de réséda ; mais c'est égal ! pour Tarascon,
c'était déjà bien joli, et les personnes de la ville, admises le
dimanche à l'honneur de contempler le baobab de Tartarin, s'en
retournaient pleines d'admiration.

10 Pensez quelle émotion je dus éprouver ce jour-là en traver-
sant ce jardin mirifique ! . . . Ce fut bien autre chose quand on
m'introduisit dans le cabinet du héros.

Ce cabinet, une des curiosités de la ville, était au fond du
jardin, ouvrant de plain-pied sur le baobab par une porte
15 vitrée.

Imaginez-vous une grande salle tapissée de fusils et de sabres,
depuis en haut jusqu'en bas ; toutes les armes de tous les pays
du monde : carabines, rifles, tromblons, couteaux corses, couteaux catalans, couteaux-revolvers, couteaux-poignards, krish
20 malais, flèches caraïbes, flèches de silex, coups-de-poing, casse-
tête, massues hottentotes, lazos mexicains, est-ce que je sais !

Par là-dessus, un grand soleil féroce qui faisait luire l'acier
des glaives et les crosses des armes à feu, comme pour vous
donner encore plus la chair de poule. . . . Ce qui rassurait un
25 peu pourtant, c'était le bon air d'ordre et de propreté qui régnait
sur toute cette yataganerie. Tout y était rangé, soigné, brossé,
étiqueté comme dans une pharmacie ; de loin en loin, un petit
écriteau bonhomme sur lequel on lisait :

Flèches empoisonnées, n'y touchez pas !

30 Ou :

Armes chargées, méfiez-vous !

Sans ces écriteaux, jamais je n'aurais osé entrer.

Au milieu du cabinet, il y avait un guéridon. Sur le guéridon, un flacon de rhum, une blague turque, les Voyages du capitaine Cook, les romans de Cooper, de Gustave Aimard, des récits de chasse, chasse à l'ours, chasse au faucon, chasse à l'éléphant, etc. . . . Enfin, devant le guéridon, un homme était assis, de quarante à quarante-cinq ans, petit, gros, trapu, rougeaud, en bras de chemise, avec des caleçons de flanelle, une forte barbe courte et des yeux flamboyants ; d'une main il tenait un livre, de l'autre il brandissait une énorme pipe à couvercle de fer, et, tout en lisant je ne sais quel formidable récit de chasseurs de chevelures, il faisait, en avançant sa lèvre inférieure, une moue terrible, qui donnait à sa brave figure de petit rentier taras-connais ce même caractère de férocité bonasse qui régnait dans toute la maison.

Cet homme, c'était Tartarin, Tartarin de Tarascon, l'intrépide, le grand, l'incomparable Tartarin de Tarascon.

II

Coup d'œil général
jeté sur la bonne ville de Tarascon ;
les chasseurs de casquettes.

Au temps dont je vous parle, Tartarin de Tarascon n'était pas encore le Tartarin qu'il est aujourd'hui, le grand Tartarin de Tarascon, si populaire dans tout le midi de la France. Pour-tant — même à cette époque — c'était déjà le roi de Tarascon. Disons d'où lui venait cette royauté.

Vous saurez d'abord que là-bas tout le monde est chasseur, depuis le plus grand jusqu'au plus petit. La chasse est la pas-sion des Tarasconnais, et cela depuis les temps mythologiques où la Tarasque faisait les cent coups dans les marais de la ville et où les Tarasconnais d'alors organisaient des battues contre elle. Il y a beau jour, comme vous voyez.

Donc, tous les dimanches matin, Tarascon prend les armes et
sort de ses murs, le sac au dos, le fusil sur l'épaule, avec un
tremblement de chiens, de furets, de trompes, de cors de chasse.
C'est superbe à voir. . . . Par malheur, le gibier manque, il
5 manque absolument.

Si bêtes que soient les bêtes, vous pensez bien qu'à la longue
elles ont fini par se méfier.

A cinq lieues autour de Tarascon, les terriers sont vides, les
nids abandonnés. Pas un merle, pas une caille, pas le moindre
10 lapereau, pas le plus petit cul-blanc.

Elles sont cependant bien tentantes, ces jolies collinettes tarasconnaises, toutes parfumées de myrte, de lavande, de romarin ;
et ces beaux raisins muscats gonflés de sucre, qui s'échelonnent
au bord du Rhône, sont diablement appétissants aussi. . . .
15 Oui, mais il y a Tarascon derrière, et dans le petit monde du
poil et de la plume, Tarascon est très mal noté. Les oiseaux
de passage eux-mêmes l'ont marqué d'une grande croix sur leurs
feuilles de route, et quand les canards sauvages, descendant vers
la Camargue en longs triangles, aperçoivent de loin les clochers
20 de la ville, celui qui est en tête se met à crier bien fort : « Voilà
Tarascon ! . . . voilà Tarascon ! » et toute la bande fait un
crochet.

Bref, en fait de gibier, il ne reste plus dans le pays qu'un
vieux coquin de lièvre, échappé comme par miracle aux septem-
25 brisades tarasconnaises et qui s'entête à vivre là ! A Tarascon,
ce lièvre est très connu. On lui a donné un nom. Il s'appelle
le Rapide. On sait qu'il a son gîte dans la terre de M. Bompard,
— ce qui, par parenthèse, a doublé et même triplé le prix de
cette terre, — mais on n'a pas encore pu l'atteindre.

30 A l'heure qu'il est même, il n'y a plus que deux ou trois
enragés qui s'acharnent après lui.

Les autres en ont fait leur deuil, et *le Rapide* est passé depuis
longtemps à l'état de superstition locale, bien que le Tarasconnais

soit très peu superstitieux de sa nature et qu'il mange les hirondelles en salmis, quand il en trouve.

— Ah çà ! me direz-vous, puisque le gibier est si rare à Tarascon, qu'est-ce que les chasseurs tarasconnais font donc tous les
dimanches ?

Ce qu'ils font ?

Eh mon Dieu ! ils s'en vont en pleine campagne, à deux ou
trois lieues de la ville. Ils se réunissent par petits groupes de
cinq ou six, s'allongent tranquillement à l'ombre d'un puits, d'un
vieux mur, d'un olivier, tirent de leurs carniers un bon morceau
de bœuf en daube, des oignons crus, un *saucissot*, quelques
anchois, et commencent un déjeuner interminable, arrosé d'un
de ces jolis vins du Rhône qui font rire et qui font chanter.

Après quoi, quand on est bien lesté, on se lève, on siffle les
chiens, on arme les fusils, et on se met en chasse. C'est-à-dire
que chacun de ces messieurs prend sa casquette, la jette en l'air
de toutes ses forces, et la tire au vol avec du 5, du 6, ou du 2, —
selon les conventions.

Celui qui met le plus souvent dans sa casquette est proclamé
roi de la chasse, et rentre le soir en triomphateur à Tarascon,
la casquette criblée au bout du fusil, au milieu des aboiements
et des fanfares.

Inutile de vous dire qu'il se fait dans la ville un grand commerce de casquettes de chasse. Il y a même des chapeliers qui
vendent des casquettes trouées et déchirées d'avance à l'usage
des maladroits ; mais on ne connaît guère que Bézuquet, le
pharmacien, qui leur en achète. C'est déshonorant !

Comme chasseur de casquettes, Tartarin de Tarascon n'avait
pas son pareil. Tous les dimanches matin, il partait avec une
casquette neuve : tous les dimanches soir, il revenait avec une
loque. Dans la petite maison du baobab, les greniers étaient
pleins de ces glorieux trophées. Aussi, tous les Tarasconnais le
reconnaissent-ils pour leur maître, et comme Tartarin savait à

fond le code du chasseur, qu'il avait lu tous les traités, tous les manuels de toutes les chasses possibles, depuis la chasse à la casquette jusqu'à la chasse au tigre birman, ces messieurs en avaient fait leur grand justicier cynégétique et le prenaient pour 5 arbitre dans toutes leurs discussions.

Tous les jours, de trois à quatre, chez l'armurier Costecalde, on voyait un gros homme, grave et la pipe aux dents, assis sur un fauteuil de cuir vert, au milieu de la boutique pleine de chasseurs de casquettes, tous debout et se chamaillant. C'était Tar-10 tarin de Tarascon qui rendait la justice, Nemrod doublé de Salomon.

III

Nan ! Nan ! Nan !
Suite du coup d'œil général jeté sur la
bonne ville de Tarascon.

A la passion de la chasse, la forte race tarasconnaise joint une autre passion : celle des romances. Ce qui se consomme de romances dans ce petit pays, c'est à n'y pas croire. Toutes les 15 vieilleries sentimentales qui jaunissent dans les plus vieux cartons, on les retrouve à Tarascon en pleine jeunesse, en plein éclat. Elles y sont toutes, toutes. Chaque famille a la sienne, et dans la ville cela se sait. On sait, par exemple, que celle du pharmacien Bézuquet, c'est :

20 Toi, blanche étoile que j'adore ;

Celle de l'armurier Costecalde :

Veux-tu venir au pays des cabanes ?

Celle du receveur de l'enregistrement :

Si j'étais-t-invisible, personne n'me verrait.
(*Chansonnette comique.*)

Et ainsi de suite pour tout Tarascon. Deux ou trois fois par
semaine, on se réunit les uns chez les autres et on se *les* chante.
Ce qu'il y a de singulier, c'est que ce sont toujours les mêmes,
et que, depuis si longtemps qu'ils se les chantent, ces braves
Tarasconnais n'ont jamais envie d'en changer. On se les lègue 5
dans les familles, de père en fils, et personne n'y touche ; c'est
sacré. Jamais même on ne s'en emprunte. Jamais il ne vien-
drait à l'idée des Costecalde de chanter celle des Bézuquet, ni
aux Bézuquet de chanter celle des Costecalde. Et pourtant
vous pensez s'ils doivent les connaître depuis quarante ans qu'ils 10
se les chantent. Mais non ! chacun garde la sienne et tout le
monde est content.

Pour les romances comme pour les casquettes, le premier
de la ville était encore Tartarin. Sa supériorité sur ses conci-
toyens consistait en ceci : Tartarin de Tarascon n'avait pas la 15
sienne. Il les avait toutes.

Toutes !

Seulement c'était le diable pour les lui faire chanter. Revenu
de bonne heure des succès de salon, le héros tarasconnais aimait
bien mieux se plonger dans ses livres de chasse ou passer sa 20
soirée au cercle que de faire le joli cœur devant un piano de
Nîmes, entre deux bougies de Tarascon. Ces parades musicales
lui semblaient au-dessous de lui. . . . Quelquefois cependant,
quand il y avait de la musique à la pharmacie Bézuquet, il entrait comme par hasard, et après s'être bien fait prier, consen- 25
tait à dire le grand duo de *Robert le Diable*, avec madame
Bézuquet la mère. . . . Qui n'a pas entendu cela n'a jamais
rien entendu. . . . Pour moi, quand je vivrais cent ans, je ver-
rais toute ma vie le grand Tartarin s'approchant du piano d'un
pas solennel, s'accoudant, faisant sa moue, et sous le reflet vert 30
des bocaux de la devanture, essayant de donner à sa bonne
face l'expression satanique et farouche de Robert le Diable.
A peine avait-il pris position, tout de suite le salon frémissait ;

on sentait qu'il allait se passer quelque chose de grand. . . .
Alors, après un silence, madame Bézuquet la mère commençait
en s'accompagnant :

> Robert, toi que j'aime
> 5   Et qui reçus ma foi,
> Tu vois mon effroi (*bis*),
> Grâce pour toi-même
> Et grâce pour moi.

A voix basse, elle ajoutait : « A vous, Tartarin, » et Tartarin
10 de Tarascon, le bras tendu, le poing fermé, la narine frémissante, disait par trois fois d'une voix formidable, qui roulait
comme un coup de tonnerre dans les entrailles du piano :
« Non ! . . . non ! . . . non ! . . . » ce qu'en bon Méridional
il prononçait : « Nan ! . . . nan ! . . . nan ! . . . » Sur quoi
15 madame Bézuquet la mère reprenait encore une fois :

> Grâce pour toi-même
> Et grâce pour moi.

—« Nan ! . . . nan ! . . . nan ! . . . » hurlait Tartarin de
plus belle, et la chose en restait là. . . . Ce n'était pas long,
20 comme vous voyez : mais c'était si bien jeté, si bien mimé, si
diabolique, qu'un frisson de terreur courait dans la pharmacie,
et qu'on lui faisait recommencer ses : « Nan ! . . . nan ! » quatre
et cinq fois de suite.

Là-dessus Tartarin s'épongeait le front, souriait aux dames,
25 clignait de l'œil aux hommes, et, se retirant sur son triomphe,
s'en allait dire au cercle d'un petit air négligent : « Je viens de
chez les Bézuquet chanter le duo de *Robert le Diable !* »

Et le plus fort, c'est qu'il le croyait ! . . .

IV

Ils ! ! !

C'est à ces différents talents que Tartarin de Tarascon **devait** sa haute situation dans la ville.

Du reste, c'est une chose positive que ce diable d'homme avait su prendre tout le monde.

A Tarascon, l'armée était pour Tartarin. Le brave comman- 5 dant Bravida, capitaine d'habillement en retraite, disait de lui : « C'est un lapin ! » et vous pensez que le commandant s'y connaissait en lapins, après en avoir tant habillé.

La magistrature était pour Tartarin. Deux ou trois fois, en plein tribunal, le vieux président Ladevèze avait dit, parlant 10 de lui :

« C'est un caractère ! »

Enfin le peuple était pour Tartarin. Sa carrure, sa démarche, son air, un air de bon cheval de trompette qui ne craignait pas le bruit, cette réputation de héros qui lui venait on ne sait d'où, 15 quelques distributions de gros sous et de taloches aux petits décrotteurs étalés devant sa porte, en avaient fait le lord Seymour de l'endroit, le Roi des halles tarasconnaises. Sur les quais, le dimanche soir, quand Tartarin revenait de la chasse, la casquette au bout du canon, bien sanglé dans sa veste de futaine, les porte- 20 faix du Rhône s'inclinaient pleins de respect, et se montrant du coin de l'œil les biceps gigantesques qui roulaient sur ses bras, ils se disaient tout bas les uns aux autres avec admiration :

« C'est celui-là qui est fort ! . . . Il a DOUBLES MUSCLES ! »

DOUBLES MUSCLES ! 25

Il n'y a qu'à Tarascon qu'on entend de ces choses-là !

Et pourtant, en dépit de tout, avec ses nombreux talents, ses doubles muscles, la faveur populaire et l'estime si précieuse du brave commandant Bravida, ancien capitaine d'habillement, Tartarin n'était pas heureux ; cette vie de petite ville lui pesait, 30

l'étouffait. Le grand homme de Tarascon s'ennuyait à Tarascon.
Le fait est que pour une nature héroïque comme la sienne, pour
une âme aventureuse et folle qui ne rêvait que batailles, courses
dans les pampas, grandes chasses, sables du désert, ouragans
5 et typhons, faire tous les dimanches une battue à la casquette
et le reste du temps rendre la justice chez l'armurier Costecalde,
ce n'était guère . . . Pauvre cher grand homme! A la longue,
il y aurait eu de quoi le faire mourir de consomption.

En vain, pour agrandir ses horizons, pour oublier un peu le
10 cercle et la place du Marché, en vain s'entourait-il de baobabs
et autres végétations africaines ; en vain entassait-il armes sur
armes, krish malais sur krish malais ; en vain se bourrait-il de
lectures romanesques, cherchant, comme l'immortel don Quichotte, à s'arracher par la vigueur de son rêve aux griffes de
15 l'impitoyable réalité . . . Hélas ! tout ce qu'il faisait pour
apaiser sa soif d'aventures ne servait qu'à l'augmenter. La vue
de toutes ses armes l'entretenait dans un état perpétuel de
colère et d'excitation. Ses rifles, ses flèches, ses lazos lui criaient :
« Bataille ! bataille ! » Dans les branches de son baobab, le vent
20 des grands voyages soufflait et lui donnait de mauvais conseils.
Pour l'achever, Gustave Aimard et Fenimore Cooper. . . .

Oh ! par les lourdes après-midi d'été quand il était seul à lire
au milieu de ses glaives, que de fois Tartarin s'est levé en rugis-
sant ; que de fois il a jeté son livre et s'est précipité sur le mur
25 pour décrocher une panoplie !

Le pauvre homme oubliait qu'il était chez lui à Tarascon, avec
un foulard de tête et des caleçons, il mettait ses lectures en
actions, et, s'exaltant au son de sa propre voix, criait en brandissant une hache ou un tomahawk :

30   « Qu'ils y viennent maintenant ! »

Ils ? Qui, *Ils ?*

Tartarin ne le savait pas bien lui-même. . . . *Ils !* c'était
tout ce qui attaque, tout ce qui combat, tout ce qui mord, tout

ce qui griffe, tout ce qui scalpe, tout ce qui hurle, tout ce qui rugit. . . . *Ils !* c'était l'Indien Sioux dansant autour du poteau de guerre où le malheureux blanc est attaché.

C'était l'ours gris des montagnes Rocheuses qui se dandine, et qui se lèche avec une langue pleine de sang. C'était encore le Touareg du désert, le pirate malais, le bandit des Abruzzes. . . . *Ils* enfin, c'était *ils !* . . . c'est-à-dire la guerre, les voyages, l'aventure, la gloire.

Mais, hélas ! l'intrépide Tarasconnais avait beau *les* appeler, *les* défier . . . *ils* ne venaient jamais. . . . Pécaïré ! qu'est-ce qu'*ils* seraient venus faire à Tarascon ?

Tartarin cependant *les* attendait toujours ; — surtout le soir en allant au cercle.

V

Quand Tartarin allait au cercle.

Le chevalier du Temple se disposant à faire une sortie contre l'infidèle qui l'assiège, le *tigre* chinois s'équipant pour la bataille, le guerrier comanche entrant sur le sentier de la guerre, tout cela n'est rien auprès de Tartarin de Tarascon s'armant de pied en cap pour aller au cercle, à neuf heures du soir, une heure après les clairons de la retraite.

Branle-bas de combat ! comme disent les matelots.

A la main gauche, Tartarin prenait un coup-de-poing à pointes de fer, à la main droite une canne à épée ; dans la poche gauche, un casse-tête ; dans la poche droite, un revolver. Sur la poitrine, entre drap et flanelle, un krish malais. Par exemple, jamais de flèche empoisonnée ; ce sont des armes trop déloyales ! . . .

Avant de partir, dans le silence et l'ombre de son cabinet, il s'exerçait un moment, se fendait, tirait au mur, faisait jouer ses muscles ; puis, il prenait son passe-partout, et traversait le jardin, gravement, sans se presser. — A l'anglaise, messieurs, à l'anglaise ! c'est le vrai courage. — Au bout du jardin, il ouvrait la

lourde porte de fer. Il l'ouvrait brusquement, violemment, de
façon à ce qu'elle allât battre en dehors contre la muraille. . . .
S'*ils* avaient été derrière, vous pensez quelle marmelade ! . . .
Malheureusement, *ils* n'étaient pas derrière.

5   La porte ouverte, Tartarin sortait, jetait vite un coup d'œil de
droite et de gauche, fermait la porte à double tour et vivement.
Puis en route.

Sur le chemin d'Avignon, pas un chat. Portes closes, fenêtres éteintes. Tout était noir. De loin en loin un réverbère,
10 clignotant dans le brouillard du Rhône. . . .

Superbe et calme, Tartarin de Tarascon s'en allait ainsi dans
la nuit, faisant sonner ses talons en mesure, et du bout ferré de
sa canne arrachant des étincelles aux pavés. . . . Boulevards,
grandes rues ou ruelles, il avait soin de tenir toujours le milieu
15 de la chaussée, excellente mesure de précaution qui vous permet
de voir venir le danger, et surtout d'éviter ce qui, le soir, dans
les rues de Tarascon, tombe quelquefois des fenêtres. A lui voir
tant de prudence, n'allez pas croire au moins que Tartarin eût
peur. . . . Non ! seulement il se gardait.

20   La meilleure preuve que Tartarin n'avait pas peur, c'est qu'au
lieu d'aller au cercle par le cours, il y allait par la ville, c'est-à-dire
par le plus long, par le plus noir, par un tas de vilaines petites
rues au bout desquelles on voit le Rhône luire sinistrement.
Le pauvre homme espérait toujours qu'au détour d'un de ces
25 coupe-gorge *ils* allaient s'élancer de l'ombre et lui tomber sur le
dos. *Ils* auraient été bien reçus, je vous en réponds. . . . Mais,
hélas ! par une dérision du destin, jamais, au grand jamais,
Tartarin de Tarascon n'eut la chance de faire une mauvaise
rencontre. Pas même un chien, pas même un ivrogne. Rien !

30   Parfois cependant une fausse alerte. Un bruit de pas, des voix
étouffées . . . « Attention ! » se disait Tartarin, et il restait planté
sur place, scrutant l'ombre, prenant le vent, appuyant son oreille
contre terre à la mode indienne . . . Les pas approchaient.

Les voix devenaient distinctes. . . . Plus de doutes ! *Ils* arrivaient. . . . *Ils* étaient là. Déjà Tartarin, l'œil en feu, la poitrine haletante, se ramassait sur lui-même comme un jaguar, et
se préparait à bondir en poussant son cri de guerre . . . quand
tout à coup, du sein de l'ombre, il entendait de bonnes voix 5
tarasconnaises l'appeler bien tranquillement :

« Té ! vé ! . . . c'est Tartarin. . . . Et adieu, Tartarin ! »

Malédiction ! c'était le pharmacien Bézuquet avec sa famille
qui venait de chanter *la sienne* chez les Costecalde. — «. Bonsoir !
bonsoir ! » grommelait Tartarin, furieux de sa méprise ; et, 10
farouche, la canne haute, il s'enfonçait dans la nuit.

Arrivé dans la rue du cercle, l'intrépide Tarasconnais attendait encore un moment en se promenant de long en large devant
la porte avant d'entrer. . . . A la fin, las de *les* attendre et certain qu'*ils* ne se montreraient pas, il jetait un dernier regard de 15
défi dans l'ombre, et murmurait avec colère : « Rien ! . . . rien !
. . . jamais rien ! »

Là-dessus le brave homme entrait faire son bezigue avec le
commandant.

VI

Les deux Tartarins.

Avec cette rage d'aventures, ce besoin d'émotions fortes, cette 20
folie de voyages, de courses, de diable au vert, comment diantre
se trouvait-il que Tartarin de Tarascon n'eût jamais quitté
Tarascon ?

Car c'est un fait. Jusqu'à l'âge de quarante-cinq ans, l'intrépide Tarasconnais n'avait pas une fois couché hors de sa ville. 25
Il n'avait pas même fait ce fameux voyage à Marseille, que tout
bon Provençal se paie à sa majorité. C'est au plus s'il connaissait Beaucaire, et cependant Beaucaire n'est pas bien loin de
Tarascon, puisqu'il n'y a que le pont à traverser. Malheureusement ce diable de pont a été si souvent emporté par les coups 30

de vent, il est si long, si frêle, et le Rhône a tant de largeur à
cet endroit que, ma foi ! vous comprenez . . . Tartarin de
Tarascon préférait la terre ferme.

C'est qu'il faut bien vous l'avouer, il y avait dans notre héros
5 deux natures très distinctes. « Je sens deux hommes en moi »,
a dit je ne sais quel Père de l'Église. Il l'eût dit vrai de Tartarin qui portait en lui l'âme de don Quichotte, les mêmes élans
chevaleresques, le même idéal héroïque, la même folie du romanesque et du grandiose ; mais malheureusement n'avait pas le
10 corps du célèbre hidalgo, ce corps osseux et maigre, ce prétexte
de corps, sur lequel la vie matérielle manquait de prise, capable
de passer vingt nuits sans déboucler sa cuirasse et quarante-huit
heures avec une poignée de riz . . . Le corps de Tartarin, au
contraire, était un brave homme de corps, très gras, très lourd,
15 très sensuel, très douillet, très geignard, plein d'appétits bourgeois et d'exigences domestiques, le corps ventru et court sur
pattes de l'immortel Sancho Pança.

Don Quichotte et Sancho Pança dans le même homme ! vous
comprenez quel mauvais ménage ils y devaient faire ! quels com-
20 bats ! quels déchirements ! . . . O le beau dialogue à écrire
pour Lucien ou pour Saint-Évremond, un dialogue entre les
deux Tartarins, le Tartarin-Quichotte et le Tartarin-Sancho !
Tartarin-Quichotte s'exaltant aux récits de Gustave Aimard et
criant : « Je pars ! »

25 Tartarin-Sancho ne pensant qu'aux rhumatismes et disant :
« Je reste. »

TARTARIN–QUICHOTTE, très exalté :

Couvre-toi de gloire, Tartarin.

TARTARIN–SANCHO, très calme :

30 Tartarin, couvre-toi de flanelle.

TARTARIN–QUICHOTTE, de plus en plus exalté :

O les bons rifles à deux coups ! ô les dagues, les lazos, les
mocassins !

TARTARIN–SANCHO, de plus en plus calme :

O les bons gilets tricotés ! les bonnes genouillères bien chaudes ! ô les braves casquettes à oreillettes !

TARTARIN–QUICHOTTE, hors de lui :

Une hache ! qu'on me donne une hache !

TARTARIN–SANCHO, sonnant la bonne :

Jeannette, mon chocolat.

Là-dessus Jeannette apparaît avec un excellent chocolat, chaud, moiré, parfumé, et de succulentes grillades à l'anis, qui font rire Tartarin-Sancho en étouffant les cris de Tartarin-Quichotte.

Et voilà comme il se trouvait que Tartarin de Tarascon n'eût jamais quitté Tarascon.

VII

Les Européens à Shang-Haï.
Le Haut Commerce. Les Tartares.
Tartarin de Tarascon serait-il un imposteur ?
Le mirage.

Une fois cependant Tartarin avait failli partir, partir pour un grand voyage.

Les trois frères Garcio-Camus, des Tarasconnais établis à Shang-Haï, lui avaient offert la direction d'un de leurs comptoirs là-bas. Ça, par exemple, c'était bien la vie qu'il lui fallait. Des affaires considérables, tout un monde de commis à gouverner, des relations avec la Russie, la Perse, la Turquie d'Asie, enfin le Haut Commerce.

Dans la bouche de Tartarin, ce mot de Haut Commerce vous apparaissait d'une hauteur ! . . .

La maison de Garcio-Camus avait en outre cet avantage qu'on y recevait quelquefois la visite des Tartares. Alors vite on fermait les portes. Tous les commis prenaient les armes, on hissait le drapeau consulaire, et pan ! pan ! par les fenêtres, sur les Tartares.

Avec quel enthousiasme Tartarin-Quichotte sauta sur cette proposition, je n'ai pas besoin de vous le dire ; par malheur, Tartarin-Sancho n'entendait pas de cette oreille-là, et, comme il était le plus fort, l'affaire ne put pas s'arranger. Dans la ville, on en parla beaucoup. Partira-t-il ? ne partira-t-il pas ? Parions que si, parions que non. Ce fut un événement. . . . En fin de compte, Tartarin ne partit pas, mais toutefois cette histoire lui fit beaucoup d'honneur. Avoir failli aller à Shang-Haï ou y être allé, pour Tarascon, c'était tout comme. A force de parler du voyage de Tartarin, on finit par croire qu'il en revenait, et le soir, au cercle, tous ces messieurs lui demandaient des renseignements sur la vie à Shang-Haï, sur les mœurs, le climat, l'opium, le Haut Commerce.

Tartarin, très bien renseigné, donnait de bonne grâce les détails qu'on voulait, et, à la longue, le brave homme n'était pas bien sûr lui-même de n'être pas allé à Shang-Haï, si bien qu'en racontant pour la centième fois la descente des Tartares, il en arrivait à dire très naturellement : « Alors, je fais armer mes commis, je hisse le pavillon consulaire, et pan ! pan ! par les fenêtres, sur les Tartares. » En entendant cela, tout le cercle frémissait. . . .

— Mais alors, votre Tartarin n'était qu'un affreux menteur.

— Non ! mille fois non ! Tartarin n'était pas un menteur. . . .

— Pourtant, il devait bien savoir qu'il n'était pas allé à Shang-Haï !

— Eh ! sans doute, il le savait. Seulement . . .

Seulement, écoutez bien ceci. Il est temps de s'entendre une fois pour toutes sur cette réputation de menteurs que les gens du Nord ont faite aux Méridionaux. Il n'y a pas de menteurs dans le Midi, pas plus à Marseille qu'à Nîmes, qu'à Toulouse, qu'à Tarascon. L'homme du Midi ne ment pas, il se trompe.

Il ne dit pas toujours la vérité, mais il croit la dire. . . . Son mensonge à lui, ce n'est pas du mensonge, c'est une espèce de mirage. . . .

Oui, du mirage! . . . Et pour bien me comprendre, allez-vous-en dans le Midi, et vous verrez. Vous verrez ce diable de pays où le soleil transfigure tout, et fait tout plus grand que nature. Vous verrez ces petites collines de Provence pas plus hautes que la butte Montmartre et qui vous paraîtront gigantesques, vous verrez la Maison carrée de Nîmes, — un petit bijou d'étagère, — qui vous semblera aussi grande que Notre-Dame. Vous verrez. . . . Ah! le seul menteur du Midi, s'il y en a un, c'est le soleil. . . . Tout ce qu'il touche, il l'exagère! . . . Qu'est-ce que c'était que Sparte aux temps de sa splendeur? Une bourgade. . . . Qu'est-ce que c'était qu'Athènes? Tout au plus une sous-préfecture . . . et pourtant dans l'histoire elles nous apparaissent comme des villes énormes. Voilà ce que le soleil en a fait. . . .

Vous étonnerez-vous après cela que le même soleil, tombant sur Tarascon, ait pu faire d'un ancien capitaine d'habillement comme Bravida, le brave commandant Bravida, d'un navet un baobab, et d'un homme qui avait failli aller à Shang-Haï un homme qui y était allé?

VIII

La ménagerie Mitaine.
Un lion de l'Atlas à Tarascon.
Terrible et solennelle entrevue.

Et maintenant que nous avons montré Tartarin de Tarascon comme il était en son privé, avant que la gloire l'eût baisé au front et coiffé du laurier séculaire, maintenant que nous avons raconté cette vie héroïque dans un milieu modeste, ses joies, ses douleurs, ses rêves, ses espérances, hâtons-nous d'arriver aux

grandes pages de son histoire et au singulier événement qui
devait donner l'essor à cette incomparable destinée.

C'était un soir, chez l'armurier Costecalde. Tartarin de
Tarascon était en train de démontrer à quelques amateurs le
maniement du fusil à aiguille, alors dans toute sa nouveauté. . . .
Soudain la porte s'ouvre, et un chasseur de casquettes se précipite effaré dans la boutique, en criant : « Un lion ! . . . un
lion ! . . . » Stupeur générale, effroi, tumulte, bousculade. Tartarin croise la baïonnette, Costecalde court fermer la porte. On
entoure le chasseur, on l'interroge, on le presse, et voici ce
qu'on apprend : la ménagerie Mitaine, revenant de la foire de
Beaucaire, avait consenti à faire une halte de quelques jours à
Tarascon et venait de s'installer sur la place du château avec un
tas de boas, de phoques, de crocodiles et un magnifique lion
de l'Atlas.

Un lion de l'Atlas à Tarascon ! Jamais, de mémoire d'homme,
pareille chose ne s'était vue. Aussi comme nos braves chasseurs
de casquettes se regardaient fièrement ! quel rayonnement sur
leurs mâles visages, et, dans tous les coins de la boutique Costecalde, quelles bonnes poignées de mains silencieusement échan-
gées ! L'émotion était si grande, si imprévue, que personne ne
trouvait un mot à dire. . . .

Pas même Tartarin. Pâle et frémissant, le fusil à aiguille
encore entre les mains, il songeait debout devant le comptoir. . . .
Un lion de l'Atlas, là, tout près, à deux pas ! Un lion ! c'est-à-
dire la bête héroïque et féroce par excellence, le roi des fauves,
le gibier de ses rêves, quelque chose comme le premier sujet de
cette troupe idéale qui lui jouait de si beaux drames dans son
imagination. . . .

Un lion, mille dieux ! . . .

Et de l'Atlas encore ! ! ! C'était plus que le grand Tartarin
n'en pouvait supporter. . . .

Tout à coup un paquet de sang lui monta au visage.

Ses yeux flambèrent. D'un geste convulsif il jeta le fusil à aiguille sur son épaule, et, se tournant vers le brave commandant Bravida, ancien capitaine d'habillement, il lui dit d'une voix de tonnerre : « Allons voir ça, commandant. »

— « Hé ! bé . . . hé ! bé . . . Et mon fusil ! . . . mon fusil à aiguille que vous emportez ! . . . » hasarda timidement le prudent Costecalde ; mais Tartarin avait tourné la rue, et derrière lui tous les chasseurs de casquettes emboîtant fièrement le pas.

Quand ils arrivèrent à la ménagerie, il y avait déjà beaucoup de monde. Tarascon, race héroïque, mais trop longtemps privée de spectacles à sensations, s'était rué sur la baraque Mitaine et l'avait prise d'assaut. Aussi la grosse madame Mitaine était bien contente. . . . En costume kabyle, les bras nus jusqu'au coude, des bracelets de fer aux chevilles, une cravache dans une main, dans l'autre un poulet vivant, quoique plumé, l'illustre dame faisait les honneurs de la baraque aux Tarasconnais, et comme elle avait *doubles muscles*, elle aussi, son succès était presque aussi grand que celui de ses pensionnaires.

L'entrée de Tartarin, le fusil sur l'épaule, jeta un froid.

Tous ces braves Tarasconnais, qui se promenaient bien tranquillement devant les cages, sans armes, sans méfiance, sans même aucune idée de danger, eurent un mouvement de terreur assez naturel en voyant leur grand Tartarin entrer dans la baraque avec son formidable engin de guerre. Il y avait donc quelque chose à craindre, puisque lui, ce héros . . . En un clin d'œil, tout le devant des cages se trouva dégarni. Les enfants criaient de peur, les dames regardaient la porte. Le pharmacien Bézuquet s'esquiva, en disant qu'il allait chercher son fusil. . . .

Peu à peu cependant, l'attitude de Tartarin rassura les courages. Calme, la tête haute, l'intrépide Tarasconnais fit lentement le tour de la baraque, passa sans s'arrêter devant la baignoire du phoque, regarda d'un œil dédaigneux la longue caisse pleine de

son où le boa digérait son poulet cru, et vint enfin se planter
devant la cage du lion. . . .

Terrible et solennelle entrevue ! le lion de Tarascon et le lion
de l'Atlas en face l'un de l'autre. . . . D'un côté, Tartarin,
5 debout, le jarret tendu, les deux bras appuyés sur son rifle ; de
l'autre, le lion, un lion gigantesque, vautré dans la paille, l'œil
clignotant, l'air abruti, avec son énorme mufle à perruque jaune
posé sur les pattes de devant. . . . Tous deux calmes et se
regardant.

10   Chose singulière ! soit que le fusil à aiguille lui eût donné de
l'humeur, soit qu'il eût flairé un ennemi de sa race, le lion, qui
jusque-là avait regardé les Tarasconnais d'un air de souverain
mépris en leur bâillant au nez à tous, le lion eut tout à coup un
mouvement de colère. D'abord il renifla, gronda sourdement,
15 écarta ses griffes, étira ses pattes ; puis il se leva, dressa la tête,
secoua sa crinière, ouvrit une gueule immense et poussa vers
Tartarin un formidable rugissement.

Un cri de terreur lui répondit. Tarascon, affolé, se précipita
vers les portes. Tous, femmes, enfants, portefaix, chasseurs de
20 casquettes, le brave commandant Bravida lui-même . . . Seul,
Tartarin de Tarascon ne bougea pas. . . . Il était là, ferme et
résolu, devant la cage, des éclairs dans les yeux et cette terrible
moue que toute la ville connaissait. . . . Au bout d'un moment,
quand les chasseurs de casquettes, un peu rassurés par son atti-
25 tude et la solidité des barreaux, se rapprochèrent de leur chef,
ils entendirent qu'il murmurait, en regardant le lion : « Ça, oui,
c'est une chasse. »

Ce jour-là, Tartarin de Tarascon n'en dit pas davantage. . . .

IX

Singuliers effets du mirage.

Ce jour-là, Tartarin de Tarascon n'en dit pas davantage ; mais le malheureux en avait déjà trop dit. . . .

Le lendemain, il n'était bruit dans la ville que du prochain départ de Tartarin pour l'Algérie et la chasse aux lions. Vous êtes tous témoins, chers lecteurs, que le brave homme n'avait 5 pas soufflé mot de cela ; mais vous savez, le mirage . . .

Bref, tout Tarascon ne parlait que de ce départ.

Sur le cours, au cercle, chez Costecalde, les gens s'abordaient d'un air effaré :

« Et autrement, vous savez la nouvelle, au moins ? 10

— Et autrement, quoi donc ? . . . le départ de Tartarin, au moins ? »

Car à Tarascon toutes les phrases commencent par *et autrement*, qu'on prononce *autremain*, et finissent par *au moins*, qu'on prononce *au mouain*. Or, ce jour-là, plus que tous les autres, 15 les *au mouain* et les *autremain* sonnaient à faire trembler les vitres.

L'homme le plus surpris de la ville, en apprenant qu'il allait partir pour l'Afrique, ce fut Tartarin. Mais voyez ce que c'est que la vanité ! Au lieu de répondre simplement qu'il ne partait 20 pas du tout, qu'il n'avait jamais eu l'intention de partir, le pauvre Tartarin — la première fois qu'on lui parla de ce voyage — fit d'un petit air évasif : « Hé ! . . . hé ! . . . peut-être . . . je ne dis pas. » La seconde fois, un peu plus familiarisé avec cette idée, il répondit : « C'est probable. » La troisième fois : « C'est 25 certain ! »

Enfin, le soir, au cercle et chez les Costecalde, entraîné par le punch aux œufs, les bravos, les lumières ; grisé par le succès que l'annonce de son départ avait eu dans la ville, le malheureux déclara formellement qu'il était las de chasser la casquette et qu'il allait, avant peu, se mettre à la poursuite des grands lions de l'Atlas. . . .

5   Un hourra formidable accueillit cette déclaration. Là-dessus, nouveau punch aux œufs, poignées de mains, accolades et sérénade aux flambeaux jusqu'à minuit devant la petite maison du baobab.

C'est Tartarin-Sancho qui n'était pas content ! Cette idée de 10 voyage en Afrique et de chasse au lion lui donnait le frisson par avance ; et, en rentrant au logis, pendant que la sérénade d'honneur sonnait sous leurs fenêtres, il fit à Tartarin-Quichotte une scène effroyable, l'appelant toqué, visionnaire, imprudent, triple fou, lui détaillant par le menu toutes les catastrophes qui l'at-15 tendaient dans cette expédition, naufrages, rhumatismes, fièvres chaudes, dysenteries, peste noire, éléphantiasis, et le reste. . . .

En vain Tartarin-Quichotte jurait-il de ne pas faire d'imprudences, qu'il se couvrirait bien, qu'il emporterait tout ce qu'il faudrait, Tartarin-Sancho ne voulait rien entendre. Le pauvre 20 homme se voyait déjà déchiqueté par les lions, englouti dans les sables du désert comme feu Cambyse, et l'autre Tartarin ne parvint à l'apaiser un peu qu'en lui expliquant que ce n'était pas pour tout de suite, que rien ne pressait et qu'en fin de compte ils n'étaient pas encore partis.

25   Il est bien clair, en effet, que l'on ne s'embarque pas pour une expédition semblable sans prendre quelques précautions. Il faut savoir où l'on va, que diable ! et ne pas partir comme un oiseau. . . .

Avant toutes choses, le Tarasconnais voulut lire les récits des 30 grands touristes africains, les relations de Mungo-Park, de Caillé, du docteur Livingstone, d'Henri Duveyrier.

Là, il vit que ces intrépides voyageurs, avant de chausser leurs sandales pour les excursions lointaines, s'étaient préparés de

longue main à supporter la faim, la soif, les marches forcées,
les privations de toutes sortes. Tartarin voulut faire comme eux,
et, à partir de ce jour-là, ne se nourrit plus que d'*eau bouillie*. —
Ce qu'on appelle *eau bouillie*, à Tarascon, c'est quelques tranches
de pain noyées dans de l'eau chaude, avec une gousse d'ail, un 5
peu de thym, un brin de laurier. — Le régime était sévère, et
vous pensez si le pauvre Sancho fit la grimace. . . .

A l'entraînement par l'eau bouillie Tartarin de Tarascon joi-
gnit d'autres sages pratiques. Ainsi, pour prendre l'habitude des
longues marches, il s'astreignit à faire chaque matin son tour de 10
ville sept ou huit fois de suite, tantôt au pas accéléré, tantôt au
pas gymnastique, les coudes au corps et deux petits cailloux blancs
dans la bouche, selon la mode antique.

Puis, pour se faire aux fraîcheurs nocturnes, aux brouillards,
à la rosée, il descendait tous les soirs dans son jardin et restait 15
là jusqu'à des dix et onze heures, seul avec son fusil, à l'affût
derrière le baobab. . . .

Enfin, tant que la ménagerie Mitaine resta à Tarascon,
les chasseurs de casquettes attardés chez Costecalde purent
voir dans l'ombre, en passant sur la place du Château, un 20
homme mystérieux se promenant de long en large derrière la
baraque.

C'était Tartarin de Tarascon, qui s'habituait à entendre sans
frémir les rugissements du lion dans la nuit sombre.

X

Avant le départ.

Pendant que Tartarin s'entraînait ainsi par toute sorte de 25
moyens héroïques, tout Tarascon avait les yeux sur lui ; on ne
s'occupait plus d'autre chose. La chasse à la casquette ne battait plus que d'une aile, les romances chômaient. Dans la pharmacie Bézuquet le piano languissait sous une housse verte, et

les mouches cantharides séchaient dessus, le ventre en l'air. . . .
L'expédition de Tartarin avait arrêté tout.

Il fallait voir le succès du Tarasconnais dans les salons. On
se l'arrachait, on se le disputait, on se l'empruntait, on se le
5 volait. Il n'y avait pas de plus grand honneur pour les dames
que d'aller à la ménagerie Mitaine au bras de Tartarin, et de se
faire expliquer devant la cage du lion comment on s'y prenait
pour chasser ces grandes bêtes, où il fallait viser, à combien de
pas, si les accidents étaient nombreux, etc., etc.

10   Tartarin donnait toutes les explications qu'on voulait. Il avait
lu Jules Gérard et connaissait la chasse au lion sur le bout du
doigt, comme s'il l'avait faite. Aussi parlait-il de ces choses avec
une grande éloquence.

Mais où il était le plus beau, c'était le soir à dîner chez le
15 président Ladevèze ou le brave commandant Bravida, ancien
capitaine d'habillement, quand on apportait le café et que, toutes
les chaises se rapprochant, on le faisait parler de ses chasses
futures. . . .

Alors, le coude sur la nappe, le nez dans son moka, le héros
20 racontait d'une voix émue tous les dangers qui l'attendaient
là-bas. Il disait les longs affûts sans lune, les marais pestilen-
tiels, les rivières empoisonnées par la feuille du laurier-rose, les
neiges, les soleils ardents, les scorpions, les pluies de sauterelles ;
il disait aussi les mœurs des grands lions de l'Atlas, leur façon
25 de combattre, leur vigueur phénoménale et leur férocité au
temps du rut. . . .

Puis, s'exaltant à son propre récit, il se levait de table, bondissait au milieu de la salle à manger, imitant le cri du lion, le
bruit d'une carabine, pan ! pan ! le sifflement d'une balle explo-
30 sible, pfft ! pfft ! gesticulait, rugissait, renversait les chaises . . .

Autour de la table, tout le monde était pâle. Les hommes se
regardaient en hochant la tête, les dames fermaient les yeux avec
de petitis cris d'effroi, les vieillards brandissaient leurs longues

cannes belliqueusement, et, dans la chambre à côté, les petits
garçonnets qu'on couche de bonne heure, éveillés en sursaut
par les rugissements et les coups de feu, avaient grand'peur et
demandaient de la lumière.

En attendant, Tartarin ne partait pas.   5

XI

Des coups d'épée, Messieurs, des coups d'épée . . .
Mais pas de coups d'épingle !

Avait-il bien réellement l'intention de partir ? . . . Question
délicate, et à laquelle l'historien de Tartarin serait fort embar-
rassé de répondre.

Toujours est-il que la ménagerie Mitaine avait quitté Tarascon
depuis plus de trois mois, et le tueur de lions ne bougeait pas. . . . 10
Après tout, peut-être le candide héros, aveuglé par un nouveau
mirage, se figurait-il de bonne foi qu'il était allé en Algérie.
Peut-être qu'à force de raconter ses futures chasses, il s'imaginait les avoir faites, aussi sincèrement qu'il s'imaginait avoir
hissé le drapeau consulaire et tiré sur les Tartares, pan ! pan ! à 15
Shang-Haï.

Malheureusement, si cette fois encore Tartarin de Tarascon
fut victime du mirage, les Tarasconnais ne le furent pas. Lorsqu'au bout de trois mois d'attente, on s'aperçut que le chasseur
n'avait pas encore fait une malle, on commença à murmurer.   20

« Ce sera comme pour Shang-Haï ! » disait Costecalde en sou-
riant. Et le mot de l'armurier fit fureur dans la ville ; car personne ne croyait plus en Tartarin.

Les naïfs, les poltrons, des gens comme Bézuquet, qu'une
puce aurait mis en fuite et qui ne pouvaient pas tirer un coup 25
de fusil sans fermer les yeux, ceux-là surtout étaient impitoyables.
Au cercle, sur l'esplanade, ils abordaient le pauvre Tartarin avec
de petits airs goguenards.

« Et *autremain*, pour quand ce voyage ? » Dans la boutique Costecalde, son opinion ne faisait plus foi. Les chasseurs de casquettes reniaient leur chef !

Puis les épigrammes s'en mêlèrent. Le président Ladevèze, qui faisait volontiers en ses heures de loisir deux doigts de cour à la muse provençale, composa dans la langue du cru une chanson qui eut beaucoup de succès. Il était question d'un certain grand chasseur appelé maître Gervais, dont le fusil redoutable devait exterminer jusqu'au dernier tous les lions d'Afrique. Par malheur ce diable de fusil était de complexion singulière : *on le chargeait toujours, il ne partait jamais.*

Il ne partait jamais ! vous comprenez l'allusion. . . .

En un tour de main, cette chanson devint populaire ; et quand Tartarin passait, les portefaix du quai, les petits décrotteurs de devant sa porte chantaient en chœur :

> *Lou fùsiou de mestre Gervaï*
> *Toujou lou cargon, toujou lou cargon,*
> *Lou fùsiou de mestre Gervaï*
> *Toujou lou cargon, part jamaï.*

Seulement cela se chantait de loin, à cause des doubles muscles. O fragilité des engouements de Tarascon ! . . .

Le grand homme, lui, feignait de ne rien voir, de ne rien entendre ; mais au fond cette petite guerre sourde et venimeuse l'affligeait beaucoup ; il sentait Tarascon lui glisser dans la main, la faveur populaire aller à d'autres, et cela le faisait horriblement souffrir.

Ah ! la grande gamelle de la popularité, il fait bon s'asseoir devant, mais quel échaudement quand elle se renverse ! . . .

En dépit de sa souffrance, Tartarin souriait et menait paisiblement sa même vie, comme si de rien n'était.

Quelquefois cependant ce masque de joyeuse insouciance, qu'il s'était par fierté collé sur le visage, se détachait subitement. Alors, au lieu du rire, on voyait l'indignation et la douleur. . . .

C'est ainsi qu'un matin que les petits décrotteurs chantaient sous ses fenêtres : *Lou fùsioù de mestre Gervaï*, les voix de ces misérables arrivèrent jusqu'à la chambre du pauvre grand homme en train de se raser devant sa glace. (Tartarin portait toute sa barbe, mais, comme elle venait trop forte, il était obligé de la surveiller.)

Tout à coup la fenêtre s'ouvrit violemment et Tartarin apparut en chemise, en serre-tête, barbouillé de bon savon blanc, brandissant son rasoir et sa savonnette, et criant d'une voix formidable :

« Des coups d'épée, messieurs, des coups d'épée ! . . . Mais pas de coups d'épingle ! »

Belles paroles dignes de l'histoire, qui n'avaient que le tort de s'adresser à ces petits *fouchtras*, hauts comme leurs boîtes à cirage, et gentilshommes tout à fait incapables de tenir une épée !

XII

De ce qui fut dit dans la petite maison du baobab.

Au milieu de la défection générale, l'armée seule tenait bon pour Tartarin.

Le brave commandant Bravida, ancien capitaine d'habillement, continuait à lui marquer la même estime : « C'est un lapin ! » s'entêtait-il à dire, et cette affirmation valait bien, j'imagine, celle du pharmacien Bézuquet. . . . Pas une fois le brave commandant n'avait fait allusion au voyage en Afrique ; pourtant, quand la clameur publique devint trop forte, il se décida à parler.

Un soir, le malheureux Tartarin était seul dans son cabinet, pensant à des choses tristes, quand il vit entrer le commandant, grave, ganté de noir, boutonné jusqu'aux oreilles.

« Tartarin, » fit l'ancien capitaine avec autorité, « Tartarin, il faut partir ! » Et il restait debout dans l'encadrement de la porte, — rigide et grand comme le devoir.

Tout ce qu'il y avait dans ce « Tartarin, il faut partir ! » Tartarin de Tarascon le comprit.

Très pâle, il se leva, regarda autour de lui d'un œil attendri ce joli cabinet, bien clos, plein de chaleur et de lumière douce, ce 5 large fauteuil si commode, ses livres, son tapis, les grands stores blancs de ses fenêtres, derrière lesquels tremblaient les branches grêles du petit jardin ; puis, s'avançant vers le brave commandant, il lui prit la main, la serra avec énergie, et d'une voix où roulaient des larmes, stoïque cependant, il lui dit : « Je partirai, Bravida ! »

10 Et il partit comme il l'avait dit. Seulement pas encore tout de suite . . . il lui fallut le temps de s'outiller.

D'abord il commanda chez Bompard deux grandes malles doublées de cuivre, avec une longue plaque portant cette inscription :

TARTARIN DE TARASCON

CAISSE D'ARMES

Le doublage et la gravure prirent beaucoup de temps. Il 15 commanda aussi chez Tastavin un magnifique album de voyage pour écrire son journal, ses impressions ; car enfin on a beau chasser le lion, on pense tout de même en route.

Puis il fit venir de Marseille toute une cargaison de conserves alimentaires, du pemmican en tablettes pour faire du bouillon, 20 une tente-abri d'un nouveau modèle, se montant et se démontant à la minute, des bottes de marin, deux parapluies, un waterproof, des lunettes bleues pour prévenir les ophtalmies. Enfin le pharmacien Bézuquet lui confectionna une petite pharmacie portative bourrée de sparadrap, d'arnica, de camphre, de vinaigre 25 des quatre-voleurs.

Pauvre Tartarin ! ce qu'il en faisait, ce n'était pas pour lui ; mais il espérait, à force de précautions et d'attentions délicates, apaiser la fureur de Tartarin-Sancho, qui, depuis que le départ était décidé, ne décolérait ni de jour ni de nuit.

XIII

Le départ.

Enfin il arriva, le jour solennel, le grand jour.

Dès l'aube, tout Tarascon était sur pied, encombrant le chemin d'Avignon et les abords de la petite maison du baobab.

Du monde aux fenêtres, sur les toits, sur les arbres ; des mariniers du Rhône, des portefaix, des décrotteurs, des bour- 5 geois, des ourdisseuses, des taffetassières, le cercle, enfin toute la ville ; puis aussi des gens de Beaucaire qui avaient passé le pont, des maraîchers de la banlieue, des charrettes à grandes bâches, des vignerons hissés sur de belles mules attifées de rubans, de flots, de grelots, de nœuds, de sonnettes, et même, 10 de loin en loin, quelques jolies filles d'Arles venues en croupe de leur galant, le ruban d'azur autour de la tête, sur de petits chevaux de Camargue gris de fer.

Toute cette foule se pressait, se bousculait devant la porte de Tartarin, ce bon M. Tartarin, qui s'en allait tuer des lions 15 chez les *Teurs*.

Pour Tarascon, l'Algérie, l'Afrique, la Grèce, la Perse, la Turquie, la Mésopotamie, tout cela forme un grand pays très vague, presque mythologique, et cela s'appelle les *Teurs* (les Turcs). 20

Au milieu de cette cohue, les chasseurs de casquettes allaient et venaient, fiers du triomphe de leur chef, et traçant sur leur passage comme des sillons glorieux.

Devant la maison du baobab, deux grandes brouettes. De temps en temps, la porte s'ouvrait, laissant voir quelques per- 25 sonnes qui se promenaient gravement dans le petit jardin. Des hommes apportaient des malles, des caisses, des sacs de nuit, qu'ils empilaient sur les brouettes.

A chaque nouveau colis, la foule frémissait. On se nommait les objets à haute voix. « Ça, c'est la tente-abri. . . . Ça, ce 30

sont les conserves . . . la pharmacie . . . les caisses d'armes . . . »
Et les chasseurs de casquettes donnaient des explications.

Tout à coup, vers dix heures, il se fit un grand mouvement
dans la foule. La porte du jardin tourna sur ses gonds
5 violemment.

« C'est lui ! . . . c'est lui ! » criait-on.

C'était lui. . . .

Quand il parut sur le seuil, deux cris de stupeur partirent de
la foule :

10 « C'est un *Teur* ! . . .

— Il a des lunettes ! »

Tartarin de Tarascon, en effet, avait cru de son devoir, allant
en Algérie, de prendre le costume algérien. Large pantalon
bouffant en toile blanche, petite veste collante à boutons de
15 métal, deux pieds de ceinture rouge autour de l'estomac, le cou
nu, le front rasé, sur sa tête une gigantesque *chechia* (bonnet
rouge) et un flot bleu d'une longueur ! . . . Avec cela, deux
lourds fusils, un sur chaque épaule, un grand couteau de chasse
à la ceinture, sur le ventre une cartouchière, sur la hanche un
20 revolver se balançant dans sa poche de cuir. C'est tout. . . .

Ah ! pardon, j'oubliais les lunettes, une énorme paire de lunettes bleues qui venaient là bien à propos pour corriger ce qu'il
y avait d'un peu trop farouche dans la tournure de notre héros !

« Vive Tartarin ! . . . vive Tartarin ! » hurla le peuple. Le
25 grand homme sourit, mais ne salua pas, à cause de ses fusils
qui le gênaient. Du reste, il savait maintenant à quoi s'en tenir
sur la faveur populaire ; peut-être même qu'au fond de son âme
il maudissait ses terribles compatriotes, qui l'obligeaient à partir,
à quitter son joli petit chez lui aux murs blancs, aux persiennes
30 vertes. . . . Mais cela ne se voyait pas.

Calme et fier, quoiqu'un peu pâle, il s'avança sur la chaussée,
regarda ses brouettes, et, voyant que tout était bien, prit gaillardement le chemin de la gare, sans même se retourner une

fois vers la maison du baobab. Derrière lui marchaient le brave
commandant Bravida, ancien capitaine d'habillement, le président
Ladevèze, puis l'armurier Costecalde et tous les chasseurs de
casquettes, puis les brouettes, puis le peuple.

Devant l'embarcadère, le chef de gare l'attendait, — un vieil 5
Africain de 1830, qui lui serra la main plusieurs fois avec chaleur.

L'express Paris-Marseille n'était pas encore arrivé. Tartarin
et son état-major entrèrent dans les salles d'attente. Pour éviter
l'encombrement, derrière eux le chef de gare fit fermer les grilles.

Pendant un quart d'heure, Tartarin se promena de long en 10
large dans les salles, au milieu des chasseurs de casquettes. Il
leur parlait de son voyage, de sa chasse, promettant d'envoyer
des peaux. On s'inscrivait sur son carnet pour une peau comme
pour une contredanse.

Tranquille et doux comme Socrate au moment de boire la 15
ciguë, l'intrépide Tarasconnais avait un mot pour chacun, un
sourire pour tout le monde. Il parlait simplement, d'un air
affable ; on aurait dit qu'avant de partir, il voulait laisser derrière
lui comme une traînée de charme, de regrets, de bons souvenirs.
D'entendre leur chef parler ainsi, tous les chasseurs de casquettes 20
avaient des larmes, quelques-uns même des remords, comme le
président Ladevèze et le pharmacien Bézuquet.

Des hommes d'équipe pleuraient dans des coins. Dehors, le
peuple regardait à travers les grilles, et criait : « Vive Tartarin ! »

Enfin la cloche sonna. Un roulement sourd, un sifflet déchi- 25
rant ébranla les voûtes. . . . En voiture ! en voiture !

« Adieu, Tartarin ! . . . adieu, Tartarin ! . . .

— Adieu, tous ! . . . » murmura le grand homme, et sur les
joues du brave commandant Bravida il embrassa son cher
Tarascon. 30

Puis il s'élança sur la voie, et monta dans un wagon plein de
Parisiennes, qui pensèrent mourir de peur en voyant arriver cet
homme étrange avec tant de carabines et de revolvers.

XIV

Le port de Marseille. Embarque ! Embarque !

Le 1ᵉʳ décembre 186..., à l'heure de midi, par un soleil d'hiver
provençal, un temps clair, luisant, splendide, les Marseillais
effarés virent déboucher sur la Canebière un *Teur*, oh mais, un
Teur ! . . . Jamais ils n'en avaient vu un comme celui-là ; et
5 pourtant, Dieu sait s'il en manque à Marseille, des *Teurs !*

Le *Teur* en question, — ai-je besoin de vous le dire ? — c'était
Tartarin, le grand Tartarin de Tarascon, qui s'en allait le long
des quais, suivi de ses caisses d'armes, de sa pharmacie, de ses
conserves, rejoindre l'embarcadère de la compagnie Touache, et
10 le paquebot le *Zouave*, qui devait l'emporter là-bas.

L'oreille encore pleine des applaudissements tarasconnais,
grisé par la lumière du ciel, l'odeur de la mer, Tartarin rayonnant marchait, ses fusils sur l'épaule, la tête haute, regardant de
tous ses yeux ce merveilleux port de Marseille qu'il voyait pour
15 la première fois, et qui l'éblouissait. . . . Le pauvre homme
croyait rêver. Il lui semblait qu'il s'appelait Sinbad le Marin, et
qu'il errait dans une de ces villes fantastiques comme il y en a
dans les *Mille et une nuits.*

C'était à perte de vue un fouillis de mâts, de vergues, se
20 croisant dans tous les sens. Pavillons de tous les pays, russes,
grecs, suédois, tunisiens, américains . . . Les navires au ras du
quai, les beauprés arrivant sur la berge comme des rangées de
baïonnettes. Au-dessous les naïades, les déesses, les saintes
vierges et autres sculptures de bois peint qui donnent le nom au
25 vaisseau ; tout cela mangé par l'eau de mer, dévoré, ruisselant,
moisi. . . . De temps en temps, entre les navires, un morceau
de mer, comme une grande moire tachée d'huile. . . . Dans
l'enchevêtrement des vergues, des nuées de mouettes faisant de
jolies taches sur le ciel bleu, des mousses qui s'appelaient dans
30 toutes les langues.

Sur le quai, au milieu des ruisseaux qui venaient des savonne-
ries, verts, épais, noirâtres, chargés d'huile et de soude, tout
un peuple de douaniers, de commissionnaires, de portefaix avec
leurs *bogheys* attelés de petits chevaux corses.

Des magasins de confections bizarres, des baraques enfumées 5
où les matelots faisaient leur cuisine, des marchands de pipes,
des marchands de singes, de perroquets, de cordes, de toiles à
voiles, des bric-à-brac fantastiques où s'étalaient pêle-mêle de
vieilles couleuvrines, de grosses lanternes dorées, de vieux palans,
de vieilles ancres édentées, vieux cordages, vieilles poulies, vieux 10
portevoix, lunettes marines du temps de Jean Bart et de Duguay-
Trouin. Des vendeuses de moules et de clovisses accroupies et
piaillant à côté de leurs coquillages. Des matelots passant avec
des pots de goudron, des marmites fumantes, de grands paniers
pleins de poulpes qu'ils allaient laver dans l'eau blanchâtre des 15
fontaines.

Partout, un encombrement prodigieux de marchandises de
toute espèce : soieries, minerais, trains de bois, saumons de
plomb, draps, sucres, caroubes, colzas, réglisses, cannes à sucre.
L'Orient et l'Occident pêle-mêle. De grands tas de fromages de 20
Hollande que les Génoises teignaient en rouge avec leurs mains.

Là-bas, le quai au blé ; les portefaix déchargeant leurs sacs
sur la berge du haut de grands échafaudages. Le blé, torrent
d'or, qui roulait au milieu d'une fumée blonde. Des hommes en
fez rouge, le criblant à mesure dans de grands tamis de peau 25
d'âne, et le chargeant sur des charrettes qui s'éloignaient suivies
d'un régiment de femmes et d'enfants avec des balayettes
et des paniers à glanes. . . . Plus loin, le bassin de carénage,
les grands vaisseaux couchés sur le flanc et qu'on flambait avec
des broussailles pour les débarrasser des herbes de la mer, les 30
vergues trempant dans l'eau, l'odeur de la résine, le bruit assourdissant des charpentiers doublant la coque des navires avec
de grandes plaques de cuivre.

Parfois, entre les mâts, une éclaircie. Alors Tartarin voyait l'entrée du port, le grand va-et-vient des navires, une frégate anglaise partant pour Malte, pimpante et bien lavée, avec des officiers en gants jaunes, ou bien un grand brick marseillais
5 démarrant au milieu des cris, des jurons, et à l'arrière un gros capitaine en redingote et chapeau de soie, commandant la manœuvre en provençal. Des navires qui s'en allaient en courant, toutes voiles dehors. D'autres là-bas, bien loin, qui arrivaient lentement, dans le soleil, comme en l'air.

10 Et puis tout le temps un tapage effroyable, roulement de charrettes, « oh ! hisse » des matelots, jurons, chants, sifflets de bateaux à vapeur, les tambours et les clairons du fort Saint-Jean, du fort Saint-Nicolas, les cloches de la Major, des Accoules, de Saint-Victor ; par là-dessus le mistral qui prenait tous ces
15 bruits, toutes ces clameurs, les roulait, les secouait, les confondait avec sa propre voix et en faisait une musique folle, sauvage, héroïque comme la grande fanfare du voyage, fanfare qui donnait envie de partir, d'aller loin, d'avoir des ailes.

C'est au son de cette belle fanfare que l'intrépide Tartarin de
20 Tarascon s'embarqua pour le pays des lions ! . . .

DEUXIÈME ÉPISODE

CHEZ LES TEURS

I

La traversée. Les cinq positions de la chechia.
Le soir du troisième jour.
Miséricorde.

Je voudrais, mes chers lecteurs, être peintre et grand peintre
pour mettre sous vos yeux, en tête de ce second épisode, les
différentes positions que prit la *chechia* de Tartarin de Tarascon,
dans ces trois jours de traversée qu'elle fit à bord du *Zouave*,
entre la France et l'Algérie.   5

Je vous la montrerais d'abord au départ sur le pont, héroïque
et superbe comme elle était, auréolant cette belle tête tarasconnaise. Je vous la montrerais ensuite à la sortie du port,
quand le *Zouave* commence à caracoler sur les lames : je vous
la montrerais frémissante, étonnée, et comme sentant déjà les 10
premières atteintes de son mal.

Puis, dans le golfe du Lion, à mesure qu'on avance au large
et que la mer devient plus dure, je vous la ferais voir aux prises
avec la tempête, se dressant effarée sur le crâne du héros, et son
grand flot de laine bleue qui se hérisse dans la brume de mer 15
et la bourrasque. . . . Quatrième position. Six heures du soir,
en vue des côtes corses. L'infortunée *chechia* se penche par-dessus
le bastingage et lamentablement regarde et sonde la mer. . . .
Enfin, cinquième et dernière position, au fond d'une étroite cabine,
dans un petit lit qui a l'air d'un tiroir de commode, quelque chose 20
d'informe et de désolé roule en geignant sur l'oreiller. C'est la

chechia, l'héroïque *chechia* du départ, réduite maintenant au vulgaire état de casque à mèche et s'enfonçant jusqu'aux oreilles d'une tête de malade blême et convulsionnée. . . .

Ah ! si les Tarasconnais avaient pu voir leur grand Tartarin
5 couché dans son tiroir de commode sous le jour blafard et triste qui tombait des hublots, parmi cette odeur fade de cuisine et de bois mouillé, l'écœurante odeur du paquebot ; s'ils l'avaient entendu râler à chaque battement de l'hélice, demander du thé toutes les cinq minutes et jurer contre le garçon avec une petite
10 voix d'enfant, comme ils s'en seraient voulu de l'avoir obligé à partir. . . . Ma parole d'historien ! le pauvre *Teur* faisait pitié. Surpris tout à coup par le mal, l'infortuné n'avait pas eu le courage de desserrer sa ceinture algérienne, ni de se défubler de son arsenal. Le couteau de chasse à gros manche lui cassait
15 la poitrine, le cuir de son revolver lui meurtrissait les jambes. Pour l'achever, les bougonnements de Tartarin-Sancho, qui ne cessait de geindre et de pester :

« Imbécile, va ! . . . Je te l'avais bien dit ! . . . Ah ! tu as voulu aller en Afrique . . . Eh bien, té ! la voilà l'Afrique ! . . .
20 Comment la trouves-tu ? »

Ce qu'il y avait de plus cruel, c'est que du fond de sa cabine et de ses gémissements, le malheureux entendait les passagers du grand salon rire, manger, chanter, jouer aux cartes. La société était aussi joyeuse que nombreuse à bord du *Zouave*.
25 Des officiers qui rejoignaient leurs corps, des dames de l'*Alcazar* de Marseille, des cabotins, un riche musulman qui revenait de la Mecque, un prince monténégrin très farceur qui faisait des imitations de Ravel et de Gil Pérès . . . Pas un de ces gens-là n'avait le mal de mer, et leur temps se passait à boire
30 du champagne avec le capitaine du *Zouave*, un bon gros vivant de Marseillais, qui avait ménage à Alger et à Marseille, et répondait au joyeux nom de Barbassou.

Tartarin de Tarascon en voulait à tous ces misérables. Leur
gaieté redoublait son mal. . . .

Enfin, dans l'après-midi du troisième jour, il se fit à bord du
navire un mouvement extraordinaire qui tira notre héros de sa
longue torpeur. La cloche de l'avant sonnait. On entendait les 5
grosses bottes des matelots courir sur le pont.

« Machine en avant ! . . . machine en arrière ! » criait la voix
enrouée du capitaine Barbassou.

Puis : « Machine, stop ! » Un grand arrêt, une secousse, et
plus rien. . . . Rien que le paquebot se balançant silencieuse- 10
ment de droite à gauche, comme un ballon dans l'air. . . .

Cet étrange silence épouvanta le Tarasconnais.

« Miséricorde ! nous sombrons ! . . . » cria-t-il d'une voix terrible, et, retrouvant ses forces par magie, il bondit de sa couchette, et se précipita sur le pont avec son arsenal.   15

II

Aux armes ! Aux armes !

On ne sombrait pas, on arrivait.

Le *Zouave* venait d'entrer dans la rade, une belle rade aux
eaux noires et profondes, mais silencieuse, morne, presque
déserte. En face, sur une colline, Alger la blanche avec ses
petites maisons d'un blanc mat qui descendent vers la mer, 20
serrées les unes contre les autres. Un étalage de blanchisseuse
sur le coteau de Meudon. Par là-dessus un grand ciel de satin
bleu, oh ! mais si bleu ! . . .

L'illustre Tartarin, un peu remis de sa frayeur, regardait le
paysage, en écoutant avec respect le prince monténégrin, qui, 25
debout à ses côtés, lui nommait les différents quartiers de la ville,
la Casbah, la ville haute, la rue Bab-Azoun. Très bien élevé, ce
prince monténégrin ; de plus connaissant à fond l'Algérie et
parlant l'arabe couramment. Aussi Tartarin se proposait-il de

cultiver sa connaissance. . . . Tout à coup, le long du bastingage contre lequel ils étaient appuyés, le Tarasconnais aperçoit
une rangée de grosses mains noires qui se cramponnaient par
dehors. Presque aussitôt une tête de nègre toute crépue appa-
5 raît devant lui, et, avant qu'il ait eu le temps d'ouvrir la bouche,
le pont se trouve envahi de tous côtés par une centaine de forbans, noirs, jaunes, à moitié nus, hideux, terribles.

Ces forbans-là, Tartarin les connaissait. . . . C'étaient eux,
c'est-à-dire ils, ces fameux ils qu'il avait si souvent cherchés la
10 nuit dans les rues de Tarascon. Enfin ils se décidaient donc
à venir !

. . . D'abord la surprise le cloua sur place. Mais quand il
vit les forbans se précipiter sur les bagages, arracher la bâche
qui les recouvrait, commencer enfin le pillage du navire, alors
15 le héros se réveilla, et dégaînant son couteau de chasse : « Aux
armes ! aux armes ! » cria-t-il aux voyageurs, et le premier de
tous, il fondit sur les pirates.

« *Qués aco ?* qu'est-ce qu'il y a ? qu'est-ce que vous avez ? »
fit le capitaine Barbassou, qui sortait de l'entrepont.

20 « Ah ! vous voilà, capitaine ! . . . vite, vite, armez vos hommes.
— Hé ! pourquoi faire, *boun Diou ?*
— Mais vous ne voyez donc pas . . . ?
— Quoi donc ? . . .
— Là . . . devant vous . . . les pirates . . . »
25 Le capitaine Barbassou le regardait tout ahuri. A ce moment,
un grand diable de nègre passait devant eux, en courant, avec
la pharmacie du héros sur son dos :

« Misérable ! . . . attends-moi ! . . . » hurla le Tarasconnais ;
et il s'élança, la dague en avant.

30 Barbassou le rattrapa au vol, et, le retenant par sa ceinture :
« Mais restez donc tranquille, tron de ler ! . . . Ce ne sont
pas des pirates . . . Il y a longtemps qu'il n'y en a plus de
pirates . . . Ce sont des portefaix.

— Des portefaix ! . . .

— Hé ! oui, des portefaix, qui viennent chercher les bagages
pour les porter à terre. . . . Rengaînez donc votre coutelas,
donnez-moi votre billet, et marchez derrière ce nègre, un brave
garçon, qui va vous conduire à terre, et même jusqu'à l'hôtel si 5
vous le désirez ! . . . »

Un peu confus, Tartarin donna son billet, et, se mettant à
la suite du nègre, descendit par le tire-vieille dans une grosse
barque qui dansait le long du navire.   Tous ses bagages y
étaient déjà, ses malles, caisses d'armes, conserves alimentaires ; 10
comme ils tenaient toute la barque, on n'eut pas besoin d'attendre d'autres voyageurs.   Le nègre grimpa sur les malles et
s'y accroupit comme un singe, les genoux dans ses mains.   Un
autre nègre prit les rames. . . .   Tous deux regardaient Tartarin
en riant et montrant leurs dents blanches.   15

Debout à l'arrière, avec cette terrible moue qui faisait la terreur de ses compatriotes, le grand Tarasconnais tourmentait fiévreusement le manche de son coutelas ; car, malgré ce qu'avait
pu lui dire Barbassou, il n'était qu'à moitié rassuré sur les inten-
tions de ces portefaix à peau d'ébène, qui ressemblaient si peu 20
aux braves portefaix de Tarascon. . . .

Cinq minutes après, la barque arrivait à terre, et Tartarin
posait le pied sur ce petit quai barbaresque, où trois cents ans
auparavant, un galérien espagnol nommé Michel Cervantes préparait — sous le bâton de la chiourme algérienne — un sublime 25
roman qui devait s'appeler *Don Quichotte !*

III

Invocation à Cervantes. Débarquement.
Où sont les Teurs ? Pas de Teurs.
Désillusion.

O Michel Cervantes Saavedra, si ce qu'on dit est vrai, qu'aux
lieux où les grands hommes ont habité quelque chose d'eux-
mêmes erre et flotte dans l'air jusqu'à la fin des âges, ce qui
restait de toi sur la plage barbaresque dut tressaillir de joie en
5 voyant débarquer Tartarin de Tarascon, ce type merveilleux
du Français du Midi en qui s'étaient incarnés les deux héros de
ton livre, Don Quichotte et Sancho Pança. . . .

L'air était chaud ce jour-là. Sur le quai ruisselant de soleil,
cinq ou six douaniers, des Algériens attendant des nouvelles de
10 France, quelques Maures accroupis qui fumaient leurs longues
pipes, des matelots maltais ramenant de grands filets où des
milliers de sardines luisaient entre les mailles comme de petites
pièces d'argent.

Mais à peine Tartarin eut-il mis pied à terre, le quai s'anima,
15 changea d'aspect. Une bande de sauvages, encore plus hideux
que les forbans du bateau, se dressa d'entre les cailloux de la
berge et se rua sur le débarquant. Grands Arabes tout nus sous
des couvertures de laine, petits Maures en guenilles, Nègres,
Tunisiens, Mahonnais, M'zabites, garçons d'hôtel en tablier
20 blanc, tous criant, hurlant, s'accrochant à ses habits, se dispu-
tant ses bagages, l'un emportant ses conserves, l'autre sa pharmacie, et, dans un charabia fantastique, lui jetant à la tête des
noms d'hôtel invraisemblables . . .

Étourdi de tout ce tumulte, le pauvre Tartarin allait, venait,
25 pestait, jurait, se démenait, courait après ses bagages, et, ne
sachant comment se faire comprendre de ces barbares, les
haranguait en français, en provençal, et même en latin, du
latin de Pourceaugnac, *rosa, la rose, bonus, bona, bonum,* tout

ce qu'il savait . . . Peine perdue. On ne l'écoutait pas. . . .
Heureusement qu'un petit homme, vêtu d'une tunique à collet
jaune, et armé d'une longue canne de compagnon, intervint
comme un dieu d'Homère dans la mêlée, et dispersa toute cette
racaille à coups de bâton. C'était un sergent de ville algérien. 5
Très poliment, il engagea Tartarin à descendre à l'hôtel de
l'Europe, et le confia à des garçons de l'endroit qui l'emme-
nèrent, lui et ses bagages, en plusieurs brouettes.

Aux premiers pas qu'il fit dans Alger, Tartarin de Tarascon ouvrit de grands yeux. D'avance il s'était figuré une 10
ville orientale, féerique, mythologique, quelque chose tenant le
milieu entre Constantinople et Zanzibar . . . Il tombait en
plein Tarascon. . . . Des cafés, des restaurants, de larges
rues, des maisons à quatre étages, une petite place macada-
misée où des musiciens de la ligne jouaient des polkas d'Offen- 15
bach, des messieurs sur des chaises buvant de la bière avec
des échaudés, des dames, quelques lorettes, et puis des militaires, encore des militaires, toujours des militaires . . . et pas
un *Teur !* . . . Il n'y avait que lui. . . . Aussi, pour traverser
la place, se trouva-t-il un peu gêné. Tout le monde le regardait. 20
Les musiciens de la ligne s'arrêtèrent, et la polka d'Offenbach
resta un pied en l'air.

Les deux fusils sur l'épaule, le revolver sur la hanche, farouche et majestueux comme Robinson Crusoé, Tartarin passa
gravement au milieu de tous les groupes ; mais en arrivant à 25
l'hôtel ses forces l'abandonnèrent. Le départ de Tarascon, le
port de Marseille, la traversée, le prince monténégrin, les pirates,
tout se brouillait et roulait dans sa tête. . . . Il fallut le monter
à sa chambre, le désarmer, le déshabiller . . . Déjà même on
parlait d'envoyer chercher un médecin ; mais, à peine sur l'oreiller, 30
le héros se mit à ronfler si haut et de si bon cœur, que l'hôtelier
jugea les secours de la science inutiles, et tout le monde se retira
discrètement.

IV

Le premier affût.

Trois heures sonnaient à l'horloge du Gouvernement, quand
Tartarin se réveilla. Il avait dormi toute la soirée, toute la nuit,
toute la matinée, et même un bon morceau de l'après-midi ; il
faut dire aussi que depuis trois jours la *chechia* en avait vu de
5 rudes ! . . .

La première pensée du héros, en ouvrant les yeux, fut celle-ci :
« Je suis dans le pays du lion ! » pourquoi ne pas le dire ? à
cette idée que les lions étaient là tout près, à deux pas, et
presque sous la main, et qu'il allait falloir en découdre, brr !
10 . . . un froid mortel le saisit, et il se fourra intrépidement sous
sa couverture.

Mais, au bout d'un moment, la gaieté du dehors, le ciel si
bleu, le grand soleil qui ruisselait dans la chambre, un bon petit
déjeuner qu'il se fit servir au lit, sa fenêtre grande ouverte sur
15 la mer, le tout arrosé d'un excellent flacon de vin de Crescia,
lui rendit bien vite son ancien héroïsme. « Au lion ! au lion ! »
cria-t-il en rejetant sa couverture, et il s'habilla prestement.

Voici quel était son plan : sortir de la ville sans rien dire à
personne, se jeter en plein désert, attendre la nuit, s'embusquer,
20 et, au premier lion qui passerait, pan ! pan ! . . . Puis revenir
le lendemain déjeuner à l'hôtel de l'Europe, recevoir les félici-
tations des Algériens et fréter une charrette pour aller chercher
l'animal.

Il s'arma donc à la hâte, roula sur son dos la tente-abri dont
25 le gros manche montait d'un bon pied au-dessus de sa tête, et
raide comme un pieu, descendit dans la rue. Là, ne voulant
demander sa route à personne de peur de donner l'éveil sur
ses projets, il tourna carrément à droite, enfila jusqu'au bout
les arcades Bab-Azoun, où du fond de leurs noires boutiques
30 des nuées de juifs algériens le regardaient passer, embusqués

dans un coin comme des araignées; traversa la place du Théâtre,
prit le faubourg et enfin la grande route poudreuse de Mustapha.

Il y avait sur cette route un encombrement fantastique. Omnibus, fiacres, corricolos, des fourgons du train, de grandes charrettes de foin traînées par des bœufs, des escadrons de chasseurs
d'Afrique, des troupeaux de petits ânes microscopiques, des
négresses qui vendaient des galettes, des voitures d'Alsaciens
émigrants, des spahis en manteaux rouges, tout cela défilant
dans un tourbillon de poussière, au milieu des cris, des chants,
des trompettes, entre deux haies de méchantes baraques où
l'on voyait de grandes Mahonnaises se peignant devant leurs
portes, des cabarets pleins de soldats, des boutiques de bouchers,
d'équarrisseurs . . .

« Qu'est-ce qu'ils me chantent donc avec leur Orient? » pensait le grand Tartarin; « il n'y a pas même tant de *Teurs* qu'à
Marseille. »

Tout à coup, il vit passer près de lui, allongeant ses grandes
jambes et rengorgé comme un dindon, un superbe chameau.
Cela lui fit battre le cœur.

Des chameaux déjà! Les lions ne devaient pas être loin; et,
en effet, au bout de cinq minutes, il vit arriver vers lui, le fusil
sur l'épaule, toute une troupe de chasseurs de lions.

« Les lâches! » se dit notre héros en passant à côté d'eux,
« les lâches! Aller au lion par bandes, et avec des chiens! . . . »
Car il ne se serait jamais imaginé qu'en Algérie on pût chasser autre chose que des lions. Pourtant ces chasseurs avaient de
si bonnes figures de commerçants retirés, et puis cette façon
de chasser le lion avec des chiens et des carnassières était si
patriarcale, que le Tarasconnais, un peu intrigué, crut devoir
aborder un de ces messieurs.

« Et autrement, camarade, bonne chasse? »

— Pas mauvaise, » répondit l'autre en regardant d'un œil
effaré l'armement considérable du guerrier de Tarascon.

« Vous avez tué ?

— Mais oui . . . pas mal . . . voyez plutôt. » Et le chasseur algérien montrait sa carnassière, toute gonflée de lapins et de bécasses.

« Comment ça ! votre carnassière ? . . . vous les mettez dans
5 votre carnassière ?

— Où voulez-vous donc que je les mette ?

— Mais alors, c'est . . . c'est des tout petits. . . .

— Des petits et puis des gros, » fit le chasseur. Et comme
il était pressé de rentrer chez lui, il rejoignit ses camarades à
10 grandes enjambées.

L'intrépide Tartarin en resta planté de stupeur au milieu de
la route. . . . Puis, après un moment de réflexion : « Bah ! »
se dit-il, « ce sont des blagueurs. . . . Ils n'ont rien tué du
tout . . . » et il continua son chemin.

15   Déjà les maisons se faisaient plus rares, les passants aussi.
La nuit tombait, les objets devenaient confus . . . Tartarin de
Tarascon marcha encore une demi-heure. A la fin il s'arrêta.
. . . C'était tout à fait la nuit. Nuit sans lune, criblée d'étoiles.
Personne sur la route. . . . Malgré tout, le héros pensa que
20 les lions n'étaient pas des diligences et ne devaient pas volontiers suivre le grand chemin. Il se jeta à travers champs. . . .
A chaque pas des fossés, des ronces, des broussailles. N'importe ! il marchait toujours. . . . Puis tout à coup, halte ! « Il
y a du lion dans l'air par ici, » se dit notre homme, et il renifla
25 fortement de droite et de gauche.

V

Pan ! Pan !

C'était un grand désert sauvage, tout hérissé de plantes
bizarres, de ces plantes d'Orient qui ont l'air de bêtes méchantes.
Sous le jour discret des étoiles, leur ombre agrandie s'étirait par
terre en tous sens. A droite, la masse confuse et lourde d'une

montagne, l'Atlas peut-être ! . . . A gauche, la mer invisible,
qui roulait sourdement . . . Un vrai gîte à tenter les fauves. . . .

Un fusil devant lui, un autre dans les mains, Tartarin de
Tarascon mit un genou en terre et attendit. . . . Il attendit une
heure, deux heures . . . Rien ! . . . Alors il se souvint que, dans
ses livres, les grands tueurs de lions n'allaient jamais à la chasse
sans emmener un petit chevreau qu'ils attachaient à quelques
pas devant eux et qu'ils faisaient crier en lui tirant la patte
avec une ficelle. N'ayant pas de chevreau, le Tarasconnais eut
l'idée d'essayer des imitations, et se mit à bêler d'une voix
chevrotante : « Mê ! Mê ! . . . »

D'abord très doucement, parce qu'au fond de l'âme il avait
tout de même un peu peur que le lion l'entendît . . . puis, voyant
que rien ne venait, il bêla plus fort : « Mê ! . . . Mê ! . . . »
Rien encore ! . . . Impatienté, il reprit de plus belle et plusieurs
fois de suite : « Mê ! . . . Mê ! . . . Mê ! . . . » avec tant de
puissance que ce chevreau finissait par avoir l'air d'un bœuf. . . .

Tout à coup, à quelques pas devant lui, quelque chose de
noir et de gigantesque s'abattit. Il se tut. . . . Cela se baissait,
flairait la terre, bondissait, se roulait, partait au galop, puis revenait et s'arrêtait net . . . c'était le lion, à n'en pas douter ! . . .
Maintenant on voyait très bien ses quatre pattes courtes, sa
formidable encolure, et deux yeux, deux grands yeux qui luisaient dans l'ombre. . . . En joue ! feu ! pan ! pan ! . . . C'était
fait. Puis tout de suite un bondissement en arrière, et le coutelas
de chasse au poing.

Au coup de feu du Tarasconnais, un hurlement terrible
répondit.

« Il en a ! » cria le bon Tartarin, et, ramassé sur ses fortes
jambes, il se préparait à recevoir la bête ; mais elle en avait plus
que son compte et s'enfuit au triple galop en hurlant. . . . Lui
pourtant ne bougea pas. Il attendait la femelle . . . toujours
comme dans ses livres !

Par malheur la femelle ne vint pas. Au bout de deux ou trois heures d'attente, le Tarasconnais se lassa. La terre était humide, la nuit devenait fraîche, la bise de mer piquait.

« Si je faisais un somme en attendant le jour ? » se dit-il, et, pour éviter les rhumatismes, il eut recours à la tente-abri. . . . Mais voilà le diable ! cette tente-abri était d'un système si ingénieux, si ingénieux, qu'il ne put jamais venir à bout de l'ouvrir.

Il eut beau s'escrimer et suer pendant une heure, la damnée tente ne s'ouvrit pas . . . Il y a des parapluies qui, par des pluies torrentielles, s'amusent à vous jouer de ces tours-là. . . . De guerre lasse, le Tarasconnais jeta l'ustensile par terre, et se coucha dessus, en jurant comme un vrai Provençal qu'il était.

« *Ta, ta, ra, ta, Tarata !* . . .

— *Qués aco ?* . . . » fit Tartarin, s'éveillant en sursaut.

C'étaient les clairons des chasseurs d'Afrique qui sonnaient la diane, dans les casernes de Mustapha. . . . Le tueur de lions, stupéfait, se frotta les yeux. . . . Lui qui se croyait en plein désert ! . . . Savez-vous où il était . . . ? Dans un carré d'artichauts, entre un plant de choux-fleurs et un plant de betteraves.

Son Sahara avait des légumes. . . . Tout près de lui, sur la jolie côte verte de Mustapha supérieur, des villas algériennes, toutes blanches, luisaient dans la rosée du jour levant : on se serait cru aux environs de Marseille, au milieu des *bastides* et des *bastidons*.

La physionomie bourgeoise et potagère de ce paysage endormi étonna beaucoup le pauvre homme, et le mit de fort méchante humeur.

« Ces gens-là sont fous, » se disait-il, « de planter leurs artichauts dans le voisinage du lion . . . car enfin, je n'ai pas rêvé . . . Les lions viennent jusqu'ici. . . . En voilà la preuve. . . . »

La preuve, c'étaient des taches de sang que la bête en fuyant avait laissées derrière elle. Penché sur cette piste sanglante, l'œil

aux aguets, le revolver au poing, le vaillant Tarasconnais arriva,
d'artichaut en artichaut, jusqu'à un petit champ d'avoine. . . .
De l'herbe foulée, une mare de sang, et, au milieu de la mare,
couché sur le flanc avec une large plaie à la tête, un . . .
Devinez quoi ! . . .   5

« Un lion, parbleu ! . . . »

Non ! un âne, un de ces tout petits ânes qui sont si communs
en Algérie et qu'on désigne là-bas sous le nom de *bourriquots*.

VI

Arrivée de la femelle.   Terrible combat.
Le Rendez-vous des Lapins.

Le premier mouvement de Tartarin à l'aspect de sa malheureuse victime fut un mouvement de dépit. Il y a si loin en effet 10
d'un lion à un *bourriquot !* . . . Son second mouvement fut tout
à la pitié. Le pauvre bourriquot était si joli ; il avait l'air si bon !
La peau de ses flancs, encore chaude, allait et venait comme une
vague. Tartarin s'agenouilla, et du bout de sa ceinture algérienne essaya d'étancher le sang de la malheureuse bête ; et ce 15
grand homme soignant ce petit âne, c'était tout ce que vous
pouvez imaginer de plus touchant.

Au contact soyeux de la ceinture, le bourriquot, qui avait
encore pour deux liards de vie, ouvrit son grand œil gris, remua
deux ou trois fois ses longues oreilles comme pour dire : 20
« Merci ! . . . merci ! . . . » Puis une dernière convulsion l'agita
de tête en queue et il ne bougea plus.

« Noiraud ! Noiraud ! » cria tout à coup une voix étranglée
par l'angoisse. En même temps dans un taillis voisin les branches
remuèrent. . . . Tartarin n'eut que le temps de se relever et 25
de se mettre en garde. . . . C'était la femelle !

Elle arriva, terrible et rugissante, sous les traits d'une vieille
Alsacienne en marmotte, armée d'un grand parapluie rouge et

réclamant son âne à tous les échos de Mustapha. Certes il aurait
mieux valu pour Tartarin avoir affaire à une lionne en furie
qu'à cette méchante vieille. . . . Vainement le malheureux essaya
de lui faire entendre comment la chose s'était passée ; qu'il avait
5 pris Noiraud pour un lion . . . La vieille crut qu'on voulait se
moquer d'elle, et poussant d'énergiques « tarteifle ! » tomba sur
le héros à coups de parapluie. Tartarin, un peu confus, se
défendait de son mieux, parait les coups avec sa carabine,
suait, soufflait, bondissait, criait : — « Mais Madame . . . mais
10 Madame . . . »

Va te promener ! Madame était sourde, et sa vigueur le
prouvait bien.

Heureusement un troisième personnage arriva sur le champ
de bataille. C'était le mari de l'Alsacienne, Alsacien lui-même
15 et cabaretier ; de plus, fort bon comptable. Quand il vit à qui il
avait affaire, et que l'assassin ne demandait qu'à payer le prix
de la victime, il désarma son épouse et l'on s'entendit.

Tartarin donna deux cents francs : l'âne en valait bien dix.
C'est le prix courant des *bourriquots* sur les marchés arabes.
20 Puis on enterra le pauvre Noiraud au pied d'un figuier, et
l'Alsacien, mis en bonne humeur par la couleur des douros
tarasconnais, invita le héros à venir rompre une croûte à son
cabaret, qui se trouvait à quelques pas de là, sur le bord de la
grande route.

25 Les chasseurs algériens venaient y déjeuner tous les dimanches, car la plaine était giboyeuse et à deux lieues autour
de la ville il n'y avait pas de meilleur endroit pour les lapins.

« Et les lions ? » demanda Tartarin.

L'Alsacien le regarda, très étonné : « Les lions ? »

30 — Oui . . . les lions . . . en voyez-vous quelquefois ? » reprit
le pauvre homme avec un peu moins d'assurance.

Le cabaretier éclata de rire :

« Ah ! ben ! merci. . . . Des lions . . . pourquoi faire ? . . .

— Il n'y en a donc pas en Algérie ? . . .

— Ma foi ! je n'en ai jamais vu. . . . Et pourtant voilà vingt
ans que j'habite la province. Cependant je crois bien avoir
entendu dire . . . Il me semble que les journaux . . . Mais 5
c'est beaucoup plus loin, là-bas, dans le Sud . . . »

A ce moment, ils arrivaient au cabaret. Un cabaret de banlieue, comme on en voit à Vanves ou à Pantin, avec un rameau
tout fané au-dessus de la porte, des queues de billard peintes
sur les murs et cette enseigne inoffensive :   10

AU RENDEZ-VOUS DES LAPINS

Le Rendez-vous des Lapins ! . . . O Bravida, quel souvenir !

VII

Histoire d'un omnibus, d'une Mauresque
et d'un chapelet de fleurs de jasmin.

Cette première aventure aurait eu de quoi décourager bien
des gens ; mais les hommes trempés comme Tartarin ne se
laissent pas facilement abattre.   15

« Les lions sont dans le Sud, » pensa le héros ; « eh bien !
j'irai dans le Sud. »

Et dès qu'il eut avalé son dernier morceau, il se leva, remercia
son hôte, embrassa la vieille sans rancune, versa une dernière
larme sur l'infortuné Noiraud, et retourna bien vite à Alger avec 20
la ferme intention de boucler ses malles et de partir le jour
même pour le Sud.

Malheureusement la grande route de Mustapha semblait s'être
allongée depuis la veille : il faisait un soleil, une poussière ! La
tente-abri était d'un lourd ! . . . Tartarin ne se sentit pas le 25

courage d'aller à pied jusqu'à la ville, et le premier omnibus qui
passa, il fit signe et monta dedans. . . .

Ah! pauvre Tartarin de Tarascon! Combien il aurait mieux
fait pour son nom, pour sa gloire, de ne pas entrer dans cette
5 fatale guimbarde et de continuer pédestrement sa route, au risque
de tomber asphyxié sous le poids de l'atmosphère, de la tente-
abri et de ses lourds fusils rayés à doubles canons. . . .

Tartarin étant monté, l'omnibus fut complet. Il y avait au
fond, le nez dans son bréviaire, un vicaire d'Alger à grande
10 barbe noire. En face, un jeune marchand maure, qui fumait de
grosses cigarettes. Puis, un matelot maltais, et quatre ou cinq
Mauresques masquées de linges blancs, et dont on ne pouvait
voir que les yeux. Ces dames venaient de faire leurs dévotions
au cimetière d'Abd-el-Kader; mais cette visite funèbre ne sem-
15 blait pas les avoir attristées. On les entendait rire et jacasser
entre elles sous leurs masques, en croquant des pâtisseries.

Tartarin crut s'apercevoir qu'elles le regardaient beaucoup.
Une surtout, celle qui était assise en face de lui, avait planté
son regard dans le sien, et ne le retira pas de toute la route.
20 Quoique la dame fût voilée, la vivacité de ce grand œil noir
allongé par le k'hol, un poignet délicieux et fin chargé de bracelets d'or qu'on entrevoyait de temps en temps entre les voiles,
tout, le son de la voix, les mouvements gracieux, presque enfan-
tins de la tête, disait qu'il y avait là-dessous quelque chose de
25 jeune, de joli, d'adorable . . . Le malheureux Tartarin ne
savait où se fourrer. La caresse muette de ces beaux yeux
d'Orient le troublait, l'agitait, le faisait mourir; il avait chaud,
il avait froid . . .

Pour l'achever, la pantoufle de la dame s'en mêla : sur ses
30 grosses bottes de chasse, il la sentait courir, cette mignonne pantoufle, courir et frétiller comme une petite souris rouge. . . .
Que faire? Répondre à ce regard, à cette pression! Oui, mais
les conséquences . . . Une intrigue d'amour en Orient, c'est

quelque chose de terrible ! . . . . Et avec son imagination romanesque et méridionale, le brave Tarasconnais se voyait déjà
tombant aux mains des eunuques, décapité, mieux que cela
peut-être, cousu dans un sac de cuir, et roulant sur la mer, sa
tête à côté de lui. Cela le refroidissait un peu. . . . En atten- 5
dant, la petite pantoufle continuait son manège, et les yeux
d'en face s'ouvraient tout grands vers lui comme deux fleurs
de velours noir, en ayant l'air de dire :

— Cueille-nous ! . . .

L'omnibus s'arrêta. On était sur la place du Théâtre, à 10
l'entrée de la rue Bab-Azoun. Une à une, empêtrées dans leurs
grands pantalons et serrant leurs voiles contre elles avec une
grâce sauvage, les Mauresques descendirent. La voisine de
Tartarin se leva la dernière, et en se levant son visage passa si
près de celui du héros qu'il l'effleura de son haleine, un vrai 15
bouquet de jeunesse, de jasmin, de musc et de pâtisserie.

Le Tarasconnais n'y résista pas. Ivre d'amour et prêt à tout,
il s'élança derrière la Mauresque. . . . Au bruit de ses buffleteries elle se retourna, mit un doigt sur son masque comme pour
dire « chut ! » et vivement, de l'autre main, elle lui jeta un petit 20
chapelet parfumé, fait avec des fleurs de jasmin. Tartarin de
Tarascon se baissa pour le ramasser ; mais, comme notre héros
était un peu lourd et très chargé d'armures, l'opération fut assez
longue. . . .

Quand il se releva, le chapelet de jasmin sur son cœur, — la 25
Mauresque avait disparu.

VIII

Lions de l'Atlas, dormez !

Lions de l'Atlas, dormez ! Dormez tranquilles au fond de
vos retraites, dans les aloès et les cactus sauvages. . . . De
quelques jours encore, Tartarin de Tarascon ne vous mas-
sacrera point. Pour le moment, tout son attirail de guerre, — 30

caisses d'armes, pharmacie, tente-abri, conserves alimentaires,
—repose paisiblement emballé, à l'hôtel d'Europe, dans un coin
de la chambre 36.

Dormez sans peur, grands lions roux ! Le Tarasconnais
5 cherche sa Mauresque. Depuis l'histoire de l'omnibus, le malheureux croit sentir perpétuellement sur son pied, sur son vaste
pied de trappeur, les frétillements de la petite souris rouge ; et
la brise de mer, en effleurant ses lèvres, se parfume toujours —
quoi qu'il fasse — d'une amoureuse odeur de pâtisserie et d'anis.

10   Il lui faut sa Maugrabine !

Mais ce n'est pas une mince affaire ! Retrouver dans une
ville de cent mille âmes une personne dont on ne connaît que
l'haleine, les pantoufles et la couleur des yeux ; il n'y a qu'un
Tarasconnais, féru d'amour, capable de tenter une pareille
15 aventure.

Le terrible c'est que, sous leurs grands masques blancs, toutes
les Mauresques se ressemblent ; puis ces dames ne sortent guère,
et, quand on veut en voir, il faut monter dans la ville haute, la
ville arabe, la ville des *Teurs*.

20   Un vrai coupe-gorge, cette ville haute. De petites ruelles
noires très étroites, grimpant à pic entre deux rangées de maisons mystérieuses dont les toitures se rejoignent et font tunnel.
Des portes basses, des fenêtres toutes petites, muettes, tristes,
grillagées. Et puis, de droite et de gauche, un tas d'échoppes
25 très sombres où les *Teurs* farouches à têtes de forbans —
yeux blancs et dents brillantes — fument de longues pipes,
et se parlent à voix basse comme pour concerter de mauvais
coups. . . .

Dire que notre Tartarin traversait sans émotion cette cité
30 formidable, ce serait mentir. Il était au contraire très ému, et
dans ces ruelles obscures dont son gros ventre tenait toute la
largeur, le brave homme n'avançait qu'avec la plus grande précaution, l'œil aux aguets, le doigt sur la détente d'un revolver.

Tout à fait comme à Tarascon, en allant au cercle. A chaque
instant il s'attendait à recevoir sur le dos toute une dégringolade
d'eunuques et de janissaires, mais le désir de revoir sa dame lui
donnait une audace et une force de géant.

Huit jours durant, l'intrépide Tartarin ne quitta pas la ville 5
haute. Tantôt on le voyait faire le pied de grue devant les bains
maures, attendant l'heure où ces dames sortent par bandes, fris-
sonnantes et sentant le bain ; tantôt il apparaissait accroupi à
la porte des mosquées, suant et soufflant pour quitter ses grosses
bottes avant d'entrer dans le sanctuaire . . . 10

Parfois, à la tombée de la nuit, quand il s'en revenait navré
de n'avoir rien découvert, pas plus au bain qu'à la mosquée, le
Tarasconnais, en passant devant les maisons mauresques, entendait des chants monotones, des sons étouffés de guitare, des
roulements de tambours de basque, et des petits rires de femme 15
qui lui faisaient battre le cœur.

« Elle est peut-être là ! » se disait-il.

Alors, si la rue était déserte, il s'approchait d'une de ces
maisons, levait le lourd marteau de la poterne basse, et frappait
timidement. . . . Aussitôt les chants, les rires cessaient. On 20
n'entendait plus derrière la muraille que de petits chuchotements
vagues, comme dans une volière endormie.

« Tenons-nous bien ! » pensait le héros. . . . « Il va m'arriver
quelque chose ! »

Ce qui lui arrivait le plus souvent, c'était une grande potée 25
d'eau froide sur la tête, ou bien des peaux d'oranges et de figues
de Barbarie. . . . Jamais rien de plus grave. . . .

Lions de l'Atlas, dormez !

IX

Le prince Grégory du Monténégro.

Il y avait deux grandes semaines que l'infortuné Tartarin cherchait sa dame algérienne, et très vraisemblablement il la chercherait encore, si la Providence des amants n'était venue à son aide sous les traits d'un gentilhomme monténégrin. Voici :

5 En hiver, toutes les nuits de samedi, le grand théâtre d'Alger donne son bal masqué, ni plus ni moins que l'Opéra. C'est l'éternel et insipide bal masqué de province. Peu de monde dans la salle, quelques épaves de Bullier ou du Casino, vierges folles suivant l'armée, chicards fanés, débardeurs en déroute, et 10 cinq ou six petites blanchisseuses mahonnaises qui se lancent, mais gardent de leur temps de vertu un vague parfum d'ail et de sauces safranées . . . Le vrai coup d'œil n'est pas là. Il est au foyer, transformé pour la circonstance en salon de jeu. . . . Une foule fiévreuse et bariolée s'y bouscule, autour des 15 longs tapis verts : des turcos en permission misant les gros sous du prêt, des Maures marchands de la ville haute, des nègres, des Maltais, des colons de l'intérieur qui ont fait quarante lieues pour venir hasarder sur un as l'argent d'une charrue ou d'un couple de bœufs . . . tous frémissants, pâles, les dents serrées, 20 avec ce regard singulier du joueur, trouble, en biseau, devenu louche à force de fixer toujours la même carte.

Plus loin, ce sont des tribus de juifs algériens, jouant en fa-mille. Les hommes ont le costume oriental hideusement agré-menté de bas bleus et de casquettes de velours. Les femmes, 25 bouffies et blafardes, se tiennent toutes raides dans leurs étroits plastrons d'or. . . . Groupée autour des tables, toute la tribu piaille, se concerte, compte sur ses doigts et joue peu. De temps en temps seulement, après de longs conciliabules, un vieux patriarche à barbe de Père éternel se détache, et va ris-30 quer le douro familial. . . . C'est alors, tant que la partie dure,

un scintillement d'yeux hébraïques tournés vers la table, terribles yeux d'aimant noir qui font frétiller les pièces d'or sur
le tapis et finissent par les attirer tout doucement comme par
un fil. . . .

Puis des querelles, des batailles, des jurons de tous les pays, 5
des cris fous dans toutes les langues, des couteaux qu'on dégaîne,
la garde qui monte, de l'argent qui manque ! . . .

C'est au milieu de ces saturnales que le grand Tartarin était
venu s'égarer un soir, pour chercher l'oubli et la paix de cœur.

Le héros s'en allait seul, dans la foule, pensant à sa Mau- 10
resque, quand tout à coup, à une table de jeu, par-dessus les
cris, le bruit de l'or, deux voix irritées s'élevèrent :

« Je vous dis qu'il me manque vingt francs, M'sieu ! . . .

— M'sieu ! . . .

— Après ? . . . M'sieu ! . . . 15

— Apprenez à qui vous parlez, M'sieu !

— Je ne demande pas mieux, M'sieu !

— Je suis le prince Grégory du Monténégro, M'sieu ! . . . »

A ce nom Tartarin, tout ému, fendit la foule et vint se placer
au premier rang, joyeux et fier de retrouver son prince, ce prince 20
monténégrin si poli dont il avait ébauché la connaissance à bord
du paquebot. . . .

Malheureusement, ce titre d'altesse, qui avait tant ébloui le
bon Tarasconnais, ne produisit pas la moindre impression sur
l'officier de chasseurs avec qui le prince avait son algarade. 25

« Me voilà bien avancé . . . » fit le militaire en ricanant ; puis
se tournant vers la galerie : « Grégory du Monténégro . . . qui
connaît ça ? . . . Personne ! »

Tartarin indigné fit un pas en avant.

« Pardon . . . je connais le *prêince !* » dit-il d'une voix très 30
ferme, et de son plus bel accent tarasconnais.

L'officier de chasseurs le regarda un moment bien en face,
puis, levant les épaules :

« Allons ! c'est bon. . . . Partagez-vous les vingt francs qui manquent et qu'il n'en soit plus question. »

Là-dessus il tourna le dos et se perdit dans la foule.

Le fougueux Tartarin voulait s'élancer derrière lui, mais le prince l'en empêcha :

« Laissez . . . j'en fais mon affaire. »

Et, prenant le Tarasconnais par le bras, il l'entraîna dehors rapidement.

Dès qu'ils furent sur la place, le prince Grégory du Monténégro se découvrit, tendit la main à notre héros, et, se rappelant vaguement son nom, commença d'une voix vibrante :

« Monsieur Barbarin . . .

— Tartarin ! » souffla l'autre timidement.

— Tartarin, Barbarin, n'importe ! . . . Entre nous, maintenant, c'est à la vie, à la mort ! »

Et le noble Monténégrin lui secoua la main avec une farouche énergie. . . . Vous pensez si le Tarasconnais était fier.

« *Prëïnce !* . . . *Prëïnce !* . . . » répétait-il avec ivresse.

Un quart d'heure après, ces deux messieurs étaient installés au restaurant des Platanes, agréable maison de nuit dont les terrasses plongent sur la mer, et là, devant une forte salade russe arrosée d'un joli vin de Crescia, on renoua connaissance.

Vous ne pouvez rien imaginer de plus séduisant que ce prince monténégrin. Mince, fin, les cheveux crépus, frisé au petit fer, rasé à la pierre ponce, constellé d'ordres bizarres, il avait l'œil futé, le geste câlin et un accent vaguement italien qui lui donnait un faux air de Mazarin sans moustaches ; très ferré d'ailleurs sur les langues latines, et citant à tout propos Tacite, Horace et les Commentaires.

De vieille race héréditaire, ses frères l'avaient, paraît-il, exilé dès l'âge de dix ans, à cause de ses opinions libérales, et depuis il courait le monde pour son instruction et son plaisir, en Altesse

philosophe. . . . Coïncidence singulière ! Le prince avait passé
trois ans à Tarascon, et comme Tartarin s'étonnait de ne l'avoir
jamais rencontré au cercle ou sur l'Esplanade : « Je sortais
peu . . . » fit l'Altesse d'un ton évasif. Et le Tarasconnais,
par discrétion, n'osa pas en demander davantage. Toutes ces 5
grandes existences ont des côtés si mystérieux ! . . .

En fin de compte, un très bon prince, ce seigneur Grégory.
Tout en sirotant le vin rosé de Crescia, il écouta patiemment
Tartarin lui parler de sa Mauresque et même il se fit fort, con-
naissant toutes ces dames, de la retrouver promptement.   10

On but sec et longtemps. On trinqua « aux dames d'Alger !
au Monténégro libre ! . . . »

Dehors sous la terrasse, la mer roulait, et les vagues, dans
l'ombre, battaient la rive avec un bruit de draps mouillés qu'on
secoue. L'air était chaud, le ciel plein d'étoiles.   15

Dans les platanes, un rossignol chantait . . .

Ce fut Tartarin qui paya la note.

X

Dis-moi le nom de ton père, et je te dirai
le nom de cette fleur.

Parlez-moi des princes monténégrins pour lever lestement
la caille.

Le lendemain de cette soirée aux Platanes, dès le petit jour, 20
le prince Grégory était dans la chambre du Tarasconnais.

« Vite, vite, habillez-vous. . . . Votre Mauresque est retrouvée.
. . . Elle s'appelle Baïa. . . . Vingt ans, jolie comme un cœur,
et déjà veuve. . . .

— Veuve ! . . . quelle chance ! » fit joyeusement le brave 25
Tartarin, qui se méfiait des maris d'Orient.

« Oui, mais très surveillée par son frère.

— Ah ! diantre ! . . .

— Un Maure farouche qui vend des pipes au bazar d'Orléans. . . . »

Ici un silence.

« Bon ! » reprit le prince, « vous n'êtes pas homme à vous
5 effrayer pour si peu ; et puis on viendra peut-être à bout de ce forban en lui achetant quelques pipes . . . Allons vite, habillez-vous . . . heureux coquin ! »

Pâle, ému, le cœur plein d'amour, le Tarasconnais sauta de son lit et, boutonnant à la hâte son vaste caleçon de
10 flanelle :

« Qu'est-ce qu'il faut que je fasse ?

— Écrire à la dame tout simplement, et lui demander un rendez-vous !

— Elle sait donc le français ? . . . » fit d'un air désappointé
15 le naïf Tartarin qui rêvait d'Orient sans mélange.

« Elle n'en sait pas un mot, » répondit le prince imperturbable-ment . . . « mais vous allez me dicter la lettre, et je traduirai à mesure.

— O prince, que de bontés ! »

20 Et le Tarasconnais se mit à marcher à grands pas dans la chambre, silencieux et se recueillant.

Vous pensez qu'on n'écrit pas à une Mauresque d'Alger comme à une grisette de Beaucaire. Fort heureusement que notre héros avait par devers lui ses nombreuses lectures qui
25 lui permirent, en amalgamant la rhétorique apache des Indiens de Gustave Aimard avec le *Voyage en Orient* de Lamartine, et quelques lointaines réminiscences du *Cantique des Cantiques*, de composer la lettre la plus orientale qu'il se pût voir. Cela commençait par :

30 « *Comme l'autruche dans les sables* . . . »

Et finissait par :

« *Dis-moi le nom de ton père, et je te dirai le nom de cette fleur* . . . »

A cet envoi, le romanesque Tartarin aurait bien voulu joindre un bouquet de fleurs emblématiques, à la mode orientale ; mais le prince Grégory pensa qu'il valait mieux acheter quelques pipes chez le frère, ce qui ne manquerait pas d'adoucir l'humeur sauvage du monsieur et ferait certainement très grand plaisir à 5 la dame, qui fumait beaucoup.

« Allons vite acheter des pipes ! » fit Tartarin plein d'ardeur.

« Non ! . . . non ! . . . Laissez-moi y aller seul. Je les aurai à meilleur compte . . .

— Comment ! vous voulez . . . O prince . . . prince . . . » 10 Et le brave homme, tout confus, tendit sa bourse à l'obligeant Monténégrin, en lui recommandant de ne rien négliger pour que la dame fût contente.

Malheureusement l'affaire — quoique bien lancée — ne marcha pas aussi vite qu'on aurait pu l'espérer. Très touchée, 15 paraît-il, de l'éloquence de Tartarin et du reste aux trois quarts séduite par avance, la Mauresque n'aurait pas mieux demandé que de le recevoir ; mais le frère avait des scrupules, et, pour les endormir, il fallut acheter des douzaines, des grosses, des cargaisons de pipes. . . . 20

« Qu'est-ce que diable Baïa peut faire de toutes ces pipes ? » se demandait parfois le pauvre Tartarin ; — mais il payait quand même et sans lésiner.

Enfin, après avoir acheté des montagnes de pipes et répandu des flots de poésie orientale, on obtint un rendez-vous. 25

Je n'ai pas besoin de vous dire avec quels battements de cœur le Tarasconnais s'y prépara, avec quel soin ému il tailla, lustra, parfuma sa rude barbe de chasseur de casquettes, sans oublier — car il faut tout prévoir — de glisser dans sa poche un casse-tête à pointes et deux ou trois revolvers. 30

Le prince, toujours obligeant, vint à ce premier rendez-vous en qualité d'interprète. La dame habitait dans le haut de la ville. Devant sa porte, un jeune Maure de treize à quatorze

ans fumait des cigarettes. C'était le fameux Ali, le frère en
question. En voyant arriver les deux visiteurs, il frappa deux
coups à la poterne et se retira discrètement.

La porte s'ouvrit. Une négresse parut qui, sans dire un seul
5 mot, conduisit ces messieurs à travers l'étroite cour intérieure
dans une petite chambre fraîche où la dame attendait, accoudée
sur un lit bas. . . . Au premier abord, elle parut au Tarasconnais plus petite et plus forte que la Mauresque de l'omnibus.
. . . Au fait, était-ce bien la même ? Mais ce soupçon ne fit
10 que traverser le cerveau de Tartarin comme un éclair.

La dame était si jolie ainsi avec ses pieds nus, ses doigts
grassouillets chargés de bagues, rose, fine, et sous son corselet
de drap doré, sous les ramages de sa robe à fleurs laissant deviner une aimable personne un peu boulotte, friande à point, et
15 ronde de partout. . . . Le tuyau d'ambre d'un narghilé fumait
à ses lèvres et l'enveloppait toute d'une gloire de fumée blonde.

En entrant, le Tarasconnais posa une main sur son cœur, et
s'inclina le plus mauresquement possible, en roulant de gros
yeux passionnés. . . . Baïa le regarda un moment sans rien
20 dire ; puis, lâchant son tuyau d'ambre, se renversa en arrière,
cacha sa tête dans ses mains, et l'on ne vit plus que son cou
blanc qu'un fou rire faisait danser comme un sac rempli de
perles.

XI

Sidi Tart'ri ben Tart'ri.

Si vous entriez, un soir, à la veillée, chez les cafetiers algériens
25 de la ville haute, vous entendriez encore aujourd'hui les Maures
causer entre eux, avec des clignements d'yeux et de petits rires,
d'un certain Sidi Tart'ri ben Tart'ri, Européen aimable et riche
qui — voici quelques années déjà — vivait dans les hauts quartiers avec une petite dame du cru appelée Baïa.

Le Sidi Tart'ri en question qui a laissé de si gais souvenirs autour de la Casbah n'est autre, on le devine, que notre Tartarin. . . .

Qu'est-ce que vous voulez? Il y a comme cela, dans la vie des saints et des héros, des heures d'aveuglement, de trouble, de défaillance. L'illustre Tarasconnais n'en fut pas plus exempt qu'un autre, et c'est pourquoi — deux mois durant — oublieux des lions et de la gloire, il se grisa d'amour oriental et s'endormit, comme Annibal à Capoue, dans les délices d'Alger la Blanche.

Le brave homme avait loué au cœur de la ville arabe une jolie maisonnette indigène avec cour intérieure, bananiers, galeries fraîches et fontaines. Il vivait là loin de tout bruit en compagnie de sa Mauresque, Maure lui-même de la tête aux pieds, soufflant tout le jour dans son narghilé, et mangeant des confitures au musc.

Étendue sur un divan en face de lui, Baïa, la guitare au poing, nasillait des airs monotones, ou bien pour distraire son seigneur elle mimait la danse du ventre, en tenant à la main un petit miroir dans lequel elle mirait ses dents blanches et se faisait des mines.

Comme la dame ne savait pas un mot de français ni Tartarin un mot d'arabe, la conversation languissait quelquefois, et le bavard Tarasconnais avait tout le temps de faire pénitence pour les intempérances de langage dont il s'était rendu coupable à la pharmacie Bézuquet ou chez l'armurier Costecalde.

Mais cette pénitence même ne manquait pas de charme, et c'était comme un spleen voluptueux qu'il éprouvait à rester là tout le jour sans parler, en écoutant le glouglou du narghilé, le frôlement de la guitare et le bruit léger de la fontaine dans les mosaïques de la cour.

Le narghilé, le bain, l'amour remplissaient toute sa vie. On sortait peu. Quelquefois Sidi Tart'ri, sa dame en croupe, s'en allait sur une brave mule manger des grenades à un petit

jardin qu'il avait acheté aux environs . . . Mais jamais, au
grand jamais, il ne descendait dans la ville européenne. Avec
ses zouaves en ribotte, ses alcazars bourrés d'officiers, et son
éternel bruit de sabres traînant sous les arcades, cet Alger-là
5 lui semblait insupportable et laid comme un corps de garde
d'Occident.

En somme, le Tarasconnais était très heureux. Tartarin-
Sancho surtout, très friand de pâtisseries turques, se déclarait
on ne peut plus satisfait de sa nouvelle existence. . . . Tartarin-
10 Quichotte, lui, avait bien par-ci par-là quelques remords, en pensant à Tarascon et aux peaux promises . . . Mais cela ne durait
pas, et pour chasser ces tristes idées il suffisait d'un regard de
Baïa ou d'une cuillerée de ses diaboliques confitures odorantes
et troublantes comme les breuvages de Circé.

15 Le soir, le prince Grégory venait parler un peu du Monténégro libre. . . . D'une complaisance infatigable, cet aimable
seigneur remplissait dans la maison les fonctions d'interprète,
au besoin même celles d'intendant, et tout cela pour rien, pour
le plaisir. . . . A part lui, Tartarin ne recevait que des *Teurs*.
20 Tous ces forbans à têtes farouches, qui naguère lui faisaient
tant de peur du fond de leurs noires échoppes, se trouvèrent
être, une fois qu'il les connut, de bons commerçants inoffensifs,
des brodeurs, des marchands d'épices, des tourneurs de tuyaux
de pipes, tous gens bien élevés, humbles, finauds, discrets et de
25 première force à la bouillotte. Quatre ou cinq fois par semaine,
ces messieurs venaient passer la soirée chez Sidi Tart'ri, lui
gagnaient son argent, lui mangeaient ses confitures, et sur le
coup de dix heures se retiraient discrètement en remerciant
le Prophète.

30 Derrière eux, Sidi Tart'ri et sa fidèle épouse finissaient la
soirée sur leur terrasse, une grande terrasse blanche qui faisait
toit à la maison et dominait la ville. Tout autour, un millier
d'autres terrasses blanches aussi, tranquilles sous le clair de lune,

descendaient en s'échelonnant jusqu'à la mer. Des fredons de guitare arrivaient, portés par la brise.

. . . Soudain, comme un bouquet d'étoiles, une grande mélodie claire s'égrenait doucement dans le ciel, et, sur le minaret de la mosquée voisine, un beau muezzin apparaissait, découpant son ombre blanche dans le bleu profond de la nuit, et chantant la gloire d'Allah avec une voix merveilleuse qui remplissait l'horizon.

Aussitôt Baïa lâchait sa guitare, et ses grands yeux tournés vers le muezzin semblaient boire la prière avec délices. Tant que le chant durait, elle restait là, frissonnante, extasiée, comme une sainte Thérèse d'Orient . . . Tartarin, tout ému, la regardait prier et pensait en lui-même que c'était une forte et belle religion, celle qui pouvait causer des ivresses de foi pareilles.

Tarascon, voile-toi la face ! ton Tartarin songeait à se faire renégat.

XII

On nous écrit de Tarascon.

Par une belle après-midi de ciel bleu et de brise tiède, Sidi Tart'ri à califourchon sur sa mule revenait tout seulet de son petit clos. . . . Les jambes écartées par de larges coussins en sparterie que gonflaient les cédrats et les pastèques, bercé au bruit de ses grands étriers et suivant de tout son corps le *balin-balan* de la bête, le brave homme s'en allait ainsi dans un paysage adorable, les deux mains croisées sur son ventre, aux trois quarts assoupi par le bien-être et la chaleur.

Tout à coup, en entrant dans la ville, un appel formidable le réveilla.

« Hé ! monstre de sort ! on dirait monsieur Tartarin. »

A ce nom de Tartarin, à cet accent joyeusement méridional, le Tarasconnais leva la tête et aperçut à deux pas de lui la

brave figure tannée de maître Barbassou, le capitaine du
Zouave, qui prenait l'absinthe en fumant sa pipe sur la porte
d'un petit café.

« Hé ! adieu, Barbassou, » fit Tartarin en arrêtant sa mule.

5   Au lieu de lui répondre, Barbassou le regarda un moment
avec de grands yeux ; puis, le voilà parti à rire, à rire tellement, que Sidi Tart'ri en resta tout interloqué, le derrière sur
ses pastèques.

« Qué turban, mon pauvre monsieur Tartarin ! . . . C'est
10 donc vrai ce qu'on dit, que vous vous êtes fait *Teur* ? . . . Et
la petite Baïa, est-ce qu'elle chante toujours *Marco la Belle* ?

— *Marco la Belle !* » fit Tartarin indigné. . . . « Apprenez,
capitaine, que la personne dont vous parlez est une honnête
fille maure, et qu'elle ne sait pas un mot de français.

15   — Baïa, pas un mot de français ? . . . D'où sortez-vous
donc ? . . . »

Et le brave capitaine se remit à rire plus fort.

Puis voyant la mine du pauvre Sidi Tart'ri qui s'allongeait,
il se ravisa.

20   « Au fait, ce n'est peut-être pas la même. . . . Mettons que
j'ai confondu. Seulement, voyez-vous, monsieur Tartarin, vous
ferez tout de même bien de vous méfier des Mauresques algériennes et des princes du Monténégro ! . . . »

Tartarin se dressa sur ses étriers, en faisant sa moue.

25   « Le prince est mon ami, capitaine.

— Bon ! bon ! ne nous fâchons pas. . . . Vous ne prenez pas
une absinthe ? Non. Rien à faire dire au pays ? . . . Non
plus. . . . Eh bien ! alors, bon voyage. . . . A propos, collègue, j'ai là du bon tabac de France, si vous en vouliez empor-
30 ter quelques pipes. . . . Prenez donc ! prenez donc ! ça vous
fera du bien. . . . Ce sont vos sacrés tabacs d'Orient qui vous
barbouillent les idées. »

Là-dessus le capitaine retourna à son absinthe et Tartarin, tout pensif, reprit au petit trot le chemin de sa maisonnette. . . . Bien que sa grande âme se refusât à rien en croire, les insinuations de Barbassou l'avaient attristé, puis ces jurons du cru, l'accent de là-bas, tout cela éveillait en lui de vagues remords. 5

Au logis, il ne trouva personne. Baïa était au bain . . . La négresse lui parut laide, la maison triste . . . En proie à une indéfinissable mélancolie, il vint s'asseoir près de la fontaine et bourra une pipe avec le tabac de Barbassou. Ce tabac était enveloppé dans un fragment du *Sémaphore*. En le déployant, 10 le nom de sa ville natale lui sauta aux yeux.

On nous écrit de Tarascon :

" La ville est dans les transes. Tartarin, le tueur de lions, parti
" pour chasser les grands félins en Afrique, n'a pas donné de ses
" nouvelles depuis plusieurs mois. . . . Qu'est devenu notre héroïque 15
" compatriote ? . . . On ose à peine se le demander, quand on a connu
" comme nous cette tête ardente, cette audace, ce besoin d'aventures. . . .
" A-t-il été comme tant d'autres englouti dans le sable, ou bien est-il
" tombé sous la dent meurtrière d'un de ces monstres de l'Atlas dont
" il avait promis les peaux à la municipalité ? . . . Terrible incertitude ! 20
" Pourtant des marchands nègres, venus à la foire de Beaucaire, pré-
" tendent avoir rencontré en plein désert un Européen dont le signale-
" ment se rapportait au sien, et qui se dirigeait vers Tombouctou. . . .
" Dieu nous garde notre Tartarin ! "

Quand il lut cela, le Tarasconnais rougit, pâlit, frissonna. Tout 25 Tarascon lui apparut: le cercle, les chasseurs de casquettes, le fauteuil vert chez Costecalde, et planant au-dessus comme un aigle éployé, la formidable moustache du brave commandant Bravida.

Alors, de se voir là, comme il était, lâchement accroupi sur 30 sa natte, tandis qu'on le croyait en train de massacrer des fauves, Tartarin de Tarascon eut honte de lui-même et pleura.

Tout à coup le héros bondit :

« Au lion ! au lion ! »

Et s'élançant dans le réduit poudreux où dormaient la tente-abri, la pharmacie, les conserves, la caisse d'armes, il les traîna au milieu de la cour.

Tartarin-Sancho venait d'expirer; il ne restait plus que
5 Tartarin-Quichotte.

Le temps d'inspecter son matériel, de s'armer, de se harna-cher, de rechausser ses grandes bottes, d'écrire deux mots au prince pour lui confier Baïa, le temps de glisser sous l'enve-loppe quelques billets bleus mouillés de larmes, et l'intrépide
10 Tarasconnais roulait en diligence sur la route de Blidah, lais-sant à la maison sa négresse stupéfaite devant le narghilé, le turban, les babouches, toute la défroque musulmane de Sidi Tart'ri qui traînait piteusement sous les petits trèfles blancs de la galerie. . . .

TROISIÈME ÉPISODE

CHEZ LES LIONS

I

Les diligences déportées.

C'était une vieille diligence d'autrefois, capitonnée à l'ancienne mode de drap gros bleu tout fané, avec ces énormes pompons de laine rêche qui, après quelques heures de route, finissent par vous faire des moxas dans le dos. . . . Tartarin de Tarascon avait un coin de la rotonde ; il s'y installa de son mieux, et en attendant de respirer les émanations musquées des grands félins d'Afrique, le héros dut se contenter de cette bonne vieille odeur de diligence, bizarrement composée de mille odeurs, hommes, chevaux, femmes et cuir, victuailles et paille moisie.

Il y avait de tout un peu dans cette rotonde. Un trappiste, des marchands juifs, deux cocottes qui rejoignaient leur corps — le 3e hussards, — un photographe d'Orléansville. . . . Mais, si charmante et variée que fût la compagnie, le Tarasconnais n'était pas en train de causer et resta là tout pensif, le bras passé dans la brassière, avec ses carabines entre ses genoux. . . . Son départ précipité, les yeux noirs de Baïa, la terrible chasse qu'il allait entreprendre, tout cela lui troublait la cervelle, sans compter qu'avec son bon air patriarcal, cette diligence européenne, retrouvée en pleine Afrique, lui rappelait vaguement le Tarascon de sa jeunesse, des courses dans la banlieue, de petits dîners au bord du Rhône, une foule de souvenirs. . . .

Peu à peu la nuit tomba. Le conducteur alluma ses lanternes . . . La diligence rouillée sautait en criant sur ses vieux ressorts ; les chevaux trottaient, les grelots tintaient . . . De temps en temps là-haut, sous la bâche de l'impériale, un terrible bruit de ferraille . . . C'était le matériel de guerre.

Tartarin de Tarascon, aux trois quarts assoupi, resta un mo-
5 ment à regarder les voyageurs comiquement secoués par les cahots, et dansant devant lui comme des ombres falottes, puis ses yeux s'obscurcirent, sa pensée se voila, et il n'entendit plus que très vaguement geindre l'essieu des roues, et les flancs de la diligence qui se plaignaient . . .

10 Subitement, une voix, une voix de vieille fée, enrouée, cassée, fêlée, appela le Tarasconnais par son nom : « Monsieur Tartarin ! monsieur Tartarin !

— Qui m'appelle ?

— C'est moi, monsieur Tartarin ; vous ne me reconnaissez
15 pas ? . . . Je suis la vieille diligence qui faisait — il y a vingt ans — le service de Tarascon à Nîmes. . . . Que de fois je vous ai portés, vous et vos amis, quand vous alliez chasser les cas-quettes du côté de Joncquières ou de Bellegarde ! . . . Je ne vous ai pas remis d'abord, à cause de votre bonnet de *Teur* et
20 du corps que vous avez pris ; mais sitôt que vous vous êtes mis à ronfler, coquin de bon sort ! je vous ai reconnu tout de suite.

— C'est bon ! c'est bon ! » fit le Tarasconnais un peu vexé.

Puis, se radoucissant :

— « Mais enfin, ma pauvre vieille, qu'est-ce que vous êtes
25 venue faire ici ?

— Ah ! mon bon monsieur Tartarin, je n'y suis pas venue de mon plein gré, je vous assure . . . Une fois que le chemin de fer de Beaucaire a été fini, ils ne m'ont plus trouvée bonne à rien et ils m'ont envoyée en Afrique. . . . Et je ne suis pas
30 la seule ! presque toutes les diligences de France ont été déportées comme moi. On nous trouvait trop réactionnaires, et maintenant nous voilà toutes ici à mener une vie de galère. . . . C'est ce qu'en France vous appelez les chemins de fer algériens. »

Ici la vieille diligence poussa un long soupir ; puis elle reprit :
« Ah ! monsieur Tartarin, que je le regrette, mon beau Tarascon ! C'était alors le bon temps pour moi, le temps de la jeunesse ! il fallait me voir partir le matin, lavée à grande eau et
toute luisante avec mes roues vernissées à neuf, mes lanternes 5
qui semblaient deux soleils et ma bâche toujours frottée d'huile !
C'est ça qui était beau quand le postillon faisait claquer son
fouet sur l'air de : *Lagadigadeou, la Tarasque ! la Tarasque !*
et que le conducteur, son piston en bandoulière, sa casquette
brodée sur l'oreille, jetant d'un tour de bras son petit chien, 10
toujours furieux, sur la bâche de l'impériale, s'élançait lui-même
là-haut, en criant : « Allume ! allume ! » Alors mes quatre chevaux s'ébranlaient au bruit des grelots, des aboiements, des fanfares, les fenêtres s'ouvraient, et tout Tarascon regardait avec
orgueil la diligence détaler sur la grande route royale. 15

Quelle belle route, monsieur Tartarin, large, bien entretenue,
avec ses bornes kilométriques, ses petits tas de pierres régulièrement espacés, et de droite et de gauche ses jolies plaines
d'oliviers et de vignes . . . Puis des auberges tous les dix pas,
des relais toutes les cinq minutes . . . Et mes voyageurs, 20
quelles braves gens ! des maires et des curés qui allaient à
Nîmes voir leur préfet ou leur évêque, de bons taffetassiers qui
revenaient du *mazet* bien honnêtement, des collégiens en vacances,
des paysans en blouse brodée tout frais rasés du matin, et là-haut,
sur l'impériale, vous tous, messieurs les chasseurs de casquettes, 25
qui étiez toujours de si bonne humeur, et qui chantiez si bien
chacun *la vôtre*, le soir, aux étoiles, en revenant ! . . .

Maintenant c'est une autre histoire. . . . Dieu sait les gens
que je charrie ! un tas de mécréants venus je ne sais d'où, qui
me remplissent de vermine, des nègres, des Bédouins, des sou- 30
dards, des aventuriers de tous les pays, des colons en guenilles
qui m'empestent de leurs pipes, et tout cela parlant un langage
auquel Dieu le père ne comprendrait rien . . . Et puis vous

voyez comme on me traite ! Jamais brossée, jamais lavée. On
me plaint le cambouis de mes essieux . . . Au lieu de mes
gros bons chevaux tranquilles d'autrefois, de petits chevaux
arabes qui ont le diable au corps, se battent, se mordent, dansent
5 en courant comme des chèvres, et me brisent mes brancards à
coups de pieds. . . . Aïe ! . . . aïe ! . . . tenez ! . . . Voilà que cela
commence. . . . Et les routes ! Par ici, c'est encore supportable, parce que nous sommes près du gouvernement ; mais là-
bas, plus rien, pas de chemin du tout. On va comme on peut,
10 à travers monts et plaines, dans les palmiers nains, dans les lentisques . . . Pas un seul relais fixe. On arrête au caprice du
conducteur, tantôt dans une ferme, tantôt dans une autre.

Quelquefois ce polisson-là me fait faire un détour de deux
lieues pour aller chez un ami boire l'absinthe ou le *champo-*
15 *reau.* . . . Après quoi, fouette, postillon ! il faut rattraper le
temps perdu. Le soleil cuit, la poussière brûle. Fouette toujours !
On accroche, on verse ! Fouette plus fort ! On passe des rivières
à la nage, on s'enrhume, on se mouille, on se noie . . . Fouette !
fouette ! fouette ! . . . Puis le soir, toute ruisselante, — c'est
20 cela qui est bon à mon âge, avec mes rhumatismes ! . . . — il
me faut coucher à la belle étoile, dans une cour de caravansérail ouverte à tous les vents. La nuit, des chacals, des hyènes
viennent flairer mes caissons, et les maraudeurs qui craignent la
rosée se mettent au chaud dans mes compartiments. . . . Voilà
25 la vie que je mène, mon pauvre monsieur Tartarin, et je la
mènerai jusqu'au jour où, brûlée par le soleil, pourrie par les
nuits humides, je tomberai — ne pouvant plus faire autrement
— sur un coin de méchante route, où les Arabes feront bouillir
leur kousskouss avec les débris de ma vieille carcasse . . .

30   — Blidah ! Blidah ! » fit le conducteur en ouvrant la portière.

II

Où l'on voit passer un petit monsieur.

Vaguement, à travers les vitres dépolies par la buée, Tartarin de Tarascon entrevit une place de jolie sous-préfecture, place régulière, entourée d'arcades et plantée d'orangers, au milieu de laquelle de petits soldats de plomb faisaient l'exercice dans la claire brume rose du matin. Les cafés ôtaient leurs volets. Dans 5 un coin, une halle avec des légumes. . . . C'était charmant, mais cela ne sentait pas encore le lion.

« Au sud ! . . . Plus au sud ! » murmura le bon Tartarin en se renfonçant dans son coin.

A ce moment, la portière s'ouvrit. Une bouffée d'air frais 10 entra, apportant sur ses ailes, dans le parfum des orangers fleuris, un tout petit monsieur en redingote noisette, vieux, sec, ridé, compassé, une figure grosse comme le poing, une cravate en soie noire haute de cinq doigts, une serviette en cuir, un parapluie : le parfait notaire de village. 15

En apercevant le matériel de guerre du Tarasconnais, le petit monsieur, qui s'était assis en face, parut excessivement surpris et se mit à regarder Tartarin avec une insistance gênante.

On détela, on attela, la diligence partit . . . Le petit monsieur regardait toujours Tartarin. . . . A la fin le Tarasconnais 20 prit la mouche.

« Ça vous étonne ? » fit-il en regardant à son tour le petit monsieur bien en face.

« Non ! Ça me gêne, » répondit l'autre fort tranquillement ; et le fait est qu'avec sa tente-abri, son revolver, ses deux fusils dans 25 leur gaine, son couteau de chasse, — sans parler de sa corpulence naturelle, Tartarin de Tarascon tenait beaucoup de place. . . .

La réponse du petit monsieur le fâcha :

« Vous imaginez-vous par hasard que je vais aller au lion avec votre parapluie ? » dit le grand homme fièrement. 30

Le petit monsieur regarda son parapluie, sourit doucement ;
puis, toujours avec son même flegme :

« Alors, monsieur, vous êtes . . . ?

— Tartarin de Tarascon, tueur de lions ! »

5   En prononçant ces mots, l'intrépide Tarasconnais secoua
comme une crinière le gland de sa *chechia*.

Il y eut dans la diligence un mouvement de stupeur.

Le trappiste se signa, les cocottes poussèrent de petits cris
d'effroi, et le photographe d'Orléansville se rapprocha du tueur
10 de lions, rêvant déjà l'insigne honneur de faire sa photographie.

Le petit monsieur, lui, ne se déconcerta pas.

« Est-ce que vous avez déjà tué beaucoup de lions, monsieur
Tartarin ? » demanda-t-il très tranquillement.

Le Tarasconnais le reçut de la belle manière :

15 « Si j'en ai beaucoup tué, monsieur ! . . . Je vous souhaiterais
d'avoir seulement autant de cheveux sur la tête. »

Et toute la diligence de rire en regardant les trois cheveux
jaunes de Cadet-Roussel qui se hérissaient sur le crâne du petit
monsieur.

20 A son tour le photographe d'Orléansville prit la parole :

« Terrible profession que la vôtre, monsieur Tartarin ! . . .
On passe quelquefois de mauvais moments. . . . Ainsi ce pauvre
M. Bombonnel . . .

— Ah ! oui, le tueur de panthères . . . » fit Tartarin assez
25 dédaigneusement.

« Est-ce que vous le connaissez ? » demanda le petit monsieur.

« Té ! pardi. . . . Si je le connais. . . . Nous avons chassé
plus de vingt fois ensemble. »

Le petit monsieur sourit : « Vous chassez donc la panthère
30 aussi, monsieur Tartarin ?

— Quelquefois, par passe-temps, . . . » fit l'enragé Tarasconnais.

Il ajouta, en relevant la tête d'un geste héroïque qui enflamma
le cœur des deux cocottes :

« Ça ne vaut pas le lion !

— En somme, » hasarda le photographe d'Orléansville, « une panthère, ce n'est qu'un gros chat . . .

— Tout juste ! » fit Tartarin qui n'était pas fâché de rabaisser un peu la gloire de Bombonnel, surtout devant des dames.

Ici la diligence s'arrêta, le conducteur vint ouvrir la portière et s'adressant au petit vieux :

« Vous voilà arrivé, monsieur, » lui dit-il d'un air très respectueux.

Le petit monsieur se leva, descendit, puis avant de refermer la portière :

« Voulez-vous me permettre de vous donner un conseil, monsieur Tartarin ?

— Lequel, monsieur ?

— Ma foi ! écoutez, vous avez l'air d'un brave homme, j'aime mieux vous dire ce qu'il en est. . . . Retournez vite à Tarascon, monsieur Tartarin. . . . Vous perdez votre temps ici. . . . Il reste bien encore quelques panthères dans la province ; mais, fi donc ! c'est un trop petit gibier pour vous. . . . Quant aux lions, c'est fini. Il n'en reste plus en Algérie . . . mon ami Chassaing vient de tuer le dernier. »

Sur quoi le petit monsieur salua, ferma la portière, et s'en alla en riant avec sa serviette et son parapluie.

« Conducteur, » demanda Tartarin en faisant sa moue, « qu'est-ce que c'est donc que ce bonhomme-là ?

— Comment ! vous ne le connaissez pas ? mais c'est monsieur Bombonnel. »

III

Un couvent de lions.

A Milianah, Tartarin de Tarascon descendit, laissant la diligence continuer sa route vers le Sud.

Deux jours de durs cahots, deux nuits passées les yeux ouverts à regarder par la portière s'il n'apercevrait pas dans les

champs, au bord de la route, l'ombre formidable du lion, tant
d'insomnies méritaient bien quelques heures de repos. Et puis,
s'il faut tout dire, depuis sa mésaventure avec Bombonnel, le
loyal Tarasconnais se sentait mal à l'aise, malgré ses armes,
5 sa moue terrible, son bonnet rouge, devant le photographe
d'Orléansville et les deux demoiselles du 3ᵉ hussards.

Il se dirigea donc à travers les larges rues de Milianah, pleines
de beaux arbres et de fontaines; mais, tout en cherchant un
hôtel à sa convenance, le pauvre homme ne pouvait s'empêcher
10 de songer aux paroles de Bombonnel. . . . Si c'était vrai pourtant? S'il n'y avait plus de lions en Algérie? . . . A quoi bon
alors tant de courses, tant de fatigues? . . .

Soudain, au détour d'une rue, notre héros se trouva face à
face . . . avec qui? Devinez . . . Avec un lion superbe, qui
15 attendait devant la porte d'un café, assis royalement sur son
train de derrière, sa crinière fauve dans le soleil.

« Qu'est-ce qu'ils me disaient donc qu'il n'y en avait plus? »
s'écria le Tarasconnais en faisant un saut en arrière. . . . En
entendant cette exclamation, le lion baissa la tête et, prenant
20 dans sa gueule une sébile en bois posée devant lui sur le trottoir, il la tendit humblement du côté de Tartarin immobile de
stupeur . . . Un Arabe qui passait jeta un gros sou dans la
sébile; le lion remua la queue . . . Alors Tartarin comprit
tout. Il vit, ce que l'émotion l'avait d'abord empêché de voir, la
25 foule attroupée autour du pauvre lion aveugle et apprivoisé, et
les deux grands nègres armés de gourdins qui le promenaient à
travers la ville comme un Savoyard sa marmotte.

Le sang du Tarasconnais ne fit qu'un tour : « Misérables, »
cria-t-il d'une voix de tonnerre, « ravaler ainsi ces nobles bêtes ! »
30 Et, s'élançant sur le lion, il lui arracha l'immonde sébile d'entre
ses royales mâchoires . . . Les deux nègres, croyant avoir
affaire à un voleur, se précipitèrent sur le Tarasconnais, la
matraque haute . . . Ce fut une terrible bousculade. . . . Les

nègres tapaient, les femmes piaillaient, les enfants riaient. Un vieux cordonnier juif criait du fond de sa boutique : « *Au zouge de paix ! Au zouge de paix !* » Le lion lui-même, dans sa nuit, essaya d'un rugissement, et le malheureux Tartarin, après une lutte désespérée, roula par terre au milieu des gros sous et des 5 balayures.

A ce moment, un homme fendit la foule, écarta les nègres d'un mot, les femmes et les enfants d'un geste, releva Tartarin, le brossa, le secoua, et l'assit tout essoufflé sur une borne.

« Comment ! *prëince*, c'est vous ? . . . » fit le bon Tartarin 10 en se frottant les côtes.

« Eh ! oui, mon vaillant ami, c'est moi . . . Sitôt votre lettre reçue, j'ai confié Baïa à son frère, loué une chaise de poste, fait cinquante lieues ventre à terre, et me voilà juste à temps pour vous arracher à la brutalité de ces rustres. . . . Qu'est-ce que 15 vous avez donc fait, juste Dieu ! pour vous attirer cette méchante affaire ?

— Que voulez-vous, *prëince* ? . . . De voir ce malheureux lion avec sa sébile aux dents, humilié, vaincu, bafoué, servant de risée à toute cette pouillerie musulmane . . . 20

— Mais vous vous trompez, mon noble ami. Ce lion est, au contraire, pour eux un objet de respect et d'adoration. C'est une bête sacrée, qui fait partie d'un grand couvent de lions, fondé, il y a trois cents ans, par Mahommed-ben-Aouda, une espèce de Trappe formidable et farouche, pleine de rugissements 25 et d'odeurs de fauve, où des moines singuliers élèvent et apprivoisent des lions par centaines, et les envoient de là dans toute l'Afrique septentrionale, accompagnés de frères quêteurs . . . Les dons que reçoivent les frères servent à l'entretien du couvent et de sa mosquée ; et si les deux nègres ont montré tant d'hu- 30 meur tout à l'heure, c'est qu'ils ont la conviction que pour un sou, un seul sou de la quête, volé ou perdu par leur faute, le lion qu'ils conduisent les dévorerait immédiatement. »

En écoutant ce récit invraisemblable et pourtant véridique, Tartarin de Tarascon se délectait et reniflait l'air bruyamment.

« Ce qui me va dans tout ceci, » fit-il en matière de conclusion, « c'est que, n'en déplaise à mons Bombonnel, il y a encore des 5 lions en Algérie ! . . .

— S'il y en a ! » dit le prince avec enthousiasme . . . « Dès demain, nous allons battre la plaine du Chéliff, et vous verrez ! . . .

— Eh quoi ! prince . . . Auriez-vous l'intention de chasser, vous aussi ?

10   — Parbleu ! pensez-vous donc que je vous laisserais vous en aller seul en pleine Afrique, au milieu de ces tribus féroces dont vous ignorez la langue et les usages . . . Non ! non ! illustre Tartarin, je ne vous quitte plus. . . . Partout où vous serez, je veux être.

15   — Oh ! *préince, préince* . . . »

Et Tartarin, radieux, pressa sur son cœur le vaillant Grégory, en songeant avec fierté qu'à l'exemple de Jules Gérard, de Bombonnel et tous les autres fameux tueurs de lions, il allait avoir un prince étranger pour l'accompagner dans ses chasses.

IV

La caravane en marche.

20   Le lendemain, dès la première heure, l'intrépide Tartarin et le non moins intrépide prince Grégory, suivis d'une demi-douzaine de portefaix nègres, sortaient de Milianah et descendaient vers la plaine du Chéliff par un raidillon délicieux tout ombragé de jasmins, de tuyas, de caroubiers, d'oliviers sauvages, 25 entre deux haies de petits jardins indigènes et des milliers de joyeuses sources vives qui dégringolaient de roche en roche en chantant . . . Un paysage du Liban.

Aussi chargé d'armes que le grand Tartarin, le prince Grégory s'était en plus affublé d'un magnifique et singulier képi tout

galonné d'or, avec une garniture de feuilles de chêne brodées
au fil d'argent, qui donnait à Son Altesse un faux air de général
mexicain, ou de chef de gare des bords du Danube.

Ce diable de képi intriguait beaucoup le Tarasconnais; et
comme il demandait timidement quelques explications: 5

« Coiffure indispensable pour voyager en Afrique, » répondit
le prince avec gravité; et tout en faisant reluire sa visière d'un
revers de manche, il renseigna son naïf compagnon sur le rôle
important que joue le képi dans nos relations avec les Arabes,
la terreur que cet insigne militaire a, seul, le privilège de leur 10
inspirer, si bien que l'administration civile a été obligée de coiffer
tout son monde avec des képis, depuis le cantonnier jusqu'au
receveur de l'enregistrement. En somme, pour gouverner l'Algérie — c'est toujours le prince qui parle — pas n'est besoin
d'une forte tête, ni même de tête du tout. Il suffit d'un képi, 15
d'un beau képi galonné, reluisant au bout d'une trique comme
la toque de Gessler.

Ainsi causant et philosophant, la caravane allait son train.
Les portefaix — pieds nus — sautaient de roche en roche avec
des cris de singes. Les caisses d'armes sonnaient. Les fusils 20
flambaient. Les indigènes qui passaient s'inclinaient jusqu'à
terre devant le képi magique. . . . Là-haut, sur les remparts
de Milianah, le chef du bureau arabe, qui se promenait au bon
frais avec sa dame, entendant ces bruits insolites, et voyant des
armes luire entre les branches, crut à un coup de main, fit 25
baisser le pont-levis, battre la générale, et mit incontinent la
ville en état de siège.

Beau début pour la caravane!

Malheureusement, avant la fin du jour, les choses se gâtèrent.
Des nègres qui portaient les bagages, l'un fut pris d'atroces 30
coliques pour avoir mangé le sparadrap de la pharmacie. Un
autre tomba sur le bord de la route ivre mort d'eau-de-vie cam-
phrée. Le troisième, celui qui portait l'album de voyage, séduit

par les dorures des fermoirs, et persuadé qu'il enlevait les trésors
de la Mecque, se sauva dans le Zaccar à toutes jambes. . . . Il
fallut aviser. . . . La caravane fit halte, et tint conseil dans
l'ombre trouée d'un vieux figuier.

5 « Je serais d'avis, dit le prince, en essayant, mais sans succès,
de délayer une tablette de pemmican dans une casserole perfectionnée à triple fond, je serais d'avis que, dès ce soir, nous
renoncions aux porteurs nègres. . . . Il y a précisément un
marché arabe tout près d'ici. Le mieux est de nous y arrêter,
10 et de faire emplette de quelques bourriquots . . .

— Non ! . . . non ! . . . pas de bourriquots ! . . . » interrompit vivement le grand Tartarin, que le souvenir de Noiraud
avait fait devenir tout rouge.

Et il ajouta, l'hypocrite :

15 « Comment voulez-vous que de si petites bêtes puissent porter
tout notre attirail ? »

Le prince sourit.

« C'est ce qui vous trompe, mon illustre ami. Si maigre et
si chétif qu'il vous paraisse, le bourriquot algérien a les reins
20 solides. . . . Il le faut bien pour supporter tout ce qu'il sup-
porte. . . . Demandez plutôt aux Arabes. Voici comment ils
expliquent notre organisation coloniale. . . . En haut, disent-ils,
il y a *mouci* le gouverneur, avec une grande trique, qui tape sur
l'état-major ; l'état-major, pour se venger, tape sur le soldat ; le
25 soldat tape sur le colon, le colon tape sur l'Arabe, l'Arabe tape
sur le nègre, le nègre tape sur le juif, le juif à son tour tape
sur le bourriquot ; et le pauvre petit bourriquot, n'ayant personne sur qui taper, tend l'échine et porte tout. Vous voyez
bien qu'il peut porter vos caisses.

30 — C'est égal, » reprit Tartarin de Tarascon, « je trouve que,
pour le coup d'œil de notre caravane, des ânes ne feraient pas
très bien . . . Je voudrais quelque chose de plus oriental . . .
Ainsi, par exemple, si nous pouvions avoir un chameau . . .

— Tant que vous en voudrez, » fit l'Altesse, et l'on se mit en route pour le marché arabe.

Le marché se tenait à quelques kilomètres, sur les bords du Chéliff. . . . Il y avait là cinq ou six mille Arabes en guenilles, grouillant au soleil, et trafiquant bruyamment au milieu des jarres d'olives noires, des pots de miel, des sacs d'épices et des cigares en gros tas ; de grands feux où rôtissaient des moutons entiers, ruisselant de beurre ; des boucheries en plein air, où des nègres tout nus, les pieds dans le sang, les bras rouges, dépeçaient, avec de petits couteaux, des chevreaux pendus à une perche.

Dans un coin, sous une tente rapetassée de mille couleurs, un greffier maure, avec un grand livre et des lunettes. Ici, un groupe, des cris de rage : c'est un jeu de roulette, installé sur une mesure à blé, et des Kabyles qui s'éventrent autour . . . Là-bas, des trépignements, une joie, des rires : c'est un marchand juif avec sa mule, qu'on regarde se noyer dans le Chéliff . . . Puis des scorpions, des chiens, des corbeaux ; et des mouches ! . . . des mouches ! . . .

Par exemple, les chameaux manquaient. On finit pourtant par en découvrir un, dont des M'zabites cherchaient à se défaire. C'était le vrai chameau du désert, le chameau classique, chauve, l'air triste, avec sa longue tête de bédouin et sa bosse qui, devenue flasque par suite de trop longs jeûnes, pendait mélancoliquement sur le côté.

Tartarin le trouva si beau, qu'il voulut que la caravane entière montât dessus. . . . Toujours la folie orientale ! . . .

La bête s'accroupit. On sangla les malles.

Le prince s'installa sur le cou de l'animal. Tartarin, pour plus de majesté, se fit hisser tout en haut de la bosse, entre deux caisses ; et là, fier et bien calé, saluant d'un geste noble tout le marché accouru, il donna le signal du départ. . . . Tonnerre ! si ceux de Tarascon avaient pu le voir ! . . .

Le chameau se redressa, allongea ses grandes jambes à nœuds, et prit son vol. . . .

O stupeur ! Au bout de quelques enjambées, voilà Tartarin qui se sent pâlir, et l'héroïque chechia qui reprend une à une ses 5 anciennes positions du temps du *Zouave*. Ce diable de chameau tanguait comme une frégate.

« *Prêince, prêince*, » murmura Tartarin tout blême, et s'accrochant à l'étoupe sèche de la bosse, « *prêince*, descendons. . . . Je sens . . . je sens . . . que je vais faire bafouer la France . . . »

10 Va te promener ! le chameau était lancé, et rien ne pouvait plus l'arrêter. Quatre mille Arabes couraient derrière, pieds nus, gesticulant, riant comme des fous, et faisant luire au soleil six cent mille dents blanches . . .

Le grand homme de Tarascon dut se résigner. Il s'affaissa 15 tristement sur la bosse. La chechia prit toutes les positions qu'elle voulut . . . et la France fut bafouée.

V

L'affût du soir dans un bois de lauriers-roses.

Si pittoresque que fût leur nouvelle monture, nos tueurs de lions durent y renoncer, par égard pour la chechia. On continua donc la route à pied comme devant, et la caravane s'en alla 20 tranquillement vers le Sud par petites étapes, le Tarasconnais en tête, le Monténégrin en queue, et dans les rangs le chameau avec les caisses d'armes.

L'expédition dura près d'un mois.

Pendant un mois, cherchant des lions introuvables, le terrible 25 Tartarin erra de douar en douar dans l'immense plaine du Chéliff, à travers cette formidable et cocasse Algérie française, où les parfums du vieil Orient se compliquent d'une forte odeur d'absinthe et de caserne, Abraham et Zouzou mêlés, quelque chose de féerique et de naïvement burlesque, comme une page

de l'Ancien Testament racontée par le sergent La Ramée ou
le brigadier Pitou . . . Curieux spectacle pour des yeux qui
auraient su voir . . . Un peuple sauvage et pourri que nous
civilisons, en lui donnant nos vices . . . L'autorité féroce et
sans contrôle de bachagas fantastiques, qui se mouchent grave- 5
ment dans leurs grands cordons de la Légion d'honneur, et
pour un oui ou pour un non font bâtonner les gens sur la
plante des pieds. La justice sans conscience de cadis à grosses
lunettes, tartufes du Coran et de la loi, qui rêvent de quinze
août et de promotion sous les palmes, et vendent leurs arrêts, 10
comme Ésaü son droit d'aînesse, pour un plat de lentilles ou de
kousskouss au sucre. Des caïds libertins et ivrognes, anciens
brosseurs d'un général Yusuf quelconque, qui se soûlent de
champagne avec des blanchisseuses mahonnaises, et font des
ripailles de mouton rôti, pendant que, devant leurs tentes, toute 15
la tribu crève de faim, et dispute aux lévriers les rogatons de la
ribote seigneuriale.

Puis, tout autour, des plaines en friche, de l'herbe brûlée,
des buissons chauves, des maquis de cactus et de lentisques, le
grenier de la France ! . . . Grenier vide de grains, hélas ! et 20
riche seulement en chacals et en punaises. Des douars abandonnés, des tribus effarées qui s'en vont sans savoir où, fuyant
la faim, et semant des cadavres le long de la route. De loin en
loin, un village français, avec des maisons en ruine, des champs
sans culture, des sauterelles enragées, qui mangent jusqu'aux 25
rideaux des fenêtres, et tous les colons dans les cafés, en train
de boire de l'absinthe en discutant des projets de réforme et de
constitution.

Voilà ce que Tartarin aurait pu voir, s'il s'en était donné la
peine ; mais, tout entier à sa passion léonine, l'homme de Ta- 30
rascon allait droit devant lui, sans regarder ni à droite ni à
gauche, l'œil obstinément fixé sur ces monstres imaginaires,
qui ne paraissaient jamais.

Comme la tente-abri s'entêtait à ne pas s'ouvrir et les tablettes de pemmican à ne pas fondre, la caravane était obligée de s'arrêter matin et soir dans les tribus. Partout, grâce au képi du prince Grégory, nos chasseurs étaient reçus à bras ouverts. Ils
5 logeaient chez les agas, dans des palais bizarres, grandes fermes blanches sans fenêtres, où l'on trouve pêle-mêle des narghilés et des commodes en acajou, des tapis de Smyrne et des lampes-modérateur, des coffres de cèdre pleins de sequins turcs, et des pendules à sujets, style Louis-Philippe . . . Partout on donnait
10 à Tartarin des fêtes splendides, des *diffas*, des *fantasias* . . . En son honneur, des goums entiers faisaient parler la poudre et luire leurs burnous au soleil. Puis, quand la poudre avait parlé,. le bon aga venait et présentait sa note . , . C'est ce qu'on appelle l'hospitalité arabe.
15 Et toujours pas de lions. Pas plus de lions que sur le Pont-Neuf !

Cependant le Tarasconnais ne se décourageait pas. S'enfonçant bravement dans le Sud, il passait ses journées à battre le maquis, fouillant les palmiers-nains du bout de sa carabine,
20 et faisant « frrt ! frrt ! » à chaque buisson. Puis, tous les soirs avant de se coucher, un petit affût de deux ou trois heures. . . . Peine perdue ! le lion ne se montrait pas.

Un soir pourtant, vers les six heures, comme la caravane traversait un bois de lentisques tout violet où de grosses cailles
25 alourdies par la chaleur sautaient çà et là dans l'herbe, Tartarin de Tarascon crut entendre — mais si loin, mais si vague, mais si émietté par la brise — ce merveilleux rugissement qu'il avait entendu tant de fois là-bas à Tarascon, derrière la baraque Mitaine.

30 D'abord le héros croyait rêver. . . . Mais au bout d'un instant, lointains toujours, quoique plus distincts, les rugissements recommencèrent ; et cette fois, tandis qu'à tous les coins de l'horizon on entendait hurler les chiens des douars, — secouée

par la terreur et faisant retentir les conserves et les caisses
d'armes, la bosse du chameau frissonna.

Plus de doute. C'était le lion. . . . Vite, vite, à l'affût. Pas
une minute à perdre.

Il y avait tout juste près de là un vieux *marabout* (tombeau
de saint) à coupole blanche, avec les grandes pantoufles jaunes
du défunt déposées dans une niche au-dessus de la porte, et
un fouillis d'ex-voto bizarres, pans de burnous, fils d'or, cheveux roux, qui pendaient le long des murailles . . . Tartarin
de Tarascon y remisa son prince et son chameau et se mit en
quête d'un affût. Le prince Grégory voulait le suivre, mais le
Tarasconnais s'y refusa ; il tenait à affronter le lion seul à seul.
Toutefois il recommanda à Son Altesse de ne pas s'éloigner, et,
par mesure de précaution, il lui confia son portefeuille, un gros
portefeuille plein de papiers précieux et de billets de banque,
qu'il craignait de faire écornifler par la griffe du lion. Ceci fait,
le héros chercha son poste.

Cent pas en avant du marabout, un petit bois de lauriers-
roses tremblait dans la gaze du crépuscule, au bord d'une rivière
presque à sec. C'est là que Tartarin vint s'embusquer, le genou
en terre, selon la formule, la carabine au poing et son grand
couteau de chasse planté fièrement devant lui dans le sable de
la berge.

La nuit arriva. Le rose de la nature passa au violet, puis
au bleu sombre . . . En bas, dans les cailloux de la rivière,
luisait comme un miroir à main une petite flaque d'eau claire.
C'était l'abreuvoir des fauves. Sur la pente de l'autre berge,
on voyait vaguement le sentier blanc que leurs grosses pattes
avaient tracé dans les lentisques. Cette pente mystérieuse
donnait le frisson. Joignez à cela le fourmillement vague des
nuits africaines, branches frôlées, pas de velours d'animaux
rôdeurs, aboiements grêles des chacals, et là-haut, dans le ciel,
à cent, deux cents mètres, de grands troupeaux de grues qui

passent avec des cris d'enfants qu'on égorge ; vous avouerez qu'il y avait de quoi être ému.

Tartarin l'était. Il l'était même beaucoup. Les dents lui cla-
quaient, le pauvre homme ! Et sur la garde de son couteau de
5 chasse planté en terre le canon de son fusil rayé sonnait comme
une paire de castagnettes . . . Qu'est-ce que vous voulez ! Il
y a des soirs où l'on n'est pas en train, et puis où serait le
mérite, si les héros n'avaient jamais peur . . .

Eh bien ! oui, Tartarin eut peur, et tout le temps encore.
10 Néanmoins, il tint bon une heure, deux heures, mais l'héroïsme
a ses limites . . . Près de lui, dans le lit desséché de la
rivière, le Tarasconnais entend tout à coup un bruit de pas, des
cailloux qui roulent. Cette fois la terreur l'enlève de terre. Il
tire ses deux coups au hasard dans la nuit, et se replie à toutes
15 jambes sur le marabout, laissant son coutelas debout dans le
sable comme une croix commémorative de la plus formidable
panique qui ait jamais assailli l'âme d'un dompteur d'hydres.

« A moi, preïnce . . . le lion ! . . . »

Un silence.

20 « Preïnce, preïnce, êtes-vous là ? »

Le prince n'était pas là. Sur le mur blanc du marabout, le
bon chameau projetait seul au clair de lune l'ombre bizarre de
sa bosse. . . . Le prince Grégory venait de filer en emportant portefeuille et billets de banque. . . . Il y avait un mois
25 que Son Altesse attendait cette occasion. . . .

VI

Enfin ! . . .

Le lendemain de cette aventureuse et tragique soirée, lorsqu'au petit jour notre héros se réveilla, et qu'il eut acquis la certitude que le prince et le magot étaient réellement partis, partis sans retour ; lorsqu'il se vit seul dans cette petite tombe blanche, trahi, volé, abandonné en pleine Algérie sauvage avec 5 un chameau à bosse simple et quelque monnaie de poche pour toute ressource, alors, pour la première fois, le Tarasconnais douta. Il douta du Monténégro, il douta de l'amitié, il douta de la gloire, il douta même des lions ; et, comme le Christ à Gethsémani, le grand homme se prit à pleurer amèrement. 10

Or, tandis qu'il était là pensivement assis sur la porte du marabout, sa tête dans ses deux mains, sa carabine entre ses jambes, et le chameau qui le regardait, soudain le maquis d'en face s'écarte et Tartarin stupéfait voit paraître, à dix pas devant lui, un lion gigantesque s'avançant la tête haute et poussant des 15 rugissements formidables qui font trembler les murs du marabout tout chargés d'oripeaux et jusqu'aux pantoufles du saint dans leur niche.

Seul, le Tarasconnais ne trembla pas.

« Enfin ! » cria-t-il en bondissant, la crosse à l'épaule. . . . 20 Pan ! . . . pan ! pfft ! pfft ! C'était fait. . . . Le lion avait deux balles explosibles dans la tête. . . . Pendant une minute, sur le fond embrasé du ciel africain, ce fut un feu d'artifice épouvantable de cervelle en éclats, de sang fumant et de toison rousse éparpillée. Puis tout retomba et Tartarin aperçut . . . deux 25 grands nègres furieux qui couraient sur lui, la matraque en l'air. Les deux nègres de Milianah !

O misère ! c'était le lion apprivoisé, le pauvre aveugle du couvent de Mohammed que les balles tarasconnaises venaient d'abattre. 30

Cette fois, par Mahom! Tartarin l'échappa belle. Ivres de
fureur fanatique, les deux nègres quêteurs l'auraient sûrement
mis en pièces, si le Dieu des chrétiens n'avait envoyé à son aide
un ange libérateur, le garde champêtre de la commune d'Or-
5 léansville arrivant, son sabre sous le bras, par un petit sentier.

La vue du képi municipal calma subitement la colère des
nègres. Paisible et majestueux, l'homme à la plaque dressa procès-
verbal de l'affaire, fit charger sur le chameau ce qui restait du
lion, ordonna aux plaignants comme au délinquant de le suivre,
10 et se dirigea sur Orléansville, où le tout fut déposé au greffe.

Ce fut une longue et terrible procédure!

Après l'Algérie des tribus, qu'il venait de parcourir, Tartarin
de Tarascon connut alors une autre Algérie non moins cocasse
et formidable, l'Algérie des villes, processive et avocassière. Il
15 connut la judiciaire louche qui se tripote au fond des cafés, la
bohème des gens de loi, les dossiers qui sentent l'absinthe, les
cravates blanches mouchetées de *champoreau;* il connut les
huissiers, les agréés, les agents d'affaires, toutes ces sauterelles
du papier timbré affamées et maigres qui mangent le colon
20 jusqu'aux tiges de ses bottes et le laissent déchiqueté feuille
par feuille comme un plant de maïs . . .

Avant tout il s'agissait de savoir si le lion avait été tué sur
le territoire civil ou le territoire militaire. Dans le premier cas
l'affaire regardait le tribunal de commerce; dans le second,
25 Tartarin relevait du conseil de guerre, et, à ce mot de conseil
de guerre, l'impressionnable Tarasconnais se voyait déjà fusillé
au pied des remparts, ou croupissant dans le fond d'un silo . . .

Le terrible, c'est que la délimitation des deux territoires est
très vague en Algérie. . . . Enfin, après un mois de courses,
30 d'intrigues, de stations au soleil dans les cours des bureaux
arabes, il fut établi que si d'une part le lion avait été tué sur
le territoire militaire, d'autre part, Tartarin, lorsqu'il tira, se
trouvait sur le territoire civil. L'affaire se jugea donc au civil,

et notre héros en fut quitte pour *deux mille cinq cents francs*
d'indemnité, sans les frais.

Comment faire pour payer tout cela ? Les quelques piastres
échappées à la razzia du prince s'en étaient allées depuis longtemps en papiers légaux et en absinthes judiciaires.   5

Le malheureux tueur de lions fut donc réduit à vendre la
caisse d'armes au détail, carabine par carabine. Il vendit les
poignards, les kriss malais, les casse-tête . . . Un épicier acheta
les conserves alimentaires. Un pharmacien, ce qui restait du
sparadrap. Les grandes bottes elles-mêmes y passèrent et   10
suivirent la tente-abri perfectionnée chez un marchand de
bric-à-brac, qui les éleva à la hauteur de curiosités cochinchinoises. . . . Une fois tout payé, il ne restait plus à Tartarin
que la peau du lion et le chameau. La peau, il l'emballa
soigneusement et la dirigea sur Tarascon, à l'adresse du brave   15
commandant Bravida. (Nous verrons tout à l'heure ce qu'il
advint de cette fabuleuse dépouille.) Quant au chameau, il
comptait s'en servir pour regagner Alger, non pas en montant dessus, mais en le vendant pour payer la diligence ; ce qui
est encore la meilleure façon de voyager à chameau. Malheu-   20
reusement la bête était d'un placement difficile, et personne
n'en offrit un liard.

Tartarin cependant voulait regagner Alger à toute force. Il
avait hâte de revoir le corselet bleu de Baïa, sa maisonnette, ses
fontaines, et de se reposer sur les trèfles blancs de son petit   25
cloître, en attendant de l'argent de France. Aussi notre héros
n'hésita pas : et navré, mais point abattu, il entreprit de faire
la route à pied, sans argent, par petites journées.

En cette occurrence, le chameau ne l'abandonna pas. Cet
étrange animal s'était pris pour son maître d'une tendresse   30
inexplicable, et, le voyant sortir d'Orléansville, se mit à marcher
religieusement derrière lui, réglant son pas sur le sien et ne le
quittant pas d'une semelle.

Au premier moment, Tartarin trouva cela touchant ; cette
fidélité, ce dévouement à toute épreuve lui allaient au cœur,
d'autant que la bête était commode et se nourrissait avec rien.
Pourtant, au bout de quelques jours, le Tarasconnais s'ennuya
5 d'avoir perpétuellement sur les talons ce compagnon mélancolique, qui lui rappelait toutes ses mésaventures ; puis, l'aigreur
s'en mêlant, il lui en voulut de son air triste, de sa bosse, de son
allure d'oie bridée. Pour tout dire, il le prit en grippe et ne
songea plus qu'à s'en débarrasser ; mais l'animal tenait bon. . . .
10 Tartarin essaya de le perdre, le chameau le retrouva ; il essaya
de courir, le chameau courut plus vite . . . Il lui criait : « Va-
t'en ! » en lui jetant des pierres. Le chameau s'arrêtait et le regardait d'un air triste, puis, au bout d'un moment, il se remettait
en route et finissait toujours par le rattraper. Tartarin dut se
15 résigner.

Pourtant, lorsque après huit grands jours de marche, le Tarasconnais poudreux, harassé, vit de loin étinceler dans la verdure les premières terrasses blanches d'Alger, lorsqu'il se trouva
aux portes de la ville, sur l'avenue bruyante de Mustapha, au
20 milieu des zouaves, des biskris, des Mahonnaises, tous grouillant
autour de lui et le regardant défiler avec son chameau, pour le
coup la patience lui échappa : « Non ! non ! » dit-il, « ce n'est
pas possible . . . je ne peux pas entrer dans Alger avec un
animal pareil ! » et, profitant d'un encombrement de voitures, il
25 fit un crochet dans les champs et se jeta dans un fossé ! . . .
Au bout d'un moment, il vit au-dessus de sa tête, sur la
chaussée de la route, le chameau qui filait à grandes enjambées,
allongeant le cou d'un air anxieux.
Alors, soulagé d'un grand poids, le héros sortit de sa cachette,
30 et rentra dans la ville par un sentier détourné qui longeait le
mur de son petit clos.

VII

Catastrophes sur catastrophes.

En arrivant devant sa maison mauresque, Tartarin s'arrêta très étonné. Le jour tombait, la rue était déserte. Par la porte basse en ogive que la négresse avait oublié de fermer, on entendait des rires, des bruits de verres, des détonations de bouchons de champagne, et dominant tout ce joli vacarme une voix de 5 femme qui chantait, joyeuse et claire :

> Aimes-tu, Marco la Belle,
> La danse aux salons en fleurs . . .

« Tron de Diou ! » fit le Tarasconnais en pâlissant, et il se précipita dans la cour. 10

Malheureux Tartarin ! Quel spectacle l'attendait . . . Sous les arceaux du petit cloître, au milieu des flacons, des pâtisseries, des coussins épars, des pipes, des tambourins, des guitares, Baïa debout, sans veston bleu ni corselet, rien qu'une chemisette de gaze argentée et un grand pantalon rose tendre, chantait 15 *Marco la Belle* avec une casquette d'officier de marine sur l'oreille . . . A ses pieds, sur une natte, gavé d'amour et de confitures, Barbassou, l'infâme capitaine Barbassou, se crevait de rire en l'écoutant.

L'apparition de Tartarin, hâve, maigri, poudreux, les yeux 20 flamboyants, la chechia hérissée, interrompit tout net cette aimable orgie turco-marseillaise. Baïa poussa un petit cri de levrette effrayée, et se sauva dans la maison. Barbassou, lui, ne se troubla pas, et riant de plus belle :

« Hé ! bé ! monsieur Tartarin, qu'est-ce que vous en dites ? 25 Vous voyez bien qu'elle savait le français ! »

Tartarin de Tarascon s'avança furieux :

« Capitaine !

— *Digo-li qué vengué, moun bon !* » cria la Mauresque, se penchant de la galerie du premier avec un joli geste canaille. 30

Le pauvre homme, atterré, se laissa choir sur un tambour. Sa Mauresque savait même le marseillais !

« Quand je vous disais de vous méfier des Algériennes ! » fit sentencieusement le capitaine Barbassou. « C'est comme votre prince monténégrin. »

Tartarin releva la tête.

« Vous savez où est le prince ?

— Oh ! il n'est pas loin. Il habite pour cinq ans la belle prison de Mustapha. Le drôle s'est laissé prendre la main dans le sac. . . . Du reste, ce n'est pas la première fois qu'on le met à l'ombre. Son Altesse a déjà fait trois ans de maison centrale quelque part . . . et, tenez ! je crois même que c'est à Tarascon.

— A Tarascon ! . . . » s'écria Tartarin subitement illuminé . . . « C'est donc ça qu'il ne connaissait qu'un côté de la ville . . .

— Hé ! sans doute . . . Tarascon, vu de la maison centrale. . . . Ah ! mon pauvre monsieur Tartarin, il faut joliment ouvrir l'œil dans ce diable de pays, sans quoi on est exposé à des choses bien désagréables. . . . Ainsi votre histoire avec le muezzin . . .

— Quelle histoire ? quel muezzin ?

— Té ! pardi ! . . . le muezzin d'en face qui faisait la cour à Baïa. . . . L'*Akbar* a raconté l'affaire l'autre jour, et tout Alger en rit encore. . . . C'est si drôle ce muezzin qui, du haut de sa tour, tout en chantant ses prières, faisait sous votre nez des déclarations à la petite, et lui donnait des rendez-vous en invoquant le nom d'Allah. . . .

— Mais c'est donc tous des gredins dans ce pays ? . . . » hurla le malheureux Tarasconnais.

Barbassou eut un geste de philosophe.

« Mon cher, vous savez, les pays neufs . . . C'est égal ! si vous m'en croyez, vous retournerez bien vite à Tarascon.

— Retourner . . . c'est facile à dire. . . . Et l'argent ? . . . Vous ne savez donc pas comme ils m'ont plumé, là-bas, dans le désert ?

— Qu'à cela ne tienne ! » fit le capitaine en riant. . . . « Le *Zouave* part demain, et si vous voulez, je vous rapatrie . . . ça vous va-t-il, collègue ? . . . Alors, très bien. Vous n'avez plus qu'une chose à faire. Il reste encore quelques fioles de champagne, une moitié de croustade . . . asseyez-vous là, et sans rancune ! . . . »

Après la minute d'hésitation que lui commandait sa dignité, le Tarasconnais prit bravement son parti. Il s'assit, on trinqua ; Baïa, redescendue au bruit des verres, chanta la fin de *Marco la Belle*, et la fête se prolongea fort avant dans la nuit.

Vers trois heures du matin, la tête légère et le pied lourd, le bon Tartarin revenait d'accompagner son ami le capitaine, lorsqu'en passant devant la mosquée, le souvenir du muezzin et de ses farces le fit rire, et tout de suite une belle idée de vengeance lui traversa le cerveau. La porte était ouverte. Il entra, suivi de longs couloirs tapissés de nattes, monta, monta encore, et finit par se trouver dans un petit oratoire turc, où une lanterne en fer découpé se balançait au plafond, brodant les murs blancs d'ombres bizarres.

Le muezzin était là, assis sur un divan, avec son gros turban, sa pelisse blanche, sa pipe de Mostaganem, et devant un grand verre d'absinthe fraîche, qu'il battait religieusement, en attendant l'heure d'appeler les croyants à la prière. . . . A la vue de Tartarin, il lâcha sa pipe de terreur.

« Pas un mot, curé, » fit le Tarasconnais, qui avait son idée. . . . « Vite, ton turban, ta pelisse ! . . . »

Le curé turc, tout tremblant, donna son turban, sa pelisse, tout ce qu'on voulut. Tartarin s'en affubla, et passa gravement sur la terrasse du minaret.

La mer luisait au loin. Les toits blancs étincelaient au clair de lune. On entendait dans la brise marine quelques guitares attardées. . . . Le muezzin de Tarascon se recueillit un moment, puis, levant les bras, il commença à psalmodier d'une voix suraiguë :

« *La Allah il Allah*. . . . Mahomet est un vieux farceur. . . .
L'Orient, le Coran, les bachagas, les lions, les Mauresques, tout
ça ne vaut pas un viédaze ! . . . Il n'y a plus de *Teurs*. . . .
Il n'y a que des carotteurs. . . . Vive Tarascon ! . . . »

5   Et pendant qu'en un jargon bizarre, mêlé d'arabe et de provençal, l'illustre Tartarin jetait aux quatre coins de l'horizon, sur
la ville, sur la plaine, sur la montagne, sa joyeuse malédiction
tarasconnaise, la voix claire et grave des autres muezzins lui
répondait, en s'éloignant de minaret en minaret, et les derniers
10 croyants de la ville haute se frappaient dévotement la poitrine.

VIII

Tarascon ! Tarascon !

Midi. Le *Zouave* chauffe, on va partir. Là-haut, sur le balcon
du café Valentin, MM. les officiers braquent la longue-vue, et
viennent, colonel en tête, par rang de grade, regarder l'heureux
petit bateau qui va en France. C'est la grande distraction de
15 l'état-major. . . . En bas, la rade étincelle. La culasse des
vieux canons turcs enterrés le long du quai flambe au soleil.
Les passagers se pressent. Biskris et Mahonnais entassent
les bagages dans les barques.

Tartarin de Tarascon, lui, n'a pas de bagages. Le voici qui
20 descend de la rue de la Marine, par le petit marché, plein de
bananes et de pastèques, accompagné de son ami Barbassou.
Le malheureux Tarasconnais a laissé sur la rive du Maure sa
caisse d'armes et ses illusions, et maintenant il s'apprête à
voguer vers Tarascon, les mains dans ses poches. . . . A peine
25 vient-il de sauter dans la chaloupe du capitaine, qu'une bête
essoufflée dégringole du haut de la place, et se précipite vers
lui, en galopant. C'est le chameau, le chameau fidèle, qui, depuis
vingt-quatre heures, cherche son maître dans Alger.

Tartarin, en le voyant, change de couleur et feint de ne pas
le connaître ; mais le chameau s'acharne. Il frétille au long du
quai. Il appelle son ami, et le regarde avec tendresse : « Emmène-
moi, » semble dire son œil triste, « emmène-moi dans la barque,
loin, bien loin de cette Arabie en carton peint, de cet Orient 5
ridicule, plein de locomotives et de diligences, où — dromadaire
déclassé — je ne sais plus que devenir. Tu es le dernier Turc,
je suis le dernier chameau . . . Ne nous quittons plus, ô mon
Tartarin . . .

— Est-ce que ce chameau est à vous ? » demande le capitaine. 10

« Pas du tout ! » répond Tartarin, qui frémit à l'idée d'entrer
dans Tarascon avec cette escorte ridicule ; et, reniant impudemment le compagnon de ses infortunes, il repousse du pied le sol
algérien, et donne à la barque l'élan du départ. . . . Le chameau
flaire l'eau, allonge le cou, fait craquer ses jointures et, s'élançant 15
derrière la barque à corps perdu, il nage de conserve vers le
Zouave, avec son dos bombé, qui flotte comme une gourde, et
son grand col, dressé sur l'eau en éperon de trirème.

Barque et chameau viennent ensemble se ranger aux flancs
du paquebot. 20

« A la fin, il me fait peine, ce dromadaire ! » dit le capitaine
Barbassou tout ému, « j'ai envie de le prendre à mon
bord. . . . En arrivant à Marseille, j'en ferai hommage au
Jardin zoologique. »

On hissa sur le pont, à grand renfort de palans et de 25
cordes, le chameau, alourdi par l'eau de mer, et le *Zouave* se
mit en route.

Les deux jours que dura la traversée, Tartarin les passa tout
seul dans sa cabine, non pas que la mer fût mauvaise, ni que
la chechia eût trop à souffrir, mais le diable de chameau, dès 30
que son maître apparaissait sur le pont, avait autour de lui des
empressements ridicules . . . Vous n'avez jamais vu un chameau
afficher quelqu'un comme cela ! . . .

D'heure en heure, par les hublots de la cabine où il mettait le nez quelquefois, Tartarin vit le bleu du ciel algérien pâlir; puis, enfin, un matin, dans une brume d'argent, il entendit avec bonheur chanter toutes les cloches de Marseille. On était 5 arrivé . . . le *Zouave* jeta l'ancre.

Notre homme, qui n'avait pas de bagages, descendit sans rien dire, traversa Marseille en hâte, craignant toujours d'être suivi par le chameau, et ne respira que lorsqu'il se vit installé dans un wagon de troisième classe, filant bon train sur Tarascon. . . . 10 Sécurité trompeuse! A peine à deux lieues de Marseille, voilà toutes les têtes aux portières. On crie, on s'étonne. Tartarin, à son tour, regarde, et . . . qu'aperçoit-il? . . . Le chameau, monsieur, l'inévitable chameau, qui détalait sur les rails, en pleine Crau, derrière le train, et lui tenant pied. Tartarin, con- 15 sterné, se rencoigna, en fermant les yeux.

Après cette expédition désastreuse, il avait compté rentrer chez lui incognito. Mais la présence de ce quadrupède en- combrant rendait la chose impossible. Quelle rentrée il allait faire, bon Dieu! Pas le sou, pas de lions, rien . . . Un 20 chameau! . . .

« Tarascon! . . . Tarascon! . . . »

Il fallut descendre. . . .

O stupeur! à peine la chechia du héros apparut-elle dans l'ouverture de la portière, un grand cri : « Vive Tartarin! » fit 25 trembler les voûtes vitrées de la gare. — « Vive Tartarin! vive le tueur de lions! » Et des fanfares, des chœurs d'orphéons éclatèrent. . . . Tartarin se sentit mourir; il croyait à une mystification. Mais non! tout Tarascon était là, chapeaux en l'air, et sympathique. Voilà le brave commandant Bravida, 30 l'armurier Costecalde, le président, le pharmacien, et tout le noble corps des chasseurs de casquettes qui se presse autour de son chef, et le porte en triomphe tout le long des escaliers. . . .

Singuliers effets du mirage ! la peau du lion aveugle, envoyée
à Bravida, était cause de tout ce bruit. Avec cette modeste
fourrure, exposée au cercle, les Tarasconnais, et derrière eux
tout le Midi, s'étaient monté la tête. Le *Sémaphore* avait parlé.
On avait inventé un drame. Ce n'était plus un lion que Tartarin 5
avait tué, c'étaient dix lions, vingt lions, une marmelade de lions !
Aussi Tartarin, débarquant à Marseille, y était déjà illustre sans
le savoir, et un télégramme enthousiaste l'avait devancé de deux
heures dans sa ville natale.

Mais ce qui mit le comble à la joie populaire, ce fut quand 10
on vit un animal fantastique, couvert de poussière et de sueur,
apparaître derrière le héros, et descendre à cloche-pied l'escalier
de la gare. Tarascon crut un instant sa Tarasque revenue.

Tartarin rassura ses compatriotes.

« C'est mon chameau, » dit-il.   15

Et déjà sous l'influence du soleil tarasconnais, ce beau soleil
qui fait mentir ingénument, il ajouta, en caressant la bosse du
dromadaire :

« C'est une noble bête ! . . . Elle m'a vu tuer tous mes lions. »

Là-dessus, il prit familièrement le bras du commandant, rouge 20
de bonheur ; et, suivi de son chameau, entouré des chasseurs
de casquettes, acclamé par tout le peuple, il se dirigea paisiblement vers la maison du baobab, et, tout en marchant, il commença le récit de ses grandes chasses :

« Figurez-vous, disait-il, qu'un certain soir, en plein Sahara . . . » 25

NOTES

The heavy figures refer to pages, the light figures to lines

Dedication **Gonzague-Privat** (Louis de) : painter, art critic and novelist, born at Montpellier in 1843. Daudet wrote a preface for his "Joie perdue" (1893).

1 1 **Tarascon :** a very old city (population 9,000) on the east bank of the Rhone, opposite Beaucaire (cf. note to **13** 28), about fifty miles northwest of Marseilles. To Daudet the choice of proper names was always a matter for careful consideration. Tarascon was not the home of the original Tartarin (see Introduction, p. xxvi), but, as Daudet explains in " Trente Ans de Paris," p. 142, " a pseudonym picked up on the road from Paris to Marseilles because when rounded out by the southern accent it vibrated sonorously and triumphed at the conductor's call of stations like the war-cry of an Apache Indian." On the *Tarasque* cf. note to **3** 25.

1 2 **il y a . . . de cela :** 'that was . . . ago,' lit. 'there are . . . from that.'

1 3 **je m'en souviens :** ' I remember it.' *Se souvenir de quelque chose,* hence *s'en souvenir* (*en* replacing *de* + a pronoun) ; cf. *changer de chanson, en changer* **7** 5, *revenir de là-bas, en revenir* **16** 12.

1 4 **habitait :** 'was living in.' Be careful to give the imperfect its progressive force wherever possible.

1 5 **le chemin d'Avignon :** 'the Avignon road.' Note that an English noun used adjectively is usually replaced in French by *de* + noun ; the student should be careful to translate *une robe de soie* 'a silk dress' and not 'a dress of silk' ; cf. *de petits soldats de plomb* (**71** 4) 'little lead soldiers,' *l'eau de mer* (**93** 26) 'the sea water'; **52** 25, **79** 23. For *une voix de femme* (**89** 5) we cannot say 'a woman voice,' but must say 'the voice of a woman,' 'woman' not being a possible noun-adjective here ; still *voix de femme* is a noun-phrase modified by *une*; cf. *une cour de caravansérail* (**70** 21) 'the court of a caravansary,' *un coin de méchante route* (**70** 28) 'the corner of a wretched road.' — **Avignon :** city on the Rhone, above Tarascon ; famous as the residence of the Popes from 1309 to 1377.

1 6 **devant :** adverb, 'in front'; cf. *derrière* in this sentence, *dessus* **24** 1, **46** 12, *depuis* **56** 32, *autour* **79** 15.

1 8 **Savoyards :** boys and men from Savoy, southeastern France, are seen throughout the country exercising such trades as those of boot-blacks, chimney-sweeps, charcoal-venders; cf. note to **74** 27. — **Savoyards** . . . **tête** . . . **leurs boîtes :** cf. note to **29** 11.

1 10 **Du dehors** . . . **rien :** 'seen from the outside the house seemed nothing at all,' 'was in no way remarkable.'

1 12 **coquin de sort :** a characteristic Southern oath ; lit. 'rascal of (a) fate !' translate 'heavens and earth !' cf. *monstre de sort* **63** 27, *coquin de bon sort* **68** 21. For the construction cf. *coquin de lièvre* **4** 24, *diable d'homme* **9** 3. The genitive (*de* + noun) in these expressions replaces a noun in apposition. Cf. Engl. "rascal of a man," Latin *scelus viri* ; "the city New York," "the city of New York."

1 16 **du pays :** i.e. 'native' to that part of Europe ; cf. *au pays* **64** 27, *du cru* **26** 6.

1 17 **rien que :** 'nothing but'; i.e. *il n'y avait rien que*. Cf. **37** 10, and notes to **13** 1, **4** 23. — **plantes exotiques :** a few lines farther on, our author explains that these exotic plants were, of course, not of full natural size. The baobab in its native African home is only 40–70 feet in height, but its trunk is sometimes 30 feet in diameter. In **17** 20–21 we are given to understand that Tartarin's baobab, the most admired of his botanical rarities, is perhaps after all nothing but a turnip, and we are led to suspect that some of the others are not what they pretend to be. If we are gifted with even a small portion of the imagination possessed by Tartarin and his fellow-townsmen, we can understand how a turnip may after a while come really to be a baobab ; if we have not sufficient imagination to admit this possibility, we shall not be able to appreciate the story of the life and adventures of Tartarin de Tarascon.

2 2 **à se croire** . . . **Afrique :** '(enough) to (make one) believe himself in the very heart of (cf. **5** 7) Africa.' **à** = *assez pour* ; cf. *c'est à mourir de rire,* 'it's enough to make you die with laughter'; also **6** 14, **21** 16.

2 3 **bien entendu :** 'of course'; lit. 'well (heard) understood.'

2 5 **arbos gigantea :** Latin, = *arbre géant* 'giant tree.' — **tenait à l'aise dans :** 'easily found room in.'

2 6 **pot de réséda :** 'mignonette pot.' *Pot de fleurs* = 'flower pot.' Logically we should expect, and in a dealer's catalogue we find, *pot à fleurs* ; cf. *une tasse à café* 'a coffee cup,' *une tasse de café* 'a cup of coffee.' Daudet in speaking of this same mignonette pot uses *pot à réséda* in "Tartarin sur les Alpes," p. 358. — **c'est égal :** 'all the same.'

2 7 déjà : lit. ' already '; ' anyhow,' ' nevertheless.'

2 8 s'en retournaient : cf. *s'en aller* **17** 4, *s'en revenir* **53** 11.

2 10 je dus éprouver : ' I must have experienced.' *Devoir* is difficult to translate because the corresponding English auxiliaries (*must, ought*) are defective. The following are the most usual translations :

je dois aller I must go, I ought to go, I should go, I have to go, I am to go.

je devais aller I had to go, I was to go (cf. **18** 2), I should have gone, I must have gone (cf. **16** 26).

je dus aller I had to go (cf. **67** 7), I must have gone (cf. **40** 4).

je devrai aller I shall have to go.

je devrais aller I should go, I ought to go, I should have to go.

j'ai dû aller I had to go, I have had to go, I must have gone.

Cf. notes to **43** 20, 29.

2 11 mirifique : a mock-heroic synonym for *merveilleux*. — **bien autre :** *bien* in its common intensive use, ' quite.' *Bien* frequently adds to a passage a shade of meaning which can be rendered in English only by a complete remodeling of the sentence, e.g. *je veux bien* ' I have no objection,' ' I consent.' When *autre* is preceded by *bien* or *tout*, it usually carries the idea of superiority.

2 14 ouvrant de plain-pied sur le baobab : ' opening on a level with the baobab '; there was no step. *Plain* = ' flat.'

2 18 carabines : ' rifles.' *carabine* is the French word for " rifle," *fusil* is the general term (gun) and is applied particularly to the shotgun. The English word " rifle " is sometimes used in French for a rifle having a long barrel. With *carabine* cf. English " carbine," a short-barreled rifle. Translate here ' carbines, rifles.'

2 19 catalans : Catalonia is in northeastern Spain. — **couteaux-revolvers :** ' pistol-dirks,' pistols with dirks set in their butts, or daggers with pistols in their hilts. — **couteaux-poignards :** ' dagger-knives,' an ancient form of one-edged dagger, having a long and heavy blade. — **krish (criss, kriss) malais :** ' Malay creeses,' daggers with sinuous edges, famous for deadliness.

2 20 flèches caraïbes : ' Carib arrows.' The Caribs are the most warlike tribe of northern South America, the home of the famous curare poison and other arrow-poisons. — **casse-tête :** any kind of war-club that can be wielded by one hand; transl. ' war-clubs ' (cf. **59** 29); indeclinable.

2 21 est-ce que je sais ! lit. ' do I know ! ' transl. ' and what not.'

2 23 glaives : ' swords.' *Glaive* (cf. Engl. " glaive "), from Latin *gladius*, is a poetic word for *épée*.

2 24 vous donner la chair de poule : 'make your flesh creep.' With the French *chair de poule* ' hen-flesh ' cf. Engl. '' goose-flesh.''

2 26 yataganerie : the *yatagan*, 'yataghan,' is the saber of the Turks and the Arabs; from this word Daudet coined *yataganerie* on the analogy of *épicerie*, *papeterie*, etc.; transl. 'paraphernalia of war.'

2 28 bonhomme : a noun used adjectively; transl. 'kindly.'

2 29 n'y touchez pas ! *Toucher à quelque chose*, hence *y toucher*, ' to touch it,' *y* replacing *à* + a pronoun; cf. *à Shang-Haï* and *y* **16** 10, and notes to **6** 14, **7** 6, **9** 7, **24** 7.

3 3 Cook : Captain James Cook (1728–1779), famous English scientific explorer, killed by savages in Hawaii. — **Cooper :** James Fenimore Cooper (1789–1851), the famous American writer of Indian and sea stories. Leatherstocking (*Bas-de-cuir*) is as well known in France as in America. — **Gustave Aimard** (1818-1883) spent several years in America and wrote many tales in the style of Cooper.

3 4 chasse à l'ours : 'bear-hunting,' but **chasse au faucon** 'hunting with the falcon,' 'hawking.'

3 10 tout en lisant : 'while reading.' *En* with the present participle is reënforced by *tout*.

3 12 brave : cf. *un brave homme* 'a good, kindly man,' *un homme brave* 'a brave man.'

3 13 bonasse : *bon* + the pejorative suffix *-asse* ; 'guileless.'

3 19 midi : 'midday,' 'noon,' 'South'; Latin *media dies*.

3 22 Vous saurez : 'you must know.'

3 25 Tarasque : a monster which, according to the legend, devastated the country about Tarascon until it was slain by Saint Martha, sister of Lazarus, who, in company with the three Marys, had come to Provence after the death of Christ. At irregular intervals there is a festival in Tarascon to celebrate the destruction of the Tarasque. Martha is the patron saint of Tarascon. See '' Port-Tarascon,'' I, iv (pp. 73 ff.). — **faisait les cent coups :** 'was playing the hundred tricks,' 'raged.'

3 27 Il y a beau jour : '(that was) a long time ago.'

4 1 tous les dimanches matin : 'every Sunday morning'; cf. *tous les jours* 'every day' and *le matin* 'in the morning.'— **prend les armes :** 'takes arms' (not '' takes its arms ''), 'arms itself.'

4 3 tremblement : 'whole lot,' 'noisy throng,' colloquial.

4 6 Si . . . que + subjunctive = 'however . . .'; cf. **67** 12–13, **78** 18–19. — **bête :** a pun on the word *bête*, which means as a noun 'animal,' as an adjective 'foolish.' — **vous pensez bien :** 'you can readily imagine'; cf. **7** 10, **9** 7, **12** 3, **23** 7, **56** 17.

4 8 **A cinq lieues :** ' within a radius of five leagues '; cf. **48** 26.

4 9–10 **le moindre :** ' the least.' — **le plus petit :** ' the smallest.'

4 14 **Rhône :** ' Rhone,' the great river of southeastern France, in the heart of Provence. — **diablement :** ' deucedly.' *Diable* and *Dieu* are used very freely in French.

4 16 **du poil et de la plume :** ' of fur and feathers.' — **est très mal noté :** ' has a black mark against its name '; *noter =* ' to note,' ' to mark,' ' to make a note of.'

4 19 **Camargue :** a vast marshy delta at the mouth of the Rhone. See Daudet's " En Camargue," in " Lettres de mon moulin."

4 23 **il ne reste plus . . . que :** ' there remains nothing now . . . but.' *Il* is impersonal; cf. **5** 23, **8** 1, **58** 28. *Ne . . . plus =* ' no longer,' *ne . . . que =* ' only,' the same *ne* serving for both *plus* and *que*; cf. line 30, **23** 3, 27–28; *ne . . . guère que* **5** 26; **1** 17.

4 24 **coquin de lièvre :** cf. note to **1** 12. — **échappé . . . aux :** note the use of *à* with *échapper*; cf. **88** 22, and *s'arracher à* **10** 14. — **septembrisades :** on September 2–5, 1792, mobs broke into the Paris prisons and massacred many political prisoners; hence *septembrisade* ' massacre.'

4 27 **le Rapide :** *le (train) rapide* ' the express train.'

4 30 **A l'heure qu'il est même :** ' even at the present time.'

4 31 **enragés :** ' stubborn enthusiasts.'

4 32 **deuil :** *faire son deuil d'une chose =* ' to go into mourning about a thing,' ' to give it up for lost.'

5 1 **de sa nature :** ' by nature.' — **qu'il mange :** *que* for *bien que* to avoid repetition; cf. **6** 1, **24** 16, **69** 9. — **hirondelles en salmis :** ' stewed swallows.' From time immemorial the swallow has been recognized as the friend of man; the superstition that to kill one brings bad luck is very old and almost universal. Despite this belief and despite the game laws, in southern France generally, especially in the Camargue, large numbers of swallows are killed and eaten. Swallows and other small birds are usually roasted, cut in small pieces, and stewed with wine (*salmis*).

5 3 **me direz-vous :** ' you [reader] will say to me [author].'

5 7 **en pleine campagne :** ' into the open country '; cf. **2** 2, **41** 13.

5 11 **bœuf en daube :** ' stewed beef '; properly, stewed with vegetables and then baked slowly. *Dauber = braiser*. — **saucissot :** italicized because a dialectal form, = *saucisson* ' sausage.'

5 17 **du 5** etc. : ' number 5 ' etc.; sizes of shot.

5 19 **met dans :** ' hits.'

5 20 **en triomphateur :** ' like a conqueror,' ' in triumph '; cf. *en bon Méridional* **8** 13.

5 23 il se fait : 'there is carried on.' Impersonal *il*; cf. note to **4** 23. Note the reflexive used for the passive ; cf. *cela se fait* = 'that is done,' lit. 'that does itself,' *ce qui se consomme* **6** 13 = 'what is consumed,' *la porte s'ouvre* **18** 6 = 'the door opens itself,' 'is opened,' 'opens,' *cela se sait* **6** 18 = 'that is known,' *cela se peut* = 'that is possible'; cf. also *s'animer* 'to animate oneself,' 'to become (be) animated,' *se décourager* 'to become (be) discouraged.'

5 26 ne guère que : 'scarcely any one besides'; cf. note to **4** 23.

5 27 leur en achète : *acheter des casquettes **aux** chapeliers*; hence *leur en achète, leur* replacing *à eux*.

5 29 il partait : 'he used to set out.'

5 32 Aussi : *aussi* at the beginning of a sentence or phrase is usually to be rendered 'and so,' 'therefore.' With this *aussi* (as with some other adverbs) the word-order is verb — pronoun; hence *reconnaissent-ils.* Cf. **24** 12, **41** 20 ; *à peine* **7** 33, **40** 14 ; *en vain* **10** 10 ; *toujours* **25** 9. Note the order with *aussi comme . . . !* **18** 17.

6 1 qu'il : *que* replaces *comme*; cf. note to **5** 1.

6 3 birman : 'Burman.' Burma is in southeastern Asia. — ces : cf. note to **16** 13.

6 6 •de trois à quatre : 'from three to four (o'clock).'

6 10 qui rendait : 'dispensing,' see note to **55** 7. — Nemrod doublé de Salomon : 'a Nimrod and a Solomon at the same time.' *Doubler* = 'to line'; *un manteau doublé de fourrure* 'a fur-lined coat.' For Nimrod, "a mighty hunter before the Lord," see Genesis x, 8–9 ; for Solomon as unerring judge, I Kings iii, 28.

6 *chapter heading* Nan ! dialectal form of *non !* See **8** 13–14.

6 13 Ce qui . . . de romances : lit. 'what . . . of ballads'; transl. 'the number of ballads that . . .' Note that *romance* = 'ballad,' *roman* = 'novel,' 'romance.' See Engl. dict. for etymology.

6 14 c'est à n'y pas croire : 'it passes belief,' lit. 'it is enough to not believe it'; cf. note to **2** 2. *Croire à, y croire*, cf. note to **2** 29.

6 18 cela se sait : cf. note to **5** 23.

6 23 receveur de l'enregistrement : 'recorder' (of deeds and various transactions).

6 24 si j'étais-t-invisible : the non-etymological *t* is inserted to avoid hiatus, the *s* of *étais* being unpronounced : cf. *Malbrough s'en va-t-en guerre*. This error is common in the speech of the uneducated classes. — n'me : the *e* of *ne* is omitted as in conversational French.

7 2 on se réunit : see next note. — on se les chante : 'they sing them (the ballads) to one another.' Note *se* = '(to) one another.' *Nous, vous,* *se*, are used as reflexive or reciprocal objects, direct or indirect ('ourselves' or 'each other,' 'to ourselves' or 'to each other' etc.); cf. **9** 21, **16** 29, **93** 8. *Se* is used as a reciprocal pronoun several times in this paragraph.

7 4 depuis . . . chantent : 'in all the time that they have been singing them to one another.' *Chantent* is present tense with *depuis*.

7 5 en changer : cf. note to **1** 3.

7 6 n'y touche : cf. note to **2** 29.

7 18 les lui faire chanter : 'to make him sing them'; *faire chanter à Tartarin, lui faire chanter,* = 'to make T. sing,' 'to make him sing.' — Revenu . . . salon : 'early (in life) surfeited with salon successes.' *Revenu* = 'returned,' 'satiated,' 'tired of.'

7 21 cercle : 'club.' The English word "club" is used in French in reference to sporting and political clubs.

7 22 Nîmes : Daudet's birthplace, an ancient city with remarkable Roman remains, eighteen miles west of Tarascon.

7 25 après s'être bien fait prier : 'after having been begged a long time'; cf. *je me fais prier, je me suis fait prier.* An active infinitive after *faire* is to be translated passively : *faire bâtir une maison* = 'to cause (some one) to build a house,' 'to have a house built'; cf. **31** 9, **64** 27, **77** 25, **81** 7. *Se faire prier* = 'to have oneself begged,' *se faire comprendre* (**40** 26) = 'to make himself understood.' *Se faire expliquer* (**24** 6–7) = 'to have explained to themselves,' *faire expliquer une leçon* = 'to have a lesson explained.' The same constructions are used with *laisser*; cf. **29** 25, **49** 14–15, **60** 13.

7 26 dire : 'to say,' 'relate impressively,' 'sing'; cf. **24** 21. — Robert le Diable : 'Robert the Devil,' a famous opera by Meyerbeer, text by Scribe (1832). The story, widespread throughout Europe during the Middle Ages and later, is concerned with the struggle of a pious mother to rescue her son from the devil. She is successful. Robert saves Rome from the Saracens and ends his life as a hermit.

7 28 Pour moi : 'as for me,' 'as far as I am concerned.' — quand je vivrais cent ans : 'even if I should live for a hundred years'; note this meaning of *quand* with the conditional.

7 29 s'approchant du : note *de* used with *s'approcher, se rapprocher,* **20** 25.

7 33 A peine avait-il : cf. note to **5** 32.

8 1 il allait se passer : 'there was going to happen'; cf. note to **4** 23. — quelque chose de grand : 'something great'; note the *de*. Cf. *quelque chose d'informe* **35** 21, *quelque chose de noir* **45** 18.

8 6 bis : Latin, 'twice,' indicating that a thing is to be repeated.

8 9 A vous, Tartarin : ' your turn, Tartarin ! '

8 13 en bon Méridional : ' like a true Southerner ' ; cf. note to **5** 20.

8 18 de plus belle : ' louder than ever ' ; supply a feminine noun (*manière, façon*) after *belle* ; cf. **45** 15.

8 19 la chose en restait là : ' the thing stopped there ' ; the so-called redundant *en* ; cf. **16** 19–20, **17** 16, **18** 32, **28** 26, **90** 30. Cf. the redundant *y* (note to **9** 7). *En* and *y* in these cases cannot easily be translated, but the student should train himself to recognize their force.

8 25 clignait de l'œil : cf. *battre des mains* ' to clap one's hands.'

8 26 dire d'un . . . air : ' to say with an . . . air.' — **Je viens de :** *venir de faire quelque chose* = ' to have just done something.' In this passage the expression has both the figurative and the literal meaning : ' I come (have come) from the Bézuquets', where I have just sung.'

9 3 diable d'homme : cf. note to **1** 12.

9 4 prendre : ' to captivate.'

9 7 lapin : lit. ' rabbit ' ; familiarly, as here, ' a game one.' — **s'y connaissait en lapins :** *se connaître à* or *en* = ' to be an expert in.' *Y* in this passage is redundant : it replaces *à + eux* (cf. note to **2** 29), which is repeated in *en lapins* ; cf. **10** 30, and the redundant *en* (note to **8** 19).

9 14 cheval de trompette : ' trumpeter's horse,' ' war-horse.' *Trompette* = ' trumpet,' ' trumpeter.'

9 16 gros sous : ' ten-centime pieces,' ' two-cent pieces.' A five-centime piece (one cent) is called *un petit sou*.

9 17 lord Seymour : Henry Seymour (1805–1859), an eccentric, extravagant English lord who spent most of his life in Paris. He was well known to the Parisian populace.

9 18 Roi des halles tarasconnaises : ' King of the Tarascon Market-Place.' François de Vendôme, duc de Beaufort (1616–1669), fearless, presumptuous, coarse, was the idol of the rabble, by whom he was surnamed *Roi des Halles* (the great market of Paris).

9 20 bien sanglé . . . futaine : ' in his tight-fitting fustian shooting-jacket. *Sangler* = ' to bind with a girth,' ' to strap ' ; cf. *un officier sanglé* ' an officer with a tight-fitting coat on.'

9 21 se montrant . . . ils se disaient : cf. note to **7** 2.

10 4 pampas : ' pampas,' vast plains in Argentina, extending from the Atlantic to the Andes.

10 5 faire . . . casquette : *faire une battue* = to beat (*battre*) the woods or bushes for game. Transl. ' to go a-cap-hunting.'

10 7 A la longue, il y aurait eu (conditional anterior of *il y a*) **de quoi :** ' in the end there would have been wherewith,' ' if this existence were continued long, it would have been enough.'

10 10   **en vain s'entourait-il :** cf. note to **5** 32.

10 13   **lectures romanesques :** 'romantic readings.' The French for Engl. 'lecture' is *conférence*, *causerie*. *Romanesque* = 'romantic.' The French *romantique* is used in speaking of the Romantic School in literary history, and of landscapes. — **don Quichotte :** hero of the celebrated novel "Don Quixote," by Cervantes (1547–1616, cf. note to **39** 24). Don Quixote, a Spanish gentleman, has his head turned as a result of excessive reading of romances, and, attended by his fat, vulgar squire, Sancho Panza, scours Spain, righting wrongs and rescuing fair damsels, in the fashion of the knights of old. Don Quixote was ever tireless and fearless, while Sancho Panza disliked hard knocks and preferred a slothful life of ease and plenty to the glorious career of privations which was the lot of the knight-errant. Tartarin de Tarascon combined the qualities of Don Quixote and Sancho Panza; hence a terrible internal conflict of which we shall read in chapter vi. This disconcerting complexity of character, which is not confined to a Southerner if we may believe the epigraph of this work (*En France tout le monde est un peu de Tarascon*), is again elucidated in "La Défense de Tarascon" (in "Contes du lundi") and in "Tartarin sur les Alpes," ch. ii, p. 35, where the adventurous spirit of warren rabbits (*lapins de garenne*) clashes with the domesticity of cabbage-garden rabbits (*lapins de choux*).

10 14   **s'arracher aux :** cf. note to **4** 24.

10 22   **par les lourdes après-midi d'été :** 'during the sultry summer afternoons.' Note the use of *par* in statements relating to the weather; cf. **32** 1, **63** 17. — **à lire :** 'engaged in reading'; cf. *à mener* **68** 32, and **73** 30.

10 24   **que de fois :** 'how many times.'

10 27   **foulard de tête :** 'kerchief round his head.'

10 30   **Qu'ils y viennent maintenant !** 'now just let 'em come!' *Y* is redundant; cf. note to **9** 7.

11 6   **Touareg :** cf. note to **40** 17. — **des Abruzzes :** 'of the Abruzzi,' a mountainous district of central Italy, noted for its brigands.

11 9   **avait beau les appeler :** 'called them in vain'; cf. **28** 16, **46** 8. *Beau* is ironical in this expression; cf. Engl. "a fine fellow," "a pretty mess."

11 10   **Pécaïré** (Latin *peccator* = *pécheur* 'sinner') : sometimes Gallicized by Daudet under the form *péchère*. A very common Provençal exclamation, usually denoting pity or resignation. Transl. 'alas,' 'dear me.'

11 12   **les attendait toujours :** 'continued to wait for them'; note this force of *toujours*; cf. **26** 11, **71** 20.

11 14   **chevalier du Temple :** 'Knight Templar.' The order of the knights of the Temple (i.e. the temple of Solomon) was organized in 1118 for the purpose of protecting pilgrims on the way to the Holy Land.

11 15   tigre chinois : the Chinese soldiers used to be called *tigres de guerre* (Littré, Suppl.).

11 17   de pied en cap (Lat. *caput*) : 'from head to foot'; cf. Engl. 'armed cap-a-pie.' *Cap* = 'head' is obsolete except in this expression and in a few technical terms.

11 20   Branle-bas de combat! 'clear decks for action!' *Le branle* is the word formerly used for the seaman's hammock (now usually *le hamac*); *branle-bas* = 'down with the hammocks,' get them out of the way.

11 24   entre drap et flanelle : transl. 'under his coat.' — **Par exemple :** lit. 'for example'; a common exclamation of which the translation varies with the context; here, 'I assure you!'

11 27   se fendait, tirait : 'lunged,' 'thrust,' fencing expressions.

11 29   à l'anglaise (supply *mode* 'manner') : 'in the English manner,' i.e. calmly ; cf. *à la mode indienne* **12** 33.

12 3   vous pensez : cf. note to **4** 6.

12 6   fermait la porte à double tour : 'double-locked the gate'; lit. 'with a double turn of the key.' In the old lock a single turn of the key drove the bolt into the socket, a second turn drove it farther.

12 15   chaussée : 'highway,' the middle of a road or street, usually paved and arched ; cf. **88** 27.

12 21   cours : 'public promenade.' "There is all round Tarascon a promenade (*cours*) lined with trees, which is called in the local dictionary *le Tour de ville*. Every Sunday afternoon the Tarasconians, slaves to habit despite their imagination, make their circuit of the town (*font leur tour de ville*)." "Tartarin sur les Alpes," ch. ii, p. 42 ; cf. **23** 10–11.

12 22   par le plus long : supply *chemin*.

12 25   coupe-gorge (plural and singular alike) : 'haunts of cut-throats.' *Coupe-jarret* = 'cut-throat' (*jarret* = 'ham-string'). — **lui tomber sur le dos :** 'fall upon his back'; cf. **18** 33, **20** 13, **28** 8, **31** 6, **65** 11.

12 27   jamais, au grand jamais : 'never, NEVER.'

12 28   eut la chance : 'had the good luck.' Engl. 'chance' = French *occasion*.

12 31   planté sur place : 'rooted to the spot'; cf. *en resta planté* **44** 11.

12 32   prenant le vent : 'sniffing the air,' used of hunting dogs; as a nautical expression = 'sailing near the wind.'

13 1   Plus de doutes : 'no more doubt'; cf. **1** 17. With *plus*, *pas*, *jamais*, *rien*, and other words of this type *ne* is omitted when the verb is omitted; but cf. **71** 8, **88** 3.

13 3   se ramassait sur lui-même : 'gathered himself,' 'crouched,'

13 7 **Té ! vé !** dialectal for *tiens, vois* ; used as exclamations, ' Well, well ! ' — **adieu :** in Southern France occasionally (as here and **64** 4) a greeting (' hello '), though ordinarily, as in Northern France, a parting salutation (' good-by '). The Southerner prefixes an exclamation which Daudet writes sometimes *et* as here and sometimes *hé* (' hey ') as in **64** 4.

13 9 **la sienne :** ' his ' (ballad) ; see **6** 17.

13 13 **de long en large :** ' up and down.'

13 18 **faire son bezigue :** ' to play his game of bezique,' a game of cards.

13 21 **diable au vert :** ' far-away corners of the globe.' The castle of Vauvert in the suburbs of Paris belonged to King Louis IX. Some Carthusian monks who desired to gain possession of it pretended that it was haunted by evil spirits, and it was abandoned to them ; hence the expression *diable Vauvert* (*Vauvert* is a genitive, ' the demon of Vau-vert '), which was later corrupted to *diable au vert*. The castle was far from the center of the city ; perhaps it is for this reason that *aller au diable vauvert, au diable au vert*, means ' to go a long distance.' I have not seen an article on this locution which appeared in the *Revue du Midi*, 1911. — **comment diantre :** ' how the deuce ' ; *diantre* is a euphemism for *diable*.

13 22 **se trouvait-il :** ' did it happen.' *Se trouver* = ' to find oneself, itself,' ' to happen,' ' to be.'

13 26 **Marseille :** ' Marseilles,' the greatest seaport in France and the metropolis of the south ; only sixty miles from Tarascon.

13 27 **Provençal :** a native of Provence. Provence = Latin *provincia* ; ' *the* province,' comprising that part of Gaul which was first conquered and organized, later *Gallia Narbonensis*. Properly, Provence is to-day the southeastern part of France ; but the terms *Provence, Provençal*, are frequently used to designate all of southern France (south of the Loire), the *Midi*. — **se paie :** ' treats himself to ' ; cf. *je me paie un bon dîner* ' I treat myself to a good dinner.' — **C'est au plus s'il :** ' at the most he,' ' scarcely did he.'

13 28 **Beaucaire :** a city on the Rhone, opposite Tarascon, to which it is joined by a long suspension bridge. Cf. note to **18** 11.

13 30 **diable de pont :** cf. note to **1** 12.

14 4 **C'est que :** ' the fact is that.'

14 5 **Je sens deux hommes en moi :** see Romans vii, Galatians v, 17. One of the distinctive features of the religion of St. Paul was its insist-ence upon an internal conflict between the higher and lower impulses of man. Daudet is probably thinking of the expression of this doctrine in one of Racine's canticles (III) where the words *Je trouve deux hommes en moi* appear.

14 6 **Père d'Église :** 'Church Father.' Paul was an Apostle, not a Church Father. The Church Fathers were the early disseminators and expounders of the Christian faith who continued the work of the apostles. — **Il l'eût dit vrai :** = *il l'aurait dit vrai*. *Vrai* is used adverbially, 'truly.'

14 10 **hidalgo :** Spanish, 'nobleman'; Latin *filius de aliquo* 'son of somebody.' — **prétexte de corps :** 'apology for a body.'

14 11 **manquait de prise :** 'had no hold.'

14 14 **brave homme de corps :** 'jolly old body.'

14 16 **le corps . . . pattes :** Tartarin's Quixotic mind dwelt in the 'fat-bellied,' 'short-legged' body of a Sancho Panza.

14 19 **mauvais ménage . . . faire :** *faire mauvais ménage* is said of a husband and wife who do not get along well together.

14 21 **Lucien :** 'Lucian,' the famous Greek satirist of the second century A.D., author of brilliant " Dialogues of the Gods " and " Dialogues of the Dead." — **Saint-Évremond** (1613–1703) : man of the world, Epicurean, skeptic ; an unsparing satirist.

14 32 **rifles à deux coups :** = *fusils rayés à doubles canons* **50** 7, 'double-barreled rifles.'

15 2 **genouillères :** 'knee-caps,' flannel or knitted coverings for the knees, to prevent or ease rheumatism.

15 3 **casquettes à oreillettes :** 'caps with ear-laps.'

15 6 **sonnant la bonne :** 'ringing for the maid.' Note this use of *sonner*.

15 9 **moiré :** 'shimmering,' like watered silks : cf. Engl. 'mohair,' 'moire.'

15 *chapter heading* **Shang-Haï :** 'Shanghai,' a seaport in China. — **haut commerce :** cf. *haute finance* 'high finance'; transl. simply 'commerce.' — **Tartares (Tatares) :** 'Tartars' ('Tatars '), a generic term for certain Mongolian tribes. The Manchu Tatars were till recently rulers of China. — **serait-il . . . ?** 'is it possible that he be . . . ?' Note the use of the conditional to express conjecture or possibility ; the future is used in similar constructions : *il aura manqué le train* 'he has probably missed the train.' Cf. *auriez-vous l'intention* . . . (**76** 8) 'is it possible that you intend . . .?'

15 13 **avait failli partir :** 'had failed to depart'; i.e. 'almost departed.'

15 21 **vous apparaissait d'une hauteur !** . . . : 'was a wonderful thing indeed !' *Vous* is the common ethical dative, to be omitted in translation ; cf. the Shakespearean " Knock *me* that door ! " and " There's perfection *for you* ! " — **D'une hauteur !** . . . suppression for emphasis, far more frequent in French than in English ; cf. **30** 17, **49** 25. Note the play on the words *haut*, *hauteur*.

16 5 n'entendait . . . oreille-là : i.e. " didn't see it in that light."

16 7 Parions que si, parions que non : 'I'll bet (lit. 'let us bet') he will, I'll bet he won't.' *Si* is used for *oui* in contradictions. *Que* is not to be translated ; cf. *je crois que oui* (*non*) ' I think so (not).'

16 10 Avoir failli aller : cf. **15** 13.

16 11 c'était tout comme : colloquial, ' it was just the same.'

16 12 en revenait : = *revenait de là-bas*, ' was returning from there.'

16 13 tous ces messieurs : 'everybody.' English has no construction corresponding to this use of *ce*. It is used deferentially, especially by servants : *Madame prie ces messieurs de l'attendre* ' Mrs. X. will see you in a moment '; cf. **6** 3, **53** 7.

16 19 en arrivait à dire : redundant *en* (cf. note to **8** 19), ' came to the point of saying.'

16 26 il devait bien savoir : ' he must have known perfectly well.'

16 29 s'entendre : ' come to an understanding '; lit. ' hear each other,' ' understand each other.' Cf. notes to **2** 3, **7** 2.

16 32 Toulouse : an important city in southwestern France.

17 1 son mensonge à lui : *à lui* repeats the idea expressed by *son*, thus emphasizing it ; cf. **20** 13.

17 4 allez-vous-en dans le Midi : ' go (away) into the South.' The force of *s'en* in *s'en aller* is sometimes vague, and in colloquial speech *s'en aller* often is almost equivalent to the simple *aller*; e.g. *je m'en vais vous dire* ' I am going to tell you '; cf. **55** 10, **63** 22 ; **2** 8, **53** 11.

17 8 butte Montmartre : a hill (*butte*) in Paris.

17 9 Maison carrée ('Square House') de Nîmes : one of the most beautiful Roman remains in France. It was a Roman temple and is very small, a mere nothing in comparison with Notre-Dame. — bijou d'étagère : ' cabinet gem.' The *étagère* is used for displaying small articles of value ; see " étagère " and " whatnot " in Engl. dict.

17 10 Notre-Dame : the celebrated cathedral in Paris.

17 14 Tout au plus une sous-préfecture : ' at the very most a subprefecture.' Arles (cf. **29** 11), with a population of 29,000, is an example of a subprefecture. Both Athens and Sparta were decidedly larger than this ; cf. note to **80** 13. The French *départements* (compare our 'states') are divided into *arrondissements* (compare our 'counties'). A prefect (*préfet*) presides over a *département*, and a subprefect (*sous-préfet*) over an *arrondissement*. *Sous-préfecture* is synonymous with *arrondissement*, or, as here, is used for the city in which the subprefect has his offices. An *arrondissement* is divided into *cantons* and a *canton* into *communes*.

17 16 en : cf. note to **8** 19.

17 *chapter heading*   **Atlas :** a mountain range in northwestern Africa.

17 25   **séculaire :** ' lasting for centuries ' (Lat. *saeculum*), ' everlasting ';
not ' secular.' See Engl. dict.

18 2   **devait :** ' was to '; cf. **26** 9, **32** 10, **39** 26. See note to **2** 10.

18 4   **était en train de démontrer :** ' was in the act of demonstrating ';
transl. simply ' was demonstrating.' — **amateur :** ' admirer,' ' lover.' The
distinction ' amateur,' ' professional,' is French as well as English, but
in French the word *amateur* also means ' lover ' — not, however, the
lover of a person. Tartarin was demonstrating to some ' lovers (of
arms).'

18 5   **fusil à aiguille :** ' needle gun,' invented in 1836, and used in the
Prussian army in 1841. The cartridge in this gun is exploded by a
slender needle, or pin, which is driven into it.

18 11   **foire de Beaucaire :** cf. **13** 28. The Beaucaire fair (July 1–28),
instituted in the Middle Ages, is still famous but has in recent years lost
much of its importance.

18 13   **place du château :** the square in front of the castle.

18 14   **un tas de :** ' a large number of '; lit. ' a pile of.'

18 16   **de mémoire d'homme :** ' within the memory of man '; Latin *ho-
minum memoriā*.

18 17   **s'était vue :** ' had been seen '; cf. note to **5** 23. — **comme :** connect with *fièrement* in translation.

18 24   **entre ses mains :** ' in his hands.'

18 25   **à deux pas :** ' only a step or two away '; cf. *à dix mille lieues
de Tarascon* (**2** 2) ' ten thousand leagues away from Tarascon,' *à combien
de pas* (**24** 8) ' how many paces away.'

18 27   **premier sujet :** ' star,' in the company of players.

18 31   **encore !** ' too ! '

18 32   **n'en pouvait supporter :** on *en* cf. note to **8** 19.

18 33   **lui monta au visage :** ' mounted to his face '; cf. **12** 25, **45** 8.

19 1   **D'un geste :** ' with a gesture '; cf. note to **51** 20.

19 5   **Hé ! bé . . . :** Provençal for *eh bien!* ' Well, but . . . ! '

19 8   **emboîtant le pas :** a military expression, ' marching in lock step.'

19 14   **kabyle :** cf. note to **40** 17. The Kabyle woman's dress, which
reaches not quite to the ankles, is loose and held in at the waist ; her
feet and arms are bare ; she wears bracelets and anklets.

19 19   **pensionnaires :** ' boarders,' here referring to the animals.

19 20   **jeta un froid :** ' threw cold water,' ' chilled the enthusiasm.'

19 27   **se trouva :** ' was '; cf. note to **13** 22.

20 7   **perruque :** ' wig,' here applied to the lion's mane (*crinière*, l. 16).

20 10 **soit que . . . soit que :** 'either because ('be it that') . . . or because.'—**donné de l'humeur :** 'made ill-tempered.' *Humeur* usually means 'ill-humor' in French.

20 13 **en leur bâillant au nez à tous :** cf. note to **12** 25. *A tous* is in apposition with *leur*, hence the dative case; cf. **17** 1–2. When *tous* is a pronoun the *s* is sounded; cf. below, l. 19.

20 26 **Ça, oui, c'est une chasse :** 'that, now, that's a hunt worth while!'

21 10–12 **Et autrement . . . au moins :** 'I say, you surely have heard the news.—That depends. What is it? Tartarin's departure, perhaps?' *Et autrement* and *au moins* cannot be translated literally. See the paragraph following in the text.

21 15 **mouain :** [muɛ̃], distinguished in pronunciation from *moins* [mwɛ̃] by the fact that *ou* [u] retains its full vocalic quality.

21 16 **à faire trembler :** cf. note to **2** 2.

21 19 **ce que c'est que la vanité :** the construction will be clear if a second *est* is supplied after *vanité*, 'what vanity is'; cf. note to **72** 21.

21 22 **fit :** = *dit*. There are many examples of this usage in this book.

21 23 **je ne dis pas :** 'I don't say (that I shan't),' 'I won't commit myself.'

22 12 **fit . . . effroyable :** 'gave Tartarin-Quixote a terrible grilling.'

22 16 **éléphantiasis :** 'elephantiasis,' a disease of the skin which makes it thick, hard, and fissured like an elephant's hide.

22 21 **feu Cambyse :** 'the late Cambyses.' *Feu* is frequently used, but only with humorous intent, in speaking of persons long since dead. For the story of the expedition (525 B.C.) sent by Cambyses, king of Persia, to plunder the temple of Jupiter Ammon in the desert of Libya, see Herodotus III. Cambyses himself did not perish in this expedition as Daudet erroneously states.

22 27 **que diable !** 'hang it all !'

22 30 **Mungo-Park** (1771–1806; no hyphen in English) : Scotch explorer of the Niger. — **Caillé** (René, 1799–1838) : a Frenchman, the first European to return alive from Timbuktu.

22 31 **Livingstone** (David, 1813–1873) : celebrated Scotch missionary and traveler.—**Duveyrier** (1840–1892) : French geographer, and explorer of the northwestern Sahara.

23 3 **à partir de ce jour-là :** 'from that day on.'—**ne . . . plus que :** cf. note to **4** 23.

23 10 **faire son tour de ville :** cf. note to **12** 21.

23 11 **pas accéléré :** 'quick time'; *pas redoublé*, 'double quick'; *pas gymnastique*, 'run.'

23 13　**selon la mode antique:** there is no evidence that ancient runners carried pebbles in their mouths. Daudet is perhaps thinking of the well-known story about Demosthenes. Modern runners carry something, not usually pebbles, in their mouths to induce themselves to hold the mouth shut and breathe through the nose, and also to keep the mouth moist by inciting the flow of saliva.

23 16　**jusqu'à des dix et onze heures:** 'even as late as ten and eleven o'clock.' *Des* and *et* (instead of *ou*, 'or') lend emphasis to the expression.

23 27　**ne battait plus que d'une aile:** 'was almost dead'; lit. 'could no longer flap more than one wing' (like a wounded bird); cf. note to **4** 23.

24 1　**mouches cantharides:** 'Spanish flies.' These insects, which are found in southern Europe, are used (crushed) as the chief element in blistering plasters. — **dessus:** adverb, 'on top of it'; cf. note to **1** 6.

24 3　**Il fallait voir:** 'you should have seen'; cf. **69** 4.

24 4　**se l'arrachait:** for *se* cf. note to **7** 2. *Se* is dative; cf. **4** 24.

24 6　**se faire expliquer:** cf. note to **7** 25.

24 7　**comment on s'y prenait:** 'how you go at it.' On *y* cf. note to **2** 29.

24 8　**à combien de pas:** cf. note to **18** 25.

24 11　**Jules Gérard** (1817–1864): called *le Tueur de lions*, an officer of spahis (cf. note to **43** 8) and celebrated lion-hunter.

24 12　**Aussi:** cf. note to **5** 32.

24 16　**que:** = *quand*; cf. note to **5** 1.

24 21　**disait:** cf. note to **7** 26.

24 22　**laurier-rose:** 'oleander'; all parts of this shrub are poisonous.

24 23　**pluies de sauterelles:** particularly in Africa and Asia, migratory locusts collect in countless numbers, forming a cloud so dense as to obscure the sun, and consume every green thing; cf. **81** 25 and note to **86** 20. See the pages on "Les Sauterelles" in "Lettres de mon moulin," where Daudet describes an invasion of these terrible insects.

24 29　**balle explosible:** a bullet which explodes on striking an object.

24 30　**pfft!** the sound of the bullet passing through the air.

25 2　**garçonnets:** 'urchins,' diminutive of *garçon*; cf. note to **33** 27.

25 3　**grand'peur:** cf. *grand'mère*, *grand'peine*, etc. The Latin adjectives of two terminations (*grandis, -e*) had regularly in French one form (*grand*) for masculine and feminine. An *-e* was added in the feminine through the influence of other feminine adjectives (*bonne*, from *bona*); but the old form is retained, with the addition of the apostrophe, in certain phrases. Pronounce as if *grand'* were masculine.

25 *chapter heading*　**pas de:** on the absence of *ne* cf. note to **13** 1.

25 9 **Toujours est-il que :** 'at any rate.' On the inversion after *toujours* ('still') cf. note to **5** 32.

25 11 **peut-être . . . se figurait-il :** the same inversion as that referred to in the preceding note. Compare in the next sentence *Peut-être qu*(e) *. . . il s'imaginait.*

25 18 **le :** 'it,' that is, *victime* ; omit in translation. Cf. **59** 15, **84** 3.

25 22 **fit fureur :** 'was all the rage'; cf. *cette pièce* (*de théâtre*) *fait fureur* 'this play is all the rage.'

26 2 **ne faisait plus foi :** 'was no longer regarded as unimpeachable.'

26 5 **faisait deux doigts de cour à :** 'courted a little' (two finger-breadths).

26 6 **langue du cru :** 'local dialect,' 'vernacular.' *Cru* means 'growth,' 'that which grows in a certain district'; *croître* = 'grow.' *Vin du cru* = 'local wine'; *donner une œuvre de son cru* = 'to produce a work of one's own imagination'; cf. *dame du cru* **60** 29, *jurons du cru* **65** 4.

26 9 **devait :** cf. note to **18** 2.

26 10 **on le chargeait toujours :** cf. **11** 12.

26 12 **l'allusion :** like Master Gervais's gun, Tartarin never went off; *partir* = 'to depart,' 'to go off' (of a gun).

26 13 **En un tour de main :** 'in a turning of the hand,' 'like a flash.'

26 16 *Le fusil de maître Gervais — Toujours on le charge, toujours on le charge — Le fusil de maître Gervais — Toujours on le charge, il ne part jamais.*

26 24 **lui glisser dans la main :** 'slipping in (i.e. out of) his hand.'

26 27 **il fait bon :** 'it's a pleasant thing.'

26 30 **sa même vie :** 'the same life as before.' — **comme si de rien n'était :** 'as if it was (all) about nothing,' 'as if it all amounted to nothing.'

27 4 **portait toute sa barbe :** 'wore a full beard.'

27 14 **s'adresser :** cf. note to **5** 23. — **fouchtras :** transl. 'rascals.' *Fouchtra* is an inelegant exclamation, originally peculiar to the inhabitants of Auvergne (south-central France); hence, used as a noun it means a person from Auvergne. Many bootblacks come from Auvergne, so the word is not inappropriately applied to the little Savoyard bootblacks.

27 16 **tenait bon :** 'stood its ground firmly'; adverbial use of the adjective. Cf. *sentir bon* and the corresponding English 'to smell good.'

27 26 **ganté . . . oreilles :** 'with black gloves on, (his coat) buttoned up to his ears.' With *boutonné* cf. *sanglé* **9** 20.

27 27 **fit :** cf. note to **21** 22.

28 8 **il lui prit la main :** 'he took his hand'; cf. note to **12** 25.

28 12 **Bompard:** the personages of "Tartarin de Tarascon" appear in other novels of Daudet. For Bompard see particularly "Numa Roumestan."

28 13 **CAISSE D'ARMES:** 'WEAPON-CHEST.'

28 18 **toute une cargaison:** 'a whole cargo'; cf. **33** 2–3.

28 19 **pemmican:** 'pemmican'; dried meat, pulverized or shredded, and mixed with melted fat, for Arctic rather than tropical use.

28 20 **tente-abri:** a light, easily-handled tent, used particularly by troops in the field. *Abri*, masculine, = ' shelter.'

28 21 **à la:** here = ' in a.'

28 24 **vinaigre des quatre-voleurs:** 'thieves' vinegar,' a kind of aromatic vinegar, formerly used as a disinfectant. The name is derived from the fact that this concoction was popularly supposed to have rendered immune from contagion certain thieves who were pillaging the city of Toulouse during a severe plague (1720).

28 26 **ce qu'il en faisait:** on *en* cf. note to **8** 19. — **ce n'était pas pour lui:** 'it wasn't for him,' i.e. it wasn't for Tartarin-Quixote.

29 10 **grelots . . . sonnettes:** the *grelot* is sounded by a ball inside, as in a sleigh-bell. *Sonnette* is a broader term, used for any small bell. *Une cloche* is a large bell; cf. **31** 25.

29 11 **Arles:** an ancient city on the Rhone, nine miles south of Tarascon. Its women, of a marked Greek type, are famed for their beauty, which is enhanced by a very picturesque head-dress (*coiffe*). — **venues en croupe de leur galant:** 'riding behind their sweethearts.' Note that *leur galant* is singular; cf. *ses deux fusils dans leur gaine* **71** 25; cf. also note to **92** 15, and *Savoyards . . . la tête . . . leurs* **1** 8. We say 'arms bare to the elbow'; cf. **19** 14–15.

29 18 **Mésopotamie:** 'Mesopotamia,' that part of Asia which lies between the Tigris and the Euphrates.

29 22 **traçant . . . sillons glorieux:** 'leaving, as it were, glorious furrows in their wake.' Note the force of *comme*; cf. **31** 19, **34** 9.

29 25 **laissant voir:** 'permitting to be seen'; cf. note to **7** 25.

30 3 **il se fit:** cf. note to **5** 23.

30 12 **avait cru de son devoir . . . de:** 'had thought it his duty . . . to.'

30 14 **en toile blanche:** *en* is used to denote the material of which a thing is made. *De* also may be used: *une table d'acajou*, but we find *des commodes en acajou* **82** 7; cf. *un sac de cuir* **51** 4, *une serviette en cuir* **71** 14.

30 16 **chechia:** the cap worn by the natives of Algeria; as used by the Algerian sharpshooters of the French army it is somewhat like a fez (note to **33** 25), but less close.

30 17 d'une longueur : for the suppression cf. note to **15** 21.

30 22 venaient là bien à propos : 'came in quite opportunely.'

30 26 à quoi s'en tenir sur : 'what to expect from.' *En* is redundant.

30 29 son . . . chez lui : 'his . . . home'; *mon chez moi* = 'my home.'

30 30 ne se voyait pas : 'was not seen,' 'did not appear'; cf. note to **5** 23.

31 5 vieil Africain de 1830 : 'African veteran of '30'; cf. note to **40** 17.

31 6 lui serra la main : cf. note to **12** 25.

31 7 express Paris-Marseille : 'express from Paris to Marseilles.'

31 9 fit fermer les grilles : cf. note to **7** 25.

31 13 On s'inscrivait : *inscrire* = 'to inscribe,' 'to enter,' as on a register ; *s'inscrire* = 'to enter one's name.'

31 15 Socrate : 'Socrates,' famous Athenian philosopher (470–400 B.C.), convicted of impiety and of corrupting the youth, was condemned to drink the poisonous hemlock. He conversed calmly with his friends until the end. See Plato's "Apology," "Crito," and "Phædo."

31 16 ciguë : the diæresis is written over the *e* to show that the *u* is pronounced, [sigy] ; contrast the pronunciation of *figue*.

31 19 comme : cf. note to **29** 22.

31 20 D'entendre : 'as a result of hearing,' 'on hearing.'

31 23 hommes d'équipe : 'station hands.' An *équipe* is a gang of men engaged on a particular piece of work.

31 25 cloche : the large bell which announced the approach of the train. On words for 'bell' cf. note to **29** 10.

31 31 monta dans un wagon : 'got into a car.' *Monter* is always followed by *dans* when used in this sense; cf. *entrer dans une maison* 'to enter a house.' Cf. note to **94** 9.

31 32 pensèrent mourir = *faillirent mourir* (cf. **15** 13): 'almost died.'

32 1 1er : = *premier*. — par : cf. note to **10** 22.

32 3 déboucher : used of rivers ('empty into'), streets ('terminate at'), armies ('debouch'). Here used for comic effect; transl. 'debouch.' — la Canebière : the principal street of Marseilles, of which the inhabitants are very proud.

32 5 s'il en manque . . . des Teurs : *des Teurs* is anticipated by *en*; cf. **36** 19, **38** 32, **69** 2.

32 10 le *Zouave* : the corps of French infantry in Algeria called 'zouaves' was organized in 1831. It was at first composed almost entirely of natives (hence the well-known costume which is still worn), but is now made up exclusively of Frenchmen. — devait : cf. note to **18** 2.

32 14 pour la première fois : cf. **13** 26–27.

32 16 **Sinbad le Marin:** ' Sindbad the Sailor,' the hero of a well-known series of stories in the " Arabian Nights " (" Mille et une nuits ").

32 17 **comme il y en a:** ' such as there are '; cf. **49** 8.

32 19 **à perte de vue:** ' as far as the eye could reach.'

32 21 **tunisiens:** Tunis was independent when " Tartarin " was written, and has the flag of an independent state to this day. Note that this fragmentary list names only the flags less often seen.

32 22 **arrivant sur:** ' projecting over.'

32 23 **Au-dessous** (adv., cf. **1** 6) **les naïades . . . saintes vierges:** just below the bowsprit is a figure-head representing the naiad (water-nymph), the goddess, or the madonna, whose name is inscribed on both sides of the bow. *Les saintes vierges* are images of the Virgin, which are particularized by specific attitudes, attributes, or localities. Read " La Diligence de Beaucaire," in " Lettres de mon moulin."

32 29 **mousses:** *le mousse* = ' cabin-boy,' *la mousse* = ' moss,' ' foam.'

33 2 **tout un peuple:** cf. note to **28** 18.

33 4 **bogheys:** borrowed from the English ' buggy.' *Paquebot* (**32** 10) is from Engl. ' packet-boat,' and *redingote* (**34** 6) is from Engl. ' riding-coat.'

33 8 **bric-à-brac:** this word means ' bric-a-brac ' (odds and ends), ' a dealer in bric-a-brac,' or his store, ' curiosity shop,' as here.

33 9 **coulevrines:** ' culverins,' an obsolete form of cannon.

33 11 **Jean Bart** (1651–1702): a famous sailor and privateer; of low birth, ennobled by Louis XIV.—**Duguay-Trouin** (1673–1736): privateer and naval commander.

33 18 **saumons:** ' salmon' (fish) ; in metallurgy ' pigs' (here, of lead). A pig is an oblong mass of cast metal, especially iron or lead.

33 19 **caroubes:** ' carob-beans,' the sweet pulpy pods, dried, of the *caroubier* (**76** 24), a tree of the countries bordering the Mediterranean ; the " husks " of Luke xv, 16, and sometimes sold as a dainty at American fruit stands. — **colzas:** colza, or rape, is a sort of turnip with no thick root, raised for the oil of its seeds and for pasturage.

33 20 **de Hollande:** ' Dutch.' The hard Edam cheese, made in globular molds and dyed red on the outside, is familiar to Americans.

33 21 **Génoises:** women of Genoa (*Gênes*), seaport in northern Italy.

33 25 **fez:** ' fez '; named from the city of Fez in Morocco, where it is made : a felt or cloth cap, dark red, with a tassel.—**à mesure:** ' (in proportion) as it fell '; cf. note to **58** 18.

33 27 **de femmes et d'enfants:** they followed to pick up (glean, *glaner*) what fell from the carts. — **balayette:** diminutive of *balai*. Cf. *colline, collinette* **4** 11 ; *garçon, garçonnet* **25** 2 ; *seul, seulet* **63** 18, *seulette.*

33 28 **bassin de carénage:** 'dry-dock.' *Carénage* 'careenage' = a place for, or the act of, careening a ship for the purpose of examining or repairing its hull or keel (*carène*).

34 3 **Malte:** 'Malta,' an island in the Mediterranean, between Sicily and Africa, which has belonged to England since 1814.

34 9 **comme en l'air:** 'as if they were sailing in the air'; cf. note to **29** 22.

34 12 **fort Saint-Jean, fort Saint-Nicolas:** the two forts which guard the entrance to the harbor of Marseilles.

34 13 **la Major:** the old cathedral of Marseilles (*Sainte-Marie Majeure*). — **Accoules, Saint-Victor:** old churches in Marseilles.

34 14 **mistral** (Latin *magistralis* 'masterly'): 'mistral,' a violent north-west wind which sweeps down the Rhone valley.

35 12 **golfe du Lion:** 'Gulf of the Lion,' off southern France.

36 2 **casque à mèche:** used jocosely for 'night-cap.' *Casque* = 'helmet'; *mèche* = 'wick,' *mèche de cheveux* = 'lock of hair.' A helmet with a flowing crest resembles a night-cap with its tassel. — **jusqu'aux . . . blême:** 'to the ears of a pale sufferer's head.'

36 10 **comme . . . voulu:** *en vouloir à quelqu'un* means 'to bear a grudge against a person.' *Il en veut à Jean* = 'he bears a grudge against John.' Here 'how angry they would have been with themselves!' 'how they would have reproached themselves!'

36 13 **courage:** 'energy.' The word *courage* (ordinarily = English 'courage') is often so used. *Je n'ai pas le courage de travailler aujour-d'hui* 'I haven't the energy to work (do not feel like working) to-day.' Cf. **50** 1.

36 15 **cuir:** 'leather (case).'

36 16 **ne cessait:** *pas* is often omitted with *savoir, pouvoir, cesser, oser, bouger*; cf. **18** 32, **86** 3.

36 18 **Imbécile, va!** 'what a fool you are!' *Va! allez!* and *allons!* (imperatives of *aller*) are common exclamations; the sense varies with the context. For *allons!* cf. **56** 1. — **Je te l'avais bien dit:** 'I told you so.'

36 19 **Eh bien . . . l'Afrique!** 'well now, here's your Africa!' On *te* see note to **13** 7. *La* anticipates *l'Afrique*; cf. **32** 5.

36 27 **la Mecque:** 'Mecca,' in Arabia, the birthplace of Mohammed; the Holy City to which every good Mohammedan goes in pilgrimage at least once.

36 25 **Alcazar:** a music-hall. *Alcazar* means in Arabic 'the palace.'

36 28 **Ravel, Gil Pérès:** popular comedians in Paris at the time Daudet was writing.

36 30 **un bon gros vivant de Marseillais :** a *bon vivant* is 'a man who lives well,' 'a jolly fellow.' On *de* see note to **1** 12.

37 3 **il se fit :** cf. note to **5** 23.

37 7 **Machine en avant! machine en arrière!** 'Go ahead! back her!' *Machine =* 'engine.'

37 9 **Machine, stop!** 'stop her!' The verb *stopper* (borrowed from English *stop*) is regularly used of engines. *Stop* in *machine, stop!* is an imperative taken directly from the English.

37 10 **plus rien :** cf. notes to **13** 1 and **4** 23. — **Rien que :** cf. **1** 17.

37 19 **Alger la blanche :** 'Algiers,' capital of Algeria, about 500 miles from Marseilles. For the epithet *blanche*, see next note.

37 22 **Meudon :** a town on the Seine between Paris and Versailles. The white houses of Algiers sloping towards the sea look like the washing of a laundress spread out on the grassy hill which at Meudon descends to the Seine. *Étalage* means a 'spreading out,' as of things for sale; then, by extension, the objects displayed. Cf. note to **69** 15.

37 26 **à ses côtés :** 'at his (Tartarin's) side'; note the plural *côtés*; cf. *aux flancs du paquebot* **93** 19.

37 27 **Casbah :** the citadel, 400 feet above the sea, crowning the hill on which the Moorish quarter (**la ville haute** 'the Upper City') is built. — **la rue Bab-Azoun :** lower down, parallel to the shore; the most important street in Algiers.

38 9 **ILS :** cf. pages 10–11.

38 18 **Qués aco?** Provençal for *qu'est-ce que c'est que cela?* 'what's that?' — **qu'est-ce que vous avez?** 'what's the matter with you?'

38 21 **pourquoi faire?** 'why?' 'what for?' cf. **49** 1. — **boun Diou :** Provençal for *bon Dieu.*

38 31 **tron de ler :** more properly *tron de l'er,* a Provençal oath *= tonnerre de l'air,* 'thunder of the air!' A Provençal newspaper with the name *Lou Tron de l'Er* appeared in Marseilles in 1877–1878.

38 32 **longtemps :** cf. note to **40** 17. — **en :** anticipates *des pirates* ; cf. note to **32** 5.

39 4 **un brave garçon :** cf. note to **3** 12.

39 8 **tire-vieille :** 'man-rope,' one of the side ropes on the gangway of a ship. *Tire-vieille* (*tirer* + *vieille* : 'that which helps old women to mount') is often misspelled *tire-veille* (*tirer* + *veille,* 'pull and take care').

39 17 **tourmentait :** 'tormented,' 'twisted and turned.'

39 23 **barbaresque :** 'Barbary.' *La Barbarie* ('Barbary') = *États barbaresques* is a general term formerly applied to the North African states : Morocco, Algeria, Tunis, and Tripoli.

39 24 **Michel Cervantes :** in 1575 Cervantes was captured by Barbary pirates and carried to Algiers. His five years of slavery afforded him materials for "Don Quixote" and other works; cf. note to **10** 13.

39 25 **sous le bâton de :** 'under the cudgel used upon.'

39 26 **devait :** cf. note to **18** 2.

40 1 **Saavedra :** upon his return from Algiers in 1580 Cervantes assumed the additional surname of *Saavedra* from one of his ancestors, always signing himself thenceforth *Cervantes Saavedra.*

40 4 **dut tressaillir :** 'must have leaped'; cf. note to **2** 10.

40 14 **à peine Tartarin eut-il mis :** cf. note to **5** 32.

40 17 **Arabes . . . M'zabites :** the aborigines of Algeria, three quarters of the population even now, are the Berber race, including the Kabyles (**19** 14) in the north, the Mzabites, purest Berbers of all, in the south, and the marauding Tuaregs (**11** 6) in the Sahara. The Mzabites, the heretical Puritans of Algerian Mohammedanism, are seen everywhere as honest petty traders and workers in street industries. The Arab conquest about 700 A.D. made Arabic the dominant language of all North Africa to this day — an important fact to remember — and introduced the Arabs as a permanent population along the north edge of the Sahara. The conquest by Turkish pirates about 1500 A.D., with subordination to the Sultan of Turkey till 1669, brought in very few Turks; the pirates were a mixture of various Mohammedan nations with renegades from the Christian nations. The "Moors" of to-day in Algeria are their descendants; the ancient Moors were Berbers. During the centuries of pirate rule, and earlier, negroes were brought in as slaves; Mohammedan custom favored setting them free in a few years if they became Mohammedans. The overthrow of the pirates by the French in 1830, and the French conquest during the next thirty years, caused most of the few Turks to leave the country, and started an influx of Europeans from the Mediterranean countries; Daudet notices especially the Minorcans (*Mahonnais* from the city of Port Mahon).

40 22 **charabia :** borrowed from the Spanish *algarabía*, which means properly 'Arabic,' then, by extension, any unintelligible 'jargon.' The French word is usually applied contemptuously to the dialect of Auvergne (cf. note to **27** 14).

40 23 **invraisemblables :** lit. 'unlike the truth,' 'improbable'; then 'strange,' 'outlandish'; cf. German *unwahrscheinlich.*

40 26 **se faire comprendre :** cf. note to **7** 25. — **barbares :** 'barbarians,' the word used by Greeks and Romans to designate uncivilized peoples. Not to be confused with *barbaresque.*

40 28 **du latin de Pourceaugnac :** 'Pourceaugnac Latin,' meaningless
Latin such as that which Molière introduces into some of his plays.
"Monsieur de Pourceaugnac" is the name of one of Molière's farces,
and there is some Latin in it; but Daudet probably had in mind "Le
Médecin malgré lui," II, 6. He uses the name *Pourceaugnac* here
because he likes the sound. *Rosa, rosae,* is the type-noun of the first
declension in French grammars of to-day, where we have ordinarily
mensa or *stella.* In Molière's time, as suggested by the passage of "Le
Médecin malgré lui" referred to, *musa, musae,* was the noun commonly
used.

41 2 **Heureusement qu' :** *que* is redundant; cf. **58** 23.

41 3 **canne de compagnon :** 'stout cane.' When the young artisan
(*compagnon*) set out on his travels (*tour de France*) to learn his trade,
he carried a stout cane which is one of the principal attributes of *com-
pagnonnage.*

41 4 **dieu d'Homère :** in the "Iliad" and the "Odyssey" the gods
often intervene in the affairs of men.

41 11 **tenant le milieu entre :** 'a cross between.'

41 12 **Zanzibar :** capital, since 1832, of the Mohammedan power in
East Africa, and place of entry for travelers to Central Africa in the
middle of the nineteenth century; hence here representing the idea of
an African capital, as Constantinople that of a Turkish capital.

41 13 **en plein Tarascon :** cf. note to **5** 7.

41 15 **la ligne :** in the French and English armies the term *la ligne,*
'the line,' is applied ordinarily to the infantry of the regular army as
opposed to the militia, cavalry, artillery, etc. In America *the line* includes all that part of the regular army whose business is actual fight-
ing. — **Offenbach :** Jacques Offenbach (1819–1880), born at Cologne, a
naturalized Frenchman, composer of light operas.

41 24 **Crusoé :** the final *e* of English proper names terminating in *-oe*
is ordinarily pronounced in French; cf. *Edgard Poé* or *Poë.*

41 28 **monter :** the active use of this verb, 'carry up'; cf. *promener*
74 26.

42 1 **Gouvernement :** the building in which are the offices of the provincial government. Cf. **70** 8.

42 4 **en avait vu de rudes :** 'had had a hard time of it'; with *rudes*
supply some such noun as *choses,* anticipated by *en*; cf. note to **32** 5.

42 14 **il se fit servir :** cf. note to **7** 25. — **grande ouverte :** 'wide open';
cf. **51** 7.

42 15 **Crescia :** a wine-producing district near Algiers.

42 21 **déjeuner :** verb.

42 22 **fréter :** 'to charter,' a nautical term used here mock-heroically.

42 25 **montait d'un bon pied :** note the *de* with expressions of measure, *haute de cinq doigts* (**71** 14) 'five fingers high,' *il est plus grand* (*plus âgé*) *de deux pouces* (*deux ans*) 'he is two inches (two years) taller (older)'; cf. **95** 8.

42 28 **enfila :** *enfiler* = 'to thread (a needle, pearls, etc.)'; then, 'to thread (one's way through arcades, crowded streets, etc.).'

43 2 **prit le faubourg :** 'took the street which leads through the suburb.' *Faubourg* meant originally the portion of a city outside the walled town (*bourg*); then also the street leading through this district. Cf. note to **49** 7. — **route de Mustapha :** 'Mustapha road'; cf. note to **1** 5. Mustapha is a suburb of Algiers, on the sea.

43 4 **corricolos :** *corricolo* is the Neapolitan word (Latin *curriculum*, 'chariot'; see *curricle* in Engl. dict.) for a sort of gig. — **fourgons du train :** 'army wagons'; *train* = *train des équipages*, 'the train,' an army's equipment for the transportation of provisions and other necessities.

43 5 **chasseurs d'Afrique :** French light cavalry serving in Algeria; transl. 'Africa cavalry.'

43 7 **Alsaciens émigrants :** 'emigrating Alsatians'; contrast *émigrés alsaciens* 'Alsatian emigrants.' After the Franco-Prussian war (1870–1871), as a result of which Alsace became a German province, many Alsatians emigrated rather than submit to German domination. In 1871 about 11,000 natives of Alsace-Lorraine were granted land in Algeria. Daudet visited Algeria in 1861, before the Alsatians immigrated in large numbers.

43 8 **spahis :** 'spahis,' native cavalry in the French service, commanded by French officers.

43 12–13 **bouchers :** 'butchers.'— **équarrisseurs :** 'slaughterers.' *Équarrisseur,* probably because of a falsely imputed connection with Latin *equus,* is ordinarily used to mean 'horse-slaughterer,' 'knacker.' The root of the word is, however, Latin *quadratus,* French *carré,* and an *équarrisseur* is properly 'one who cuts a beast into quarters,' one whose chief interest is in the by-products — hide, bones, fat, etc.

43 20 **ne devaient pas être :** 'ought not to be,' 'surely were not,' 'could not be'; see note to **2** 10.

43 29 **crut devoir :** 'thought he had better'; see note to **2** 10.

43 31 **Et autrement :** cf. note to **21** 10.

44 1 **Vous avez tué ? . . . voyez plutôt :** 'killed any? Oh, yes — some — just take a look for yourself.' With *pas mal* 'not badly' cf. *j'ai tué pas mal de bécasses* 'I killed quite a number of woodcocks.'

44 7 c'est des tout petits : popular for *ce sont* . . .; cf. **90** 26.

44 11 en resta planté : 'stood rooted (to the spot)'; cf. note to **12** 31. *En = de cela*, 'at all this'; cf. note to **8** 19.

44 15 se faisaient : 'were becoming'; cf. note to **5** 23.

44 28 Sous . . . étoiles : 'in the dim starlight.'— leur ombre : cf. note to **29** 11.

45 8 en lui tirant la patte : *en tirant la patte au chevreau* ; cf. *lui faisaient battre le cœur* **53** 16.

45 13 que le lion l'entendît : colloquial omission of *ne*, which is regularly used with verbs of fearing, avoiding, etc.; e.g. *j'ai peur qu'il ne vienne* 'I fear that he may come.'

45 15 de plus belle : cf. note to **8** 18.

45 19 Cela se baissait . . . s'arrêtait net : an admirable description.

45 21 à n'en pas douter : 'no doubt of it!' cf. note to **2** 2.

45 24 En joue ! feu !' 'aim! fire!' *Mettre (coucher) en joue un fusil =* 'to aim a gun.' *Mettre (coucher) en joue quelque chose =* 'to aim at a thing.'

45 29 Il en a ! 'he has (caught) it!' 'he's hit'; lit. 'he has some.'

45 30 en avait . . . compte : 'had more than it wanted.'

46 7 venir à bout de : 'come to (the) end of,' 'succeed'; cf. **58** 5.

46 8 Il eut beau s'escrimer : on *avoir beau* cf. note to **11** 9. *Escrimer =* 'to fence,' *s'escrimer =* 'to exert oneself.'

46 9 ne s'ouvrit pas : cf. note to **5** 23.

46 11 De guerre lasse : for *de guerre las* 'tired of struggling.' Final *s* was pronounced in Old French; after it was no longer pronounced in most words it still continued to be sounded in *las* in the expression *de guerre las* because of the presence of the feminine *guerre* : whence the erroneous spelling *lasse*.

46 12 dessus : adverb; cf. note to **1** 6.

46 19 artichauts : the true or globe artichoke (not to be confounded with the Jerusalem artichoke) resembles a large thistle, and hence is well adapted to give the impression described in **44** 26–27.

46 24 bastides, bastidons : Provençal *bastido =* 'country house,' 'villa'; Provençal *bastidoun* is the diminutive, = 'little villa,' 'cottage.'

47 6 parbleu ! euphemistic for *pardieu* ; transl. 'of course !'

47 8 bourriquots : cf. Engl. *burro*, which is borrowed from the Spanish. French *bourrique* 'she-ass' comes from the Provençal *bourric* 'donkey' (Latin *burricus*, a kind of small horse).

47 11 tout à la pitié : 'entirely one of pity'; cf. **79** 30.

47 16 tout ce que . . . touchant : 'the most touching thing you could imagine.'

47 18 **avait . . . vie :** 'had two farthings' worth of life left in him';
liard, an ancient coin worth a quarter of a sou (i. e. of a cent), is usually
translated 'farthing.'

47 23 **Noiraud :** ' Blacky,' a pet name often given to animals.

47 28 **en marmotte :** 'with a kerchief tied over her head.' This use
of the word *marmotte* is derived from the fact that Savoyard women
who formerly traveled about the country with marmots (cf. note to
74 27) employed this form of head-covering.

48 1 **réclamant . . . Mustapha :** 'shouting for her donkey till all the
echos of Mustapha rang.' *Réclamer à* = ' to demand from.'

48 6 **tarteifle :** corruption of German *der Teufel* ' the devil.' German
was the language generally used by the Alsatian peasants before the
war, though their sympathies were French (cf. note to **43** 7). See " La
Dernière Classe " and some of the other stories in "Contes du lundi."

48 11 **Va te promener !** lit. ' go take a walk ! ' transl. 'much good it
did him ! ' — **sa vigueur le prouvait bien :** 'her vigor proved it (that she
was deaf) conclusively.' 'To strike like a deaf person,' *frapper comme
un sourd*, is said of one who uses the cudgel energetically and wildly,
as if he did not hear the laments of his victim.

48 17 **l'on s'entendit :** cf. note to **16** 29.

48 21 **douros :** say ' dollars ' or ' cash.' A duro is a Spanish coin
whose par value is now five francs ; before 1871, a trifle more.

48 26 **à deux lieues :** cf. note to **4** 8.

49 1 **Ah ! ben ! merci :** ' ah, indeed ! no, thank you ! ' *Ben* (pronounced
like *bain*) is popular for *bien*. *Merci* in answer to a question (e.g. " will
you have some more meat ? ") means " no, thank you ! " Contrast
English ' thank you,' which usually expresses assent. — **pourquoi faire ?**
cf. note to **38** 21.

49 7 **banlieue :** distinguish *banlieue*, 'suburbs' in the sense now usual,
the district of country surrounding a city and full of dependent villages,
from *faubourgs*, 'suburbs' in the older sense, forming a continuous mass
of houses with the main city ; and *un village* (or *une ville*) *de* (*la*) *banlieue* from *un faubourg*. Cf. note to **43** 2.

49 8 **comme on en voit :** cf. note to **32** 17. — **rameau :** a branch hung
out was used formerly, and is still used to a certain extent, as the sign of
a country inn ; cf. the English proverb " good wine needs no bush."

49 11 **Au Rendez-vous des lapins :** ' The Rabbits' Headquarters.' The
original expression *à l'enseigne de*, ' at the sign of,' became by ellipsis
à plus the article, which takes the gender and number of the noun
following : e.g. *à la Belle jardinière, aux Armes de France.*

49 12 **O Bravida, quel souvenir!** cf. **9** 7.

49 13 **de quoi:** cf. note to **10** 7.

49 14 **ne se laissent pas abattre:** cf. note to **7** 25.

49 24 **il faisait un soleil, une poussière:** *faire* may be used in almost any expression concerning the weather: *faire chaud, du soleil, du vent, de la poussière*, etc. Here, 'it was so terribly hot, so dusty.'

49 25 **d'un lourd:** 'frightfully heavy'; adjective used as an abstract noun; cf. such English usages as 'of a decided red.' On the suppression cf. note to **15** 21.

50 7 **fusils rayés à doubles canons:** cf. note to **14** 32. To rifle (*rayer*) a gun is to cut spiral grooves in the barrel.

50 8 **complet:** French law requires that only a certain number of passengers be carried on omnibuses. When this number is reached the omnibus is said to be *complet*, 'filled.'

50 14 **Abd-el-Kader:** the great leader of Algerian resistance to the French conquest. He surrendered in 1847; was carried to France as a prisoner by a breach of faith; was released in 1852 on his oath to make no more trouble; went to Damascus and lived there till his death in 1883, using his influence in favor of the French. (Note that he was alive when " Tartarin " was published.)

50 19 **de toute la route:** 'during the whole ride,' 'all the way.'

50 21 **k'hol:** 'kohl,' a powder used in the Orient from ancient times, particularly to darken the eyes, thus making them seem larger and more oblong.

50 32 **Que faire?** 'what was he to do?'

51 3 **aux mains des:** 'into the hands of the.'

51 7 **s'ouvraient tout grands:** 'opened wide'; cf. **42** 14.

51 10 **à l'entrée de:** 'at the beginning of.'

51 14 **en se levant:** 'as she rose.'

51 15 **qu'il l'effleura de son haleine:** lit. 'that it (*le visage*) touched him lightly with its breath'; transl. 'that he felt her breath sweep lightly over him.'

51 17 **prêt à tout:** 'ready for anything.'

51 18 **buffleteries:** 'belts' (of a soldier's outfit), 'strappings.' *Buffle*, masculine, = 'buffalo' or 'buff leather.'

51 20 **de:** 'with'; *jeter de* = 'to throw with'; cf. **69** 10.

51 28 **De quelques jours encore:** 'for a few days yet.'

52 7 **pied de trappeur:** transl. 'hunting boot.'

52 8 **se parfume:** cf. note to **5** 23.

52 9 **quoi qu'il fasse:** 'whatever he does,' i.e. despite all his efforts.

52 10 **Maugrabine**: ' Maghrebi girl.' Maghreb is the Arabic name of the western part of the north coast of Africa.

52 13 **il n'y a qu'un Tarasconnais . . . capable**: lit. ' there is only a Tarasconian . . . capable'; transl. ' only a Tarasconian . . . would be capable.'

52 17 **se ressemblent**: ' look alike '; cf. note to **7** 2. — **ces dames**: cf. note to **16** 13. — **ne sortent guère**: ' rarely leave their homes '; *sortir* = ' to go out,' ' to leave the house.'

52 18 **ville haute**: cf. note to **37** 27.

52 25 **Teurs . . . forbans**: ' fierce Turks with pirate-like heads '; cf. note to **1** 5.

52 29 **cité**: ' city.' This term, in English as well as in French, is applied in some cases to the oldest portion of a city; e.g. ' the City ' of London; ' the City ' of Paris.

53 3 **janissaires**: ' janizaries,' the standing army of Turkey till 1826; a corps of most turbulent history, full of lawless arrogance toward civilians and Christians. The janizaries of Algiers became independent in 1669, and dominated the pirate commonwealth.

53 5 **Huit jours durant**: ' for a whole week.' *Durant*, ' during,' is emphatic when it follows its noun; cf. **61** 7.

53 6 **faire le pied de grue**: ' stand and wait,' lit. to stand like a crane (i.e. on one foot).

53 7 **ces dames**: cf. note to **16** 13.

53 9 **quitter . . . bottes**: shoes must be taken off (which is easy with Oriental shoes) before one enters a Mohammedan sacred place. Cf. Exodus iii, 5.

53 11 **s'en revenait**: cf. *s'en aller* **17** 4, *s'en retourner* **2** 8.

53 15 **tambours de basque**: ' tambourines,' called ' Biscayan drums ' because generally seen in the northern (Biscayan, Basque) provinces of Spain.

53 19 **poterne**: ' postern,' a back door, and then, by extension, any small door.

53 23 **Tenons-nous bien**: a phrase of warning to be on guard and ready; transl. ' ware Turks ! ' — **Il**: cf. note to **4** 23.

54 1 **Il y avait . . . cherchait**: ' for two long weeks the luckless Tartarin had been seeking.'

54 4 **Voici**: ' here is (how it happened).'

54 6 **ni plus ni moins que l'Opéra**: ' just as the Opera does.' The *Opéra* is the famous Opera House in Paris, where a great masked ball is given every year.

54 7 **de province :** 'provincial.' All France outside of Paris is disdain-fully designated by Parisians as *la province*. With *province* do not con-fuse *Provence* (cf. note to **13** 27). — **Peu de monde :** 'few people.'

54 8 **Bullier . . . Casino :** Parisian dance-halls. — **vierges folles :** 'frail sisters.' In the French version of the parable of the Ten Virgins (Matthew xxv, 1–12) the foolish virgins are called *vierges folles*.

54 9 **chicards :** 'dandies.' — **débardeurs :** men who unload wood, 'ste-vedores.' Conventionalized dandy and stevedore costumes were made popular as early as the thirties by the clever cartoonist Gavarni and were seen at all masked balls. The reference here is to frequenters of Parisian masked balls who have found it advisable to leave France (*en déroute*) and have carried their costumes with them.

54 10 **se lancent :** 'are launching out,' 'are getting started,' i.e. in a disreputable life.

54 12 **Le vrai coup d'œil :** 'the real spectacle'; *coup d'œil* = 'glance,' and hence 'view' such as may be taken in all at once.

54 15 **tapis verts :** the green coverings of the gaming-tables. — **turcos :** 'Turcos,' native soldiers of the French army in Algeria.

54 16 **prêt :** 'pay' of non-commissioned officers and soldiers, called *prêt* (cf. *prêter* 'to lend ') because advanced to them before it is due.

54 18 **l'argent d'une charrue :** 'the price of a plow.'

54 20 **trouble :** adjective.

54 29 **à barbe de Père éternel :** *le Père éternel* is, of course, God. The Middle Ages and the Renaissance did not scruple to represent him in sculpture and painting. Transl. 'with a long white beard.'

55 7 **la garde qui monte :** 'the guard coming up.' Note that a French relative clause is often to be rendered by a present participle in English : e.g., *je l'entends qui frappe* 'I hear him knocking.' Cf. **6** 10, **64** 18, **68** 9.

55 8 **ces saturnales :** 'this saturnalia.' The Roman festival of Saturn was a period of riotous license. — **était venu s'égarer :** 'had come stray-ing'; cf. **93** 19.

55 10 **s'en allait :** for *allait*; cf. note to **17** 4.

55 13 **M'sieu :** indicates by the spelling the usual pronunciation of *Monsieur*.

55 15 **Après ?** 'Well, what have you to say?'

55 17 **Je ne demande pas mieux :** 'I don't ask (anything) better,' 'that's exactly what I should like to know.'

55 25 **algarade :** a word borrowed from the Spanish, the root being Arabic. It was originally a military expression meaning a raid, but now is used more or less jocularly for a wordy attack. Transl. 'dispute.'

55 26 **Me voilà bien avancé :** ' I'm much farther along,' ' I'm much the wiser' (sarcastically).

55 28 **ça :** = *cela*, ' that,' ' the thing Grégory du Monténégro,' contemptuous when used of persons ; cf. **69** 32.

55 30 **préïnce :** Tartarin's southern pronunciation of *prince*.

56 1 **Allons !** ' well ! ' cf. note to **36** 18. — **Partagez-vous . . . question :** the officer in disgust bids the prince and Tartarin to divide between them the twenty francs that are missing and let the matter drop.

56 2 **qu'il n'en soit plus question :** ' let's have no more talk about it ' ; cf. note to **4** 23.

56 6 **j'en fais mon affaire :** ' I'll attend to this.'

56 12 **Barbarin :** when this work first appeared in serial form Tartarin was called " Barbarin." The name was changed when Daudet discovered that a family named Barbarin was living at Tarascon. See Introduction, p. xxvi. The word *tartarin* means the sacred or Arabian baboon.

56 13 **souffla :** ' prompted.' *Souffler*, ' to blow,' ' to breathe,' in theatrical parlance means ' to prompt.' *Le souffleur* is ' the prompter.'

56 14 **Entre . . . mort :** ' between us now it's a compact for life and death ! '

56 17 **Vous pensez :** cf. note to **4** 6.

56 21 **terrasses :** cf. note to **64** 2.

56 22 **salade russe :** ' Russian salad,' a heavy fish and vegetable salad.

56 25 **frisé au petit fer :** ' with finely curled hair.' *Friser au fer* = ' to curl with an iron.'

56 26 **rasé à la pierre ponce :** ' very closely shaven.' Pumice stone has from ancient times been used by the effeminate for smoothing the skin.

56 27 **lui donnait un faux air de :** ' made him look like ' ; lit. ' gave him a false air of.'

56 28 **Mazarin :** Giulio Mazarini (1602–1661), an Italian who became cardinal, and prime minister under Louis XIII and Louis XIV ; talked French with an Italian accent. He wore the mustache and slight beard usual at that period.

56 29 **les langues latines :** pompously for *la langue latine*. — **à tout propos :** ' apropos of everything,' ' at every opportunity.' — **Tacite :** ' Tacitus ' (54–140 A.D.), the famous Latin historian.

56 30 **Horace** (64–8 B.C.) : the Latin lyric poet. — **Commentaires :** the histories of the wars of Julius Cæsar written by himself, with supplements by his officers, bear the Latin title *Commentarii*, i.e. ' Notebooks.'

56 31 **héréditaire :** transl. ' noble.'

56 32 depuìs : adverb, 'since then'; cf. note to **1** 6.

56 33 en Altesse philosophe : 'in the rôle of philosophizing noble'; cf. note to **5** 20.

57 7 bon : 'good-natured,' 'kindly,' not 'good.'

57 11 On but sec : 'they drank hard.' *Boire sec* means to drink pure wine, without the usual admixture of water.

57 12 au Monténégro libre : Montenegrin independence was frequently menaced by Turkey during the nineteenth century. In 1862, as a result of a short but disastrous war, Montenegro had been forced to sign a humiliating treaty of peace in which she virtually acknowledged the suzerainty of Turkey. Daudet was in Africa in 1861–1862, gathering materials out of which "Tartarin" grew. It is possible that he met there the prototype of Grégory brooding over the disgrace of his country, or, at least, pretending to do so. However, the character of the prince and the information given in **56** 31 ff. lead us to suppose that in Grégory's mind "a free Montenegro" means a Montenegro free from the existing constitutional authorities, rather than free from Turkish domination.

57 14 qu'on secoue : 'being shaken,' cf. note to **55** 7.

57 18 Parlez-moi des : 'just trust.' — **lever . . . la caille :** 'start the game.' The usual expression is *lever le lièvre* 'to start the hare,' 'to uncover something hidden.' A loose woman is sometimes called *caille* ('quail'), *caille coiffée* ; hence the substitution of *caille* for *lièvre*.

57 20 aux Platanes : = *au restaurant des Platanes* ; cf. **56** 20.

58 4 Bon ! 'that's nothing !' — **vous n'êtes pas homme :** 'you are not the sort of man.'

58 5 on . . . à bout de : 'we'll perhaps be able to dispose of'; cf. note to **46** 7.

58 6 lui achetant : cf. note to **5** 27. — **Allons :** 'come now !' cf. notes to **36** 18, **56** 1.

58 12 Écrire . . . simplement : 'just write to the lady.'

58 18 à mesure : 'as you go along '; cf. note to **33** 25.

58 19 que de bontés : lit. 'how many kindnesses !' transl. 'how good you are !' Cf. note to **10** 24.

58 23 Fort heureusement que : cf. note to **41** 2.

58 26 Lamartine (Alphonse, 1790-1869) : famous French poet, prose writer, and statesman. His "Voyage en Orient" is the record of his travels in 1832–1833.

58 27 Cantique des Cantiques : the 'Song of Songs,' or 'Song of Solomon,' full of the Oriental phraseology of passion.

58 28 qu'il se pût voir (= *pût se voir*) : 'that could be seen,' 'that ever was seen'; cf. notes to **4** 23 (*il* impersonal), **5** 23 (*se voir*, reflexive with passive force).

59 7 Allons : plain imperative, not the exclamation of **58** 6.

59 15 l'espérer : for this *le* cf. note to **25** 18.

59 16 du reste : 'besides.'

59 29 casse-tête à pointes : 'war-club with spikes'; cf. note to **2** 20.

59 32 le haut de la ville : = *la ville haute* (**37** 27).

60 5 cour intérieure : Oriental houses are built in the form of a hollow square, the house surrounding the courtyard on all sides.

60 8 plus forte : 'stouter.'

60 9 ne fit que traverser : 'did no more than pass through,' 'merely passed through.'

60 13 sous les ramages . . . fleurs : 'under the figures of her flowered dress.' — laissant deviner : cf. note to **7** 25.

60 14 friande à point : 'dainty to the point of perfection.'

60 15 ronde de partout : 'round all over.' — narghilé : 'nargile,' a Turkish pipe in which the smoke is drawn through water; a hookah.

60 16 toute : 'entirely.'

60 *chapter heading* Sidi : among the Mohammedans a title of respect; when addressed to a foreigner, about equivalent to Mr. — ben : Arabic, 'son of.' 'Tartarin son of Tartarin.'

60 24 à la veillée : 'at the gossiping hour.' *Veillée* = a sitting up at night for work or pleasure, especially to tell stories.

60 28 voici . . . déjà : 'already several years ago,' 'several years have already passed since then.'

60 29 dame du cru : 'native girl'; cf. note to **26** 6.

61 2 n'est autre que : 'is no other than.'

61 4 Qu'est-ce que vous voulez : 'what can you expect?' lit. 'what do you wish?' Cf. **75** 18.

61 7 durant : cf. note to **53** 5.

61 9 Annibal à Capoue : 'Hannibal at Capua.' After the battle of Cannæ (216 B.C.) in which the Roman army was overwhelmed, Hannibal, the Carthaginian general, instead of following up his success, retired for the winter into Capua, where his army was demoralized by the enervating influences of the luxury-loving city. Livy makes this to have been the cause of Hannibal's failure — a view now generally discredited.

61 15 confitures au musc : 'preserves perfumed with musk.'

61 19 se faisait des mines : 'made grimaces to herself.'

61 23 avait tout le temps de : 'had plenty of time to.'

62 2 **la ville européenne:** the part of the city inhabited by Europeans, as distinguished from *la ville haute* **37** 27, the Moorish quarter.

62 9 **on ne peut plus satisfait:** 'perfectly satisfied'; lit. 'one cannot (be) more satisfied.'

62 12 **il suffisait d'un regard:** 'a glance was enough'; cf. *il suffit d'un képi* (**77** 15) 'a military cap is enough.'

62 14 **Circé:** 'Circe,' the enchantress, who by means of a potion transformed the companions of Ulysses into swine (Odyssey x).

62 21 **se trouvaient être:** 'proved to be'; cf. note to **13** 22.

62 24 **tous:** pronoun; for pronunciation cf. note to **20** 13.

62 26 **lui gagnaient son argent:** 'won his money from him.'

62 29 **le Prophète:** Mohammed. It is common in European literature to represent Mohammedans as paying to Mohammed the same sort of worship as Catholics pay to the highest saints. Cf. note to **83** 8.

62 31 **leur . . . et:** 'their white housetop which'; lit. 'their terrace . . . which acted as roof to the house and.' *Terrasse* is any artificial level place for spending time outdoors, whether a terrace or a flat roof such as characterizes Oriental architecture; cf. the less familiar meanings of *terrace* in English.

63 1 **en s'échelonnant:** 'in tiers'; cf. **4** 13.

63 4 **s'égrenait . . . ciel:** 'was diffused gently note by note through the sky.' *Égrener =* 'to strip' grain from the head, grapes from the bunch. — **minaret:** the tower of a mosque. See next note.

63 5 **muezzin:** an officer of a Mohammedan mosque who calls the faithful to prayer by crying from the top of the minaret. Since the minaret is high and from the top the muezzin has a view of the roofs of the houses where the Mohammedan women spend a great deal of the time, blind men are sought for this office. — **découpant . . . dans:** 'his white shadow standing out against.'

63 6 **chantant la gloire d'Allah:** cf. note to **92** 1.

63 12 **une sainte Thérèse d'Orient:** 'an oriental St. Theresa.' St. Theresa (1515–1582) was one of Spain's greatest mystic poets.

63 *chapter heading* **On . . . Tarascon:** 'our Tarascon correspondent writes us.'

63 17 **Par:** cf. note to **10** 22.

63 18 **tout seulet:** 'in solitary ease.' *Seulet*, fem. *seulette*, diminutive of *seul* (cf. note to **33** 27). The masculine is rarely used.

63 19 **en sparterie:** 'of esparto cloth,' woven from esparto, a Spanish grass much used in the manufacture of mats, baskets, hats, ropes, etc.

63 20 **cédrats:** 'cedrats,' an especially fragrant citron (not melon).

63 21 balin-balan : Provençal, 'swaying.'

63 22 s'en allait : cf. note to **17** 4.

63 27 Hé ! monstre de sort : cf. note to **1** 12. — **on dirait monsieur Tartarin :** transl. 'if that doesn't look like Mr. Tartarin!'

64 2 sur la porte de : = *sur la terrasse de* : transl. 'in front of.' Tables are spread on the sidewalk in front of French restaurants and cafés in fine weather.

64 4 Hé ! adieu : cf. note to **13** 7.

64 6 le voilà parti à rire : 'he burst out laughing.'

64 9 Qué : Provençal for *quel.*

64 11 Marco : a Provençal feminine noun; hence *o* instead of *a* : *Marca.*

64 15 D'où sortez-vous donc : 'where under the sun do you come from?' (that you are so credulous).

64 18 qui s'allongeait : cf. note to **55** 7.

64 20 Mettons : 'let's say.'

64 21 voyez-vous : 'see here.'

64 24 sa moue : cf. **3** 11–14, **39** 16.

64 27 faire dire : cf. note to **7** 25. — **au pays :** 'at home.' *Pays =* (native) 'country,' 'province,' or 'district.' *La France (la Provence, Tarascon) est mon pays.* Cf. note to **1** 16.

64 28 collègue : = Provençal *coulego* 'colleague,' 'comrade.'

64 30 quelques pipes : 'a few pipefuls.' — **vous fera du bien :** 'will do you good'; contrast *ferez bien* without *du,* line 22.

65 4 jurons du cru : 'oaths of his native land'; cf. note to **26** 6.

65 5 là-bas : 'over there' in Provence.

65 11 lui sauta aux yeux : cf. note to **12** 25.

65 14 n'a . . . . depuis : 'has not been heard from for'; lit. 'has not given of his news since.'

65 15 Qu'est devenu : 'what has become of?' lit. 'what has become?' Cf. note to **93** 7.

65 23 Tombouctou : 'Timbuktu,' the most famous city of central Africa, a French possession since 1893; in Tartarin's time only three Europeans had ever reached it, and one of these was killed two days after he left the city.

65 24 garde : subjunctive.

66 6 Le temps d'inspecter . . . et l'intrépide : transl. 'only a moment to inspect . . . and the bold.'

66 7 écrire deux mots : = *écrire un mot* : 'to write a line.'

66 10 la route de Blidah : 'the Blidah road.' Blidah is a city about twenty-five miles southwest of Algiers. On *de* cf. note to **1** 5.

66 12 babouches : Turkish slippers, made of colored leather, without heels. — défroque : 'cast-offs'; properly, the possessions that a monk leaves behind at his death; then, by extension, what is abandoned disdainfully.

66 13 trèfles : 'trefoils,' an ornamental foliation consisting of three divisions, or foils (architectural term).

67 2 gros bleu : = *bleu foncé*, 'dark blue.'

67 4 moxas : 'blisters.' The word *moxa* (originally Japanese) in English or French means a wad of cottony substance laid on any part of the body and set on fire for the purpose of counter-irritation; its use is now out of date. In French the word may also mean the burn thus produced on the skin.

67 5 rotonde : properly, 'rotunda,' a round building surmounted by a cupola; then, also, the 'back compartment' of a stage-coach.

67 7 dut se contenter de : 'had to content himself with'; cf. **80** 14, **88** 14. See note to **2** 10.

67 10 Il y avait de tout un peu : = *il y avait un peu de tout. Il y avait de tout* has about the same meaning. — trappiste : 'Trappist' (monk). The abbey of La Trappe, from which this austere order takes its name, was founded in 1140 in the department of the Orne (northwestern France).

67 12 Orléansville : a city on the Sheliff, a hundred and thirty miles southwest of Algiers. — si charmante . . . que fût la compagnie : 'however charming . . . the company was.' Cf. note to **4** 6.

67 13 n'était pas en train de : 'was not in the mood for.' Cf. *je ne suis pas en train de travailler* 'I don't feel like working,' *je suis en train de travailler* (cf. **18** 4) 'I am (busy) working.'

67 15 brassière : the 'arm-strap' of the carriage ; more commonly, the strap by which a knapsack or similar article is held.

68 8 les flancs . . . qui se plaignaient : cf. note to **55** 7.

68 10 vieille fée : read " Les Fées de France " in " Contes du lundi."

68 18 Joncquières (usually spelled *Jonquières*), Bellegarde : small towns across the river from Tarascon, on the road to Nîmes.

68 19 remis : more colloquial than *reconnu*.

68 20 du corps que vous avez pris : 'of the flesh you have taken on.'

68 21 coquin de bon sort : cf. note to **1** 12.

68 24 Mais enfin : 'But, tell me.'

68 27 gré : a noun, 'liking,' used almost exclusively in prepositional phrases (*de bon gré* 'willingly,' *à son gré* 'to his liking,' and the like ; cf. *malgré*) and in *savoir gré à quelqu'un* 'to be grateful to a person': *je lui sais gré de m'avoir aidé*. Latin *gratum* 'that which is pleasing.'

68 31 **réactionnaires :** 'reactionary.' This word means little to an American, but France has constantly been talking, more or less seriously, of reactions to previously existing states of affairs, as from republic to monarchy.

68 32 **à mener :** cf. *à lire* **10** 22. — **une vie de galère :** 'the life of (such as one leads on) a galley,' 'a galley-slave's life'; cf. note to **1** 5.

68 33 **chemins de fer algériens :** there were no railroads in Algeria when Daudet visited it in 1861, but between this year and 1872, when "Tartarin" appeared, several hundred miles of tracks had been constructed.

69 2 **que je le regrette :** 'how I long for it.' *Regretter* = 'to regret,' 'to regret the loss or the absence of' a thing, hence 'to long for' a thing. For the anticipatory *le* cf. note to **32** 5.

69 4 **il fallait me voir :** cf. note to **24** 3.

69 5 **vernissées à neuf :** 'varnished so that they shone like new.'

69 8 **sur l'air de:** 'to the tune of.' — **Lagadigadeou** (pronounce *-dèou*) : the refrain of Desanat's version of Tarascon's most popular song may be translated as follows : *Lagadigadeou, la Tarasque — La Tarasque du Château — Un air de lagadeou — Qui résonne* (resounds) *à tout rompre* (cf. note to **2** 2) *avec son tapage.* Notre-Dame du Château is a place of pilgrimage near Tarascon. *Lagadigadeou* is meaningless. For the *Tarasque* cf. note to **3** 25. For this song as a Provençal carter's song, see F. Gras, "The Terror," ch. xxxiii.

69 9 **que :** cf. note to **5** 1.

69 10 **jetant d'un tour de bras :** 'throwing with a swing'; cf. *à tour de bras* 'with all one's might'; cf. note to **51** 20.

69 12 **allume :** exclamation serving to encourage horses: 'quick, now!'

69 15 **détaler :** the opposite of *étaler* (cf. note to **37** 22), = 'to bring in goods exposed for sale,' 'to shut up shop,' and figuratively, in familiar discourse, 'to dash away,' 'scurry along'; cf. **94** 13. — **grande route royale :** 'king's highway.'

69 17 **bornes kilométriques :** 'milestones' or rather 'kilometer-stones.' — **ses petits tas . . . espacés :** 'its little heaps of stones at regular intervals'; broken stone for repairing the road.

69 21 **maires :** 'mayors,' presiding officers of communes (cf. note to **17** 14).

69 22 **préfet . . . évêque :** Nîmes is the chief city of the department (cf. note to **17** 14) of the Gard, and therefore the seat of the prefect. It is also the seat of a bishop.

69 23 **mazet :** Provençal diminutive of *mas* ; = 'little country-house.' — **collégiens :** 'schoolboys.' The French *collège* (also the *lycée*) carries students from the beginning of their studies through a course which corresponds roughly to that completed in the second year of the American college.

69 24　**tout frais rasés du matin**: 'all (adverb, = *quite*) freshly shaved that morning.'

69 25　**vous . . . casquettes**: transl. 'all of you gentlemen, the cap-hunters.'

69 27　**la vôtre**: i.e. *votre romance*; cf. pages 6–7.

69 30　**Bédouins**: nomadic Arabs in northern Africa and Arabia.

69 32　**tout cela**: cf. note to **55** 28.

69 33　**auquel . . . rien**: cf. *je ne comprends rien à tout cela* 'I don't understand any of that.'

70 1　**On me plaint**: 'they begrudge me.'

70 5　**brancards**: a stage-coach has no *shafts*. *Brancards* is used also for the two pieces of wood which connect the fore and after carriages of a vehicle; transl. 'body.' Daudet may mean simply 'pole.'

70 6　**tenez !** lit. 'hold !' An exclamation whose force varies greatly; transl. here 'just see that !'

70 8　**gouvernement**: 'seat of government'; cf. note to **42** 1.

70 9　**plus rien**: cf. note to **13** 1.

70 10　**lentisques**: 'mastic trees,' small trees growing in the Mediterranean countries, producing a resin which is used in the manufacture of paints.

70 14　**champoreau**: a warm drink, coffee with a copious admixture of brandy, popular among the Europeans in Africa.

70 21　**une cour de caravansérail**: cf. note to **1** 5. A caravansary is a building for the lodging of caravans. See "Le Caravansérail" in "Contes du lundi."

70 29　**kousskouss** (*couscous*): meat cooked with flour, the national dish of the Arabs according to Daudet, "Paysages gastronomiques" in "Contes du lundi."

71 2　**une place de jolie sous-préfecture**: 'the square of a pretty little city,' 'the square of a pretty city about the size of a subprefecture'; cf. note to **17** 14. For the construction cf. note to **1** 5.

71 4 . **de petits soldats de plomb**: 'little lead soldiers'; cf. note to **1** 5. The men drilling looked like lead soldiers when seen through the *vitres dépolies par la buée*, on account of their stiffness and the dimness of their outline in the early morning light.

71 7　**ne sentait pas encore le lion**: 'did not savor of lions yet'; cf. *cela sent le camphre* 'that smells of camphor.'

71 8 **Plus au sud :** not negative ; cf. note to **13** 1.

71 13 **grosse comme le poing :** ' as big as your fist.'

71 14 **haute de cinq doigts :** cf. notes to **26** 5 and **42** 25. — **serviette :** a kind of ' portfolio' widely used in France by public officials, professors, and others, for carrying papers and books.

71 15 **notaire :** the position of the French *notaire* is more dignified than that of our ' notary'; he performs some of the functions of the American lawyer.

71 20 **regardait toujours Tartarin :** cf. note to **11** 12.

71 21 **prit la mouche :** transl. ' took offense.' *Prendre la mouche* = ' to seize the fly,' ' to seize a slight occasion for becoming angry,' ' to become vexed easily.'

71 26 **leur gaine :** cf. note to **29** 11.

72 17 **Et toute la diligence de rire :** ' and the whole stage-coach laughed'; cf. the Latin historical infinitive, used in place of the perfect. In French this infinitive is always preceded by *de* and the clause is almost always introduced by *et*, *là-dessus*, or a similar word. — **trois cheveux de Cadet-Roussel :** the popular song called *Cadet-Roussel*, ' Young Roussel,' was composed on the basis of a local song by a soldier in the Northern Army of the revolutionary forces about 1792. Cadet Roussel has three houses, three coats, three hats, three hairs (two for his face, one for his wig, and when he goes to see his lady he gathers the three into a braid), three dogs, and so on.

72 21 **Terrible profession que la vôtre :** understand (*c'est une*) *terrible profession que la vôtre* (*est*) ; cf. note to **21** 19.

72 23 **Bombonnel** (d. 1890): undertook to free North Africa of panthers.

72 27 **Té ! . . . connais :** ' what! know him? I should say so !' For *té* cf. note to **13** 7. *Pardi* is a euphemism (really a dialectal form) for *pardieu* ; cf. *parbleu*, **47** 6.

73 3 **Tout juste !** ' exactly!' cf. note to **83** 5.

73 15 **ce qu'il en est :** ' how matters stand.' On *en* cf. note to **8** 19.

73 20 **Chassaing** (Jacques, 1821–1871): hunter of lions and panthers.

73 24 **qu'est-ce que c'est donc que . . . ?** ' what, pray, is . . . ?' disdainful ; cf. **55** 28.

73 27 **Milianah :** a city in the Zakkar mountains, about seventy-five miles southwest of Algiers. A comparison of the story of Tartarin's adventures at Milianah with the pages on that city in " Lettres de mon moulin " will show how many details have been borrowed from the notes Daudet took down during his stay in Algeria.

73 30 **à regarder . . . s'il :** ' looking (to see) if'; cf. note to **10** 22.

74 4 loyal : ' honest.'

74 11 A quoi bon . . . ? ' what (was) the good of . . . ?' Latin *cui bono ?*

74 16 train de derrière : ' hind quarters,' *train de devant* = ' fore quarters,' of an animal ; properly applied only to an animal harnessed to a vehicle.

74 17 Qu'est-ce . . . plus ? colloquial construction ; transl. ' what under the sun (*donc*) did they mean by telling me there were none left ?'

74 26 promenaient : note the active use of this verb ; cf. *monter* **41** 28.

74 27 Savoyard . . . marmotte : the ' marmot' is a rodent inhabiting the Alps, related to the American woodchuck and prairie-dog. Savoyards traveling through France with marmots remind one of our Italian organ-grinders with their monkeys. Cf. note to **1** 8.

74 28 Le sang . . . tour : ' the Tarasconian's blood boiled'; lit. ' made only one turn.'

75 2 Au zouge de paix : ' (take him) to the justice of the peace ' (*juge de paix*).

75 3 nuit : he was blind.

75 12 Sitôt votre lettre reçue : ' as soon as I received your letter,' = *aussitôt que votre lettre fut reçue.*

75 14 ventre à terre : ' at full speed '; so fast that the horses' bodies (almost) touched the ground.

75 16 donc : render by emphasis on auxiliary : ' what *have* you done ?'

75 18 Que voulez-vous ? cf. note to **61** 4. — De voir : cf. note to **31** 20.

76 3 Ce qui me va : ' what suits (pleases) me '; cf. *ça vous va-t-il ?* (**91** 3) ' does that suit you ?' — en matière de conclusion = *en manière de conclusion* ' to bring the affair to a conclusion,' ' by way of conclusion.'

76 4 n'en déplaise à mons Bombonnel : ' may it not displease Mr. Bombonnel,' ' with Mr. Bombonnel's leave.' *Mons* (the *o* is nasalized and the *s* is pronounced) is used contemptuously for *Monsieur.*

76 7 battre la plaine : ' beat the plain ' (to rouse game); cf. note to **10** 5. — Chéliff : most important river in Algeria, over 370 miles long.

76 8 Auriez-vous : cf. note to **15** *chapter heading.*

76 24 tuyas : any trees closely related to the arbor-vitæ or American white cedar; here ' sandarac-trees.' — caroubiers : cf. note to **33** 19.

76 27 Liban : ' Lebanon,' in Syria, formerly famous for its cedar forests with their far-reaching odors and its many streams; see the Song of Solomon, iv, 8, 11, 15.

77 1 brodées au fil d'argent : ' embroidered with silver thread.'

77 2 un faux air de : cf. note to **56** 27.

77 12 tout son monde : ' all its servants '; cf. note to **54** 7.

77 14 **pas n'est besoin :** for *il n'est pas besoin* 'there is no need.'

77 15 **Il suffit d'un képi :** cf. note to **62** 12.

77 17 **la toque de Gessler :** 'Gessler's cap.' Gessler is the Austrian governor of Switzerland who figures in the story of William Tell. The Swiss were forced to salute his cap, which was placed on a pole.

77 18 **allait son train :** 'went on its way.' *Train* = 'gait.'

77 23 **bureau arabe :** 'Arab office,' the French bureau for the administration of affairs concerning the natives.— **au bon frais :** strengthened form of *au frais* 'in the fresh air.'

77 25 **crut à un coup de main :** 'thought it was an uprising'; cf. **94** 27. *Coup de main* = 'surprise,' 'sudden attack.'— **fit baisser :** cf. note to **7** 25.

77 26 **mit . . . en état de siège :** 'proclaimed martial law in the city.'

78 2 **se sauva . . . jambes :** 'ran away into the Zakkar as fast as he could.' For the Zakkar (a part of the Little Atlas) see note to **73** 27.

78 4 **ombre trouée :** 'broken shade'; the light found its way in places through the foliage of the tree.

78 8 **précisément :** 'quite opportunely'; cf. note to **83** 5.

78 15 **Comment voulez-vous . . .?** 'how do you suppose . . .?'

78 18 **Si maigre . . . paraisse :** cf. note to **4** 6.

78 21 **Demandez plutôt :** cf. **44** 1.

78 23 **mouci :** for *monsieur.*

78 31 **coup d'œil :** 'looks'; cf. note to **54** 12. — **ne feraient pas très bien :** 'would not do very well.'

79 1 **Tant que vous en voudrez :** 'as many as you like'; note the future.

79 3 **à quelques kilomètres :** cf. note to **18** 25.

79 11 **pendus à :** 'hanging from.'

79 15 **une mesure à blé :** 'a wheat measure'; *une mesure de blé* 'a measure (full) of wheat.' Cf. **2** 6.— **des Kabyles qui s'éventrent autour :** 'Kabyles slashing each other with knives (lit. cutting each other open) around it'; cf. notes to **55** 7 (*qui*), **7** 2 (*se*), **1** 6 (*autour*).

79 16 **une joie :** = *une joie! . . .*; cf. *un Teur! . . .* **32** 4, and note to **15** 21.

79 17 **se noyer :** 'get drowned,' not 'drown himself.'

79 20 **Par exemple :** 'as luck would have it'; cf. note to **11** 24.

79 23 **tête de bédouin :** 'Bedouin-like head'; cf. note to **1** 5. This is a good example of Daudet's skill in finding striking similarities : the Bedouin (cf. note to **69** 30) has a long, narrow head.

79 27 **Toujours la folie orientale !** 'his craze about things oriental was still with him !'

79 30 **tout en haut :** = *tout à fait en haut*; cf. note to **47** 11.

80 1 **jambes à nœuds :** 'knotty legs.'

80 8 **étoupe :** aptly characterizes the hair of a camel's hump.

80 10 **Va te promener !** cf. note to **48** 11.

80 13 **six cent mille dents :** each Arab had 150 teeth! Which goes to show that Daudet himself was born not far from Tarascon. But it is to be remembered that *six cent mille* is sometimes used merely to indicate a very large number, like English "thousands of."

80 14 **dut :** cf. note to **67** 7.

80 19 **devant :** *devant* for *avant, auparavant*, is obsolete except in certain locutions such as *comme devant*.

80 25 **douar :** 'douar,' an Arab village, composed of tents arranged with more or less regularity. — **plaine du Chéliff :** the broad part of the Sheliff basin is in the half-desert plateau between the Great Atlas and the Little Atlas. The picture which follows is interesting; it is over-drawn, however, since Algeria never was, and certainly is not to-day, as bad as Daudet paints it.

80 27 **se compliquent d' :** 'are complicated by (the addition of).'

80 28 **Zouzou :** military slang for *zouave.*

81 1 **le sergent La Ramée, le brigadier Pitou :** popular names for the French soldier, the English " Tommy Atkins."

81 3 **su :** 'known how,' 'been able.'

81 5 **bachagas :** 'bashagas' (Turkish for 'head agas' or 'heads of agas,' cf. note to **82** 5), native chiefs of districts. — **se mouchent . . . Légion d'honneur :** 'gravely use their insignia of the Legion of Honor as handkerchiefs.' Like much in " Tartarin de Tarascon," this detail was extracted from the memorandum books which Daudet carried during his Algerian travels; again in " Un Décoré du 15 août " (" Contes du lundi ") he declares that he repeatedly saw the *grand cordon* used for the purpose here mentioned. The Legion of Honor was established by Napoleon (then first consul) in 1802. The insignia are a wide red ribbon from which is suspended a five-pointed cross.

81 7 **font bâtonner :** cf. note to **7** 25.

81 8 **cadis :** 'cadis,' judges under Mohammedan law.

81 9 **tartufes du Coran et de la loi :** 'hypocritical respecters of Religion and Law.' *Tartufe* is the hypocrite in Molière's play of that name ; the word is now used as a common noun to designate a person who pretends to be devout. The Coran (Koran) is the Holy Book of the Mohammedans, containing the revelations of Mohammed. — **quinze août :** 'August 15,' Napoleon's birthday ; now superseded by July 14, the national holiday, as the day on which the decorations of the Legion of Honor are distributed. Read " Un Décoré du quinze août," referred to in note to **81** 5.

81 12 **kousskouss au sucre :** 'sweetened couscous.' — **caïds :** 'caids,' Mohammedan military chiefs.

81 13 **un général Yusuf quelconque :** 'some General Yusuf or other.' Joseph Vantini (1810–1866), of Italian birth, was a French officer who played an active part in the conquest of Algeria. *Yusuf* (in French spelling, *Yousouf*) is the Arabic form of the name Joseph.

81 19 **maquis :** ordinarily used only of the Corsican 'maquis'; extensive areas overgrown with an almost impenetrable tangle of brushwood. — **le grenier de la France :** the words of the enthusiastic promoters of Algerian colonization. Algeria's famous grain-producing region does not extend farther inland than one hundred miles, and does not include the part which Tartarin was now traversing.

81 25 **sauterelles enragées :** cf. note to **24** 23. — **mangent jusqu'aux rideaux :** 'eat the very curtains'; cf. **85** 17.

81 26 **en train de boire :** 'drinking'; cf. note to **18** 4.

81 30 **tout entier à :** 'engrossed in.'

81 31 **allait droit devant lui :** 'went straight ahead.'

82 3 **dans les tribus :** 'in the (camps of the) tribes.'

82 5 **agas :** 'agas.' The *aga* was formerly a great military chief in Turkey; now the title is merely one of respect given to village magnates.

82 6 **narghilés** etc. : i.e. articles of the Orient and of the Occident.

82 7 **Smyrne :** 'Smyrna,' important seaport in Asiatic Turkey, on the Ægean Sea; famous for its rugs and silks. — **lampes-modérateur :** more precisely *lampes à modérateur*, 'moderator lamps.' A moderator is an instrument for governing the movement of machines; here, " a mechanical contrivance by which the passage of the oil from the reservoir to the burner is regulated or moderated to a uniform flow " (Oxford Dict.).

82 8 **sequins :** 'sequins,' an old gold coin of variable value, usually worth about $2.25, formerly issued by the Venetian republic (*zecchino*) and largely used in the Levant.

82 9 **pendules à sujets, style Louis-Philippe :** 'clocks adorned with figures in the Louis-Philippe style.' Louis-Philippe was king of France from 1830 to 1848.

82 10 **diffas :** 'diffas,' among the Arabs of Africa receptions and feasts offered to men of rank. The **fantasia** is an Arab equestrian exhibition.

82 11 **goums :** 'goums,' armed contingents supplied by Algerian tribes for the French army, and commanded by French officers.

82 15 **Pont-Neuf :** this ' New Bridge ' is the oldest of the many which span the Seine in Paris. It was completed in 1604 by Henry IV, and figures in many legends of old Paris. *C'est vieux comme le Pont-Neuf* has become a proverb.

82 20 **faisant frrt !** ' saying sst ! (scat !).'

82 23 **vers les six heures :** = *vers six heures.* Cf. note to **23** 16.

83 3 **Plus de doute :** cf. note to **13** 1.

83 5 **tout juste :** = *précisément* **78** 8 ; cf. **73** 3.

83 8 **ex-voto :** (sing. and pl. alike), ' ex-votos,' ' votive offerings '; an offering made in fulfillment of a vow. Latin *ex voto* ; cf. Horace, *Odes,* I, v. The worship of saints in Mohammedan countries (where it ranks as a superstition rather than as orthodox religion) is mainly confined to the saint's tomb, or reputed tomb.

83 12 **s'y refusa :** = *se refusa à cela* (cf. note to **2** 29) ; ' refused to consent.'—**tenait à :** 'insisted upon.' *Tenir à faire quelque chose* = ' to desire strongly to do a thing,' ' to be determined to do a thing '; *tenir à quelque chose* = ' to care greatly for a thing.'

83 16 **Ceci fait :** ' this done.'

83 31 **pas de velours :** ' velvet steps,' ' soft steps.'

84 1 **qu'on égorge :** ' having their throats cut.'

84 3 **Tartarin l'était :** ' Tartarin was ' (it, that is, *ému*) ; cf. note to *chose* = ' to **25** 18.

84 7 **en train :** cf. note to **67** 13.

84 9 **encore :** cf. note to **18** 31.

84 10 **tint bon :** ' held his ground '; cf. note to **27** 16.

84 14 **se replie . . . marabout :** ' retreats as fast as he can to the marabout.' For *à toutes jambes* cf. **78** 2.

84 17 **hydres :** the Hydra of classical mythology was a water serpent with many heads, each of which, when cut off, was replaced immediately by two new ones.

84 18 **A moi :** ' help !'

84 23 **filer :** here, ' scamper off.' *Filer* = ' to spin ' (yarn), ' to uncoil,' and colloquially ' to take to one's heels,' ' to race '; cf. **88** 27, **94** 9.

85 2 **au petit jour :** ' at early dawn '; *au grand jour* ' in full daylight.' —**qu'il :** cf. note to **5** 1.

85 6 **chameau à bosse simple :** ' one-humped camel,' *dromadaire* **93** 6.

85 9 **le Christ :** pronounced [krist] ; always with the article (the Anointed). But pronounce *Jésus* [ʒezy], *Jésus-Christ* [ʒezy kri].

85 10 **Gethsémani :** in the words *douta, pleurer,* Daudet refers to Christ's moral and physical recoil at Gethsemane. A Frenchman is not offended as we are by the flippancy of this reference to one of the supreme moments of Christ's life. Cf. De Vigny's "Le Mont des Oliviers."

85 13 d'en face : ' in front of him ' ; cf. **90** 20.

85 17 jusqu'aux pantoufles : made ' even the slippers ' shake ; cf. **81** 25.

85 19 Seul : while all trembled, Tartarin ' alone ' did not.

86 1 Mahom : the most usual form of the name ' Mohammed ' during the Middle Ages ; retained, for effect, in the oath *par Mahom*. — l'échappa belle : ' had a narrow escape ' ; cf. note to **8** 18.

86 3 si . . . n'avait envoyé : note the omission of *pas* after the conjunction *si* ; cf. note to **36** 16.

86 7 l'homme à la plaque : ' the man with the badge,' the rural policeman.

86 14 processive : (cf. *procès*, ' lawsuit '), ' litigious.' — avocassière : ' pettifogging ' ; *avocat* = ' lawyer,' *avocasser* = ' to practice law ' (always in a depreciatory sense ; çf. *bonasse* **3** 13).

86 15 la judiciaire . . . se tripote : ' the dubious (lit. ' squinting ') judicial system which is cooked up ' ; cf. note to **5** 23.

86 16 la bohème des gens de loi : ' the legal Bohemia.' Gypsies were supposed to have come from Bohemia ; consequently any persons who lead an irregular life are called Bohemians. Thus, for example, the Latin Quarter of Paris, inhabited largely by artists and students, is called the "Bohemian Quarter."

86 18 sauterelles : cf. note to **24** 23.

86 19 papier timbré : ' stamped paper.' A government revenue stamp, either printed on the paper (*papier timbré*) or affixed, must accompany French legal and commercial documents. *Timbre-poste*, masculine, = ' postage stamp.'

86 20 tiges de ses bottes : the locusts, *sauterelles* (l. 18), eat a plant *jusqu'à la tige* ; Daudet is punning here on the two meanings of *tige*, ' stalk ' of a plant, ' leg ' of a boot. — déchiqueté . . . maïs : ' stripped . . . like a stalk of corn,' of whose foliage the locusts leave nothing but midribs and hanging fibers.

86 27 silo : a pit for storing grain. Since Goffart's work on the ensilage of green crops, published in 1877, the word has become familiar in America, our silo for green crops being usually above ground. As a punishment in the French army in Algeria, men (sometimes more of them than could lie down on the bottom of the pit) were put into a pit and kept there while filth accumulated around them.

87 2 sans (compter) les frais : ' plus the costs.'

87 3 **piastres :** ' dollars,' the Spanish coin also called *douro* (note to **48** 21) ; Frenchmen in America sometimes call the American dollar a *piastre* ; *piastre* also means the Turkish piaster (4.4 American cents).

87 5 **judiciaires :** ' judiciary' ; i.e., offered to the judges.

87 7 **au détail :** ' piecemeal ' ; cf. *vendre en (au) détail* ' to sell at retail' ; *en gros* ' wholesale.'

87 10 **y passèrent :** ' went by the same road ' ; i.e., were sold.

87 12 **cochinchinoises ·** ' from Cochin-China,' a part of Indo-China, at the south of the Siam peninsula ; a French colony since its conquest in 1859–1867.

87 16 **ce qu'il advint de :** ' what became of.' *Advenir* is used only impersonally.

87 19 **payer la diligence :** ' pay for (his place in) the stage-coach.'

87 20 **encore :** ' after all.'

87 21 **d'un placement difficile :** ' hard to dispose of.'

87 25 **sur :** the definitive edition also prints *sur* here ; *sous* would seem to be the correct reading ; cf. **66** 13. It is possible that the reference here is to figures worked into the pavement.

87 28 **par (oftener à) petites journées :** ' by short stages.' *Journée* = ' a day's march,' the original meaning of Engl. *journey*.

87 30 **s'était . . . inexplicable :** ' had conceived an inexplicable fancy for his master.' *Se prendre d'amitié pour quelqu'un* = ' to take a liking to a person.'

87 32 **ne . . . semelle :** ' never more than a foot behind him,' lit. ' not leaving him by (the length of) the sole of a shoe.' For *de* cf. note to **42** 25.

88 2 **à toute épreuve** = *à l'épreuve de tout* ' proof against anything.'

88 3 **d'autant que** (for *d'autant plus que*) : ' so much the more that,' ' especially because.' — **rien :** ' nothing ' ; cf. note to **13** 1. *Il ne se nourrissait avec rien* would mean ' he did not nourish himself with anything,' the introduction of *ne* bringing the negation to bear upon the verb.

88 7 **il lui en voulut de :** cf. note to **36** 10.

88 8 **oie bridée :** ' bridled goose ' and figuratively ' ninny.' A feather is sometimes passed through the nostrils of a goose or a gosling (*oison bridé*) to prevent it from escaping through hedges. The ridiculous appearance which the fowl presents gives rise to the figurative meaning. Cf. Rabelais's judge *Bridoie* and Beaumarchais's *Brid'oison*. — **le prit en grippe :** ' took a dislike to him ' ; *grippe* formerly meant ' whim,' ' fancy.'

88 16 **huit grands jours :** ' a whole week.' *Huit jours* = ' a week,' *quinze jours* = ' a fortnight.'

88 20 **biskris :** ' Biskran porters.' Biskra is a city in Algeria, at the edge of the Sahara. Many Biskrans settle in the coast cities, especially Algiers, where they obtain employment as porters; hence, *biskri* = ' porter.' The Arabic suffix -*i* corresponds to the English -*an* or -*ite.*

88 22 **la patience lui échappa :** ' he lost all patience '; cf. note to **4** 24.

89 2 **Le jour tombait :** we say ' night was falling '; cf. *la nuit tombait* **44** 16, and *à la tombée de la nuit* **53** 11.

89 4 **des bruits de verres :** ' clinking of glasses.'

89 6 **qui chantait :** ' singing '; cf. note to **55** 7.

89 9 **Tron de Diou :** = *tonnerre de Dieu* (cf. note to **38** 31), a strong oath ; ' by the thunder of heaven ! '

89 13 **tambourins :** ' drums.' The Provençal and Algerian *tambourin* is a drum higher than it is wide. *Tambour* **90** 1 = *tambourin.* Cf. note to **53** 15.

89 29 **Digo-li . . . moun bon !** = *dis-lui qu'il vienne, mon bon* ; ' just tell him to come on, old fellow '; a Provençal challenge.

89 30 **du premier** (scil. **étage**) : ' of the second floor.' The first floor of a French house is called the *rez-de-chaussée.*

90 2 **marseillais :** ' dialect of Marseilles.' Not only did she know French, but even Tartarin's own dialect. The Provençal language comprises many dialects ; that of Tarascon does not differ greatly from that of Marseilles.

90 3 **Quand je vous disais :** ' what did I tell you about . . .?'

90 9 **s'est . . . sac :** ' let himself be caught red-handed '; cf. note to **7** 25.

90 11 **à l'ombre :** ' in prison ' (lit. ' in the shade '), slang.—**maison centrale :** prison to which prisoners who have been condemned to more than one year of detention are sent ; transl. ' jail.'

90 12 **tenez !** ' hold ! ' ' let me see ! ' Cf. note to **70** 6.

90 14 **C'est donc ça :** colloquial for *c'est donc pour ça,* ' that's why.'—**ne . . . ville :** cf. **57** 1–6.

90 17 **sans quoi :** ' otherwise,' lit. ' without which.'

90 18 **votre histoire avec le muezzin :** cf. the passage beginning **63** 3.

90 20 **d'en face :** ' over there,' ' across the way '; cf. note to **85** 13.

90 23 **faisait des déclarations** (scil. *d'amour*) : ' made love.'

90 26 **c'est :** cf. note to **44** 7.

90 28 **eut . . . philosophe :** ' made the gesture of a philosopher ' (cf. note to **1** 5) ; shrugged his shoulders.

90 29 **si vous m'en croyez :** ' if you'll take my advice.' *En* is redundant ; cf. note to **8** 19.

91 1 **Qu'à cela ne tienne !** 'that makes no difference !'

91 3 **ça vous va-t-il :** cf. note to **76** 3.

91 5 **croustade :** a sort of 'pie' with a very crisp crust. — **sans rancune :** lit. 'without rancor'; transl. 'forget your ill-will.'

91 10 **fort avant dans :** 'far on into.'

91 11 **trois heures du matin :** the regular hours for the muezzin's call are daylight hours, but two calls in the night are also made for the benefit of such pious persons as may be awake.

91 12 **accompagner :** i.e. to his lodging.

91 14 **vengeance :** Tartarin's vengeance is a delightful bit of humor.

91 16 **monta encore :** 'ascended still higher.'

91 21 **Mostaganem :** a city on the Mediterranean, west of Algiers.

91 25 **curé :** it is amusing to hear Tartarin apply the title of the respected French parish priest to the rascally muezzin. At home Tartarin would address the priest as *monsieur le curé.*

92 1 **La Allah il Allah :** French transliteration of the Arabic words with which the Mohammedan confession of faith, ' There is no god but God, and Mohammed is God's messenger,' begins. Both parts of this confession of faith, especially the first part, are repeated more than once in the muezzin's regular call. The first part is misquoted in various forms, as here, by Europeans who have been confused by the series of sounds. Note that Tartarin not only echoes the sound of this part, but parodies its sense in lines 3–4. — **farceur :** 'fraud.'

92 3 **viédaze :** a Provençal word; used of persons, = 'a good-for-nothing,' of things, = 'a trifle.' Here : 'isn't worth a straw.'

92 4 **carotteurs :** 'pikers.' *Jouer la carotte* = to stake little (e.g. a carrot) in a game. *Tirer la carotte à quelqu'un* = to get a small sum out of a person by making him believe some hoax. Note the play on words in *Teurs, carotteurs.*

92 9 **derniers :** believers are few even in the upper part of the city (cf. note to **37** 27).

92 15 **La culasse :** we should use the plural in English. Note this peculiarity of French style ; cf. *la face des soldats était couverte de sueur* 'the soldiers' faces were covered with sweat.' Cf. note to **29** 11, and **92** 12.

92 16 **canons turcs :** cf. note to **40** 17. These old cannon are set in the pavement of the quay as posts for the mooring of ships and for similar uses.

92 24 **A peine vient-il de sauter . . . qu' :** 'scarcely has he leaped . . . when.' *A peine* reënforces *vient de.* For the inversion cf. note to **5** 32.

93 5 **en carton peint :** 'of painted pasteboard,' i.e. counterfeit.

93 6 **dromadaire :** the word is here used correctly according to the Academy's dictionary, which makes *dromadaire* a name of the one-humped species of camel. According to more exact usage a dromedary is a high-bred camel for special speed, usually of the one-humped species but not necessarily so ; in this sense Tartarin's beast can hardly claim the name.

93 7 **que devenir :** lit. 'what to become'; transl. 'what to do with myself.' Cf. **65** 15.

93 8 **Ne nous quittons plus :** 'let us part no more.' Cf. note to **7** 2.

93 15 **s'élançant à corps perdu :** 'hurling himself headlong,' desperately.

93 16 **de conserve :** 'in consort' (with the captain's row-boat). *Conserve* in the sense of 'the action of preserving' survives only in this nautical expression, *naviguer de conserve =* 'to sail in consort' (used of ships which sail together so as to help one another).

93 18 **col :** *= cou ;* used in this sense only in certain fixed expressions ; ordinarily = 'collar.' — **en éperon de trirème :** 'like (cf. note to **5** 20) the beak of a trireme.' *Éperon* ordinarily means 'spur.' The ancient trireme was a galley with three banks of oars.

93 19 **viennent ensemble se ranger :** 'come to draw up together,' 'draw up together'; cf. **55** 8. — **aux flancs du :** 'alongside.' Note the plural *flancs* ; cf. *à ses côtés* **37** 26.

93 21 **A la fin :** 'I tell you.'

93 22 **à mon bord :** 'aboard.' *A bord d'un vaisseau =* 'on board a ship.'

93 23 **j'en . . . zoologique :** 'I will present him to the Zoölogical Garden.'

93 29 **fût :** subjunctive with *non pas que.*

93 33 **afficher :** 'make a show of'; lit. 'to post' (*affiches* 'placards').

94 1 **mettait le nez :** 'stuck his nose,' looked out.

94 9 **un wagon de troisième classe :** 'a third-class car.' In French trains there are cars of first, second, and third classes, the third being the cheapest. The cars were until recently divided into compartments from each of which a door (*portière*) opened upon the station platform. These doors were provided with windows. — **filant bon train sur :** 'making rapidly for'; cf. note to **84** 23.

94 11 **aux portières :** 'at the door windows'; cf. note to **94** 9.

94 13 **détalait :** cf. note to **69** 15.

94 14 **en pleine Crau :** 'in the heart of (cf. **2** 2) the Crau.' The Crau is a vast, arid plain extending from the lower Rhone eastward. The stones which cover this plain are fabled to have been showered down by Jupiter to aid Hercules in his battle with the giant Albion. — lui tenant pied : 'keeping up with it.'

94 15 rencoigna : an old spelling of *rencogna*. The word is etymologically connected with *coin* ; cf. English (Shakespearean) 'coign.'

94 19 Pas le sou : 'penniless'; *je n'ai pas le sou* = 'I haven't a cent.'

94 21 Tarascon ! for the electrifying sonorousness of this call cf. note to **1** 1.

94 27 il croyait à : 'he thought it was'; cf. note to **77** 25.

94 29 sympathique : 'friendly'; contains also the ideas of 'sympathetic,' 'congenial,' 'responsive.'

95 4 s'étaient monté la tête : *se monter la tête* = 'to become greatly excited'; transl. 'had gone wild.'

95 6 dix . . . une marmelade de lions : 'ten lions, twenty lions, a mass of lions.' *Mettre en marmelade* = 'to smash to a jelly'; cf. **12** 3.

95 8 de deux heures : cf. note to **42** 25.

95 12 descendre à cloche-pied : 'hobble down.' *Clocher* and *marcher à cloche-pied* = 'to hop.'

EXERCISES

I

(Based on page 5)

TRANSLATION

1. He has not found any. 2. What will he tell me? 3. They will go away every Sunday. 4. I told him what they were doing. 5. Some Tarasconians used to assemble and eat big pieces of beef. 6. This man makes (you) laugh and sing if you (*use* 'on') are naturally superstitious. 7. Take some if you find any. 8. The cap will be sold (*use* 'on') to the one who does it most often. 9. Will you tell me what each one had at the end of his gun? 10. Throw it with all your might.

QUESTIONS

1. Qu'est-ce que les chasseurs font quand le gibier est rare? 2. Où s'allongent-ils? 3. Que mangent-ils? 4. Que boivent-ils? 5. Après le déjeuner que font-ils? 6. Qui est proclamé roi de la chasse? 7. Comment est-ce que le triomphateur rentre à Tarascon? 8. Qu'est-ce que les chapeliers vendent? 9. Qui leur en achète? 10. Qu'est-ce qu'il y a dans les greniers?

II

(Page 10)

TRANSLATION

1. Great men are bored the rest of the time. 2. It's enough to make you die of excitement. 3. The fact is that a heroic soul like mine will scarcely enlarge its horizon at Tarascon.

4. He will seek to tear himself from his dream. 5. In the long run all he does to forget reality will serve only to keep him in a state of anger. 6. Do not give me bad advice. 7. He did nothing to alleviate his thirst for adventures. 8. The wind blows during the heavy summer afternoons. 9. How many times he forgets himself! 10. Let him come!

QUESTIONS

1. Qui s'ennuie? 2. Quelles sont la nature et l'âme de Tartarin? 3. Que rêvait-il? 4. Que faisait-il tous les dimanches? 5. Qu'est-ce qu'il faisait le reste du temps? 6. De quoi se bourrait-il? 7. Pourquoi faisait-il cela? 8. Que faisait-il par les lourdes après-midi d'été? 9. Qu'est-ce qu'il oubliait? 10. Qui étaient-*ils*?

III

(Page 15)

TRANSLATION

1. She is beside herself. 2. Let him ring for his maid and ask for ('demander') his chocolate. 3. That will make Tartarin laugh while stifling his cries. 4. How ('comment') does it happen that he has never left? 5. He almost left Tarascon once. 6. He offered them to her. 7. He must have his chocolate every morning. 8. However, he never offered it to him. 9. Besides, he almost received a visit from the Tartars. 10. They come more and more quickly.

QUESTIONS

1. Savez-vous tricoter? 2. Pouvez-vous voir Jeannette? 3. Que fait-elle? 4. Pourquoi est-ce que Tartarin n'a jamais quitté la ville? 5. Qu'est-ce que les frères Garcio-Camus lui ont offert? 6. Avec quels pays ont-ils des relations? 7. Quel est le plus grand avantage de la maison de Garcio-Camus? 8. Que

faisait-on à l'approche des Tartares? 9. Pourquoi est-ce que Tartarin n'est jamais allé à Shang-Haï? 10. Quelle est la vie qu'il lui faut?

IV

(Page 20)

TRANSLATION

1. At last he will come and stand before him. 2. They are face to face. 3. They looked at each other. 4. Both were standing, Tartarin on one side, the lion on the other. 5. Up to that time he had not yawned in his face. 6. He rose with an air of supreme contempt. 7. At first he was stupefied, but after a moment he rushed toward the door. 8. Do not stir. 9. The women themselves were somewhat reassured by his resolute attitude and approached the cage. 10. Say no more.

QUESTIONS

1. Qu'est-ce que le lion de Tarascon a fait quand il est arrivé devant la cage du lion de l'Atlas? 2. Est-ce que celui-ci avait peur de celui-là? 3. Comment est-ce que le lion avait regardé les Tarasconnais? 4. Pourquoi s'est-il mis en colère? 5. Qu'a-t-il fait? 6. Qui a fui? 7. Est-ce que Tartarin a fui? 8. Qu'a-t-il fait? 9. Comment les chasseurs de casquettes ont-ils été rassurés? 10. Qu'est-ce qu'ils ont entendu?

V

(Page 25)

TRANSLATION

1. Did the little boy wake with a start? 2. If he is very much afraid, he will ask for the light. 3. He was put to bed in the next room. 4. He intended to go to bed early. 5. That is ('voilà') a question which I cannot answer. 6. He had been gone

from Tartarin for more than three months. 7. Don't move! 8. They imagined they had gone to Algeria. 9. After three months of waiting he began to pack his trunk. 10. When these (the latter) fired a shot, those (the former) closed their eyes.

QUESTIONS

1. Pourquoi est-ce que les garçons ont demandé de la lumière ? 2. Pourquoi est-ce que Tartarin n'est pas parti ? 3. Quelle est la question délicate ? 4. Qu'est-ce que Tartarin se figurait ? 5. Que s'imaginait-il ? 6. Qui était la victime du mirage et qui ne l'était pas ? 7. Quand et pourquoi a-t-on commencé à murmurer ? 8. Comment est-ce que les Tarasconnais ont fait voir qu'ils ne croyaient plus à Tartarin ? 9. Qui étaient impitoyables ? 10. Qu'est-ce qu'un poltron ne peut pas faire ?

VI

(Page 30)

TRANSLATION

1. Suddenly he appeared on the threshold of the garden-gate. 2. He thought it his duty to offer some explanation. 3. His head was bare, and he wore wide trousers of white linen. 4. There was a great movement among the crowd. 5. I beg your pardon, that is not all; you have forgotten that there was also a *long* blue tassel. 6. Besides, my eye-glasses bother me. 7. They obliged him to leave his pretty little home. 8. He was proud, but it was not apparent. 9. He did not turn, for at the bottom of his heart he cursed them. 10. I see that all is well.

QUESTIONS

1. Qu'est-ce qui est arrivé vers dix heures ? 2. Pourquoi est-ce qu'il s'est fait un mouvement dans la foule ? 3. Quelle

était l'apparence de Tartarin? 4. Où portait-il ses fusils? 5. Qu'avait-il à la ceinture? 6. Est-ce tout? 7. Pourquoi est-ce que les lunettes étaient à propos? 8. Pourquoi est-ce que Tartarin n'a pas salué? 9. Aimait-il ses compatriotes? 10. Qu'a-t-il fait après avoir quitté sa maison?

VII

(Page 35)

TRANSLATION

1. My reader would like to put the crossing of a great painter at the head of this episode. 2. Show me it first on board the *Zouave*, then show me how it was when Tartarin felt the first pangs. 3. Put it before my eyes. 4. In three days one can make the voyage from France to Algeria. 5. I shall show it to you struggling with the waves. 6. It begins to stand erect on the hero's skull. 7. As you go farther into the open sea, the coast begins to look like something formless. 8. He is in the depths of his narrow cabin. 9. At the departure of the *Zouave* the sea became more rough. 10. As the boat left the port Tartarin went and leaned over the rail.

QUESTIONS

1. Voulez-vous me dire ce que c'est qu'un Teur? 2. Qu'est-ce que Daudet voudrait être? 3. Voudriez-vous savoir quelle position la *chechia* a prise à la sortie du port? 4. Qu'y a-t-il en tête de cet épisode? 5. Tartarin se portait-il bien pendant la traversée? 6. Quelle position la *chechia* a-t-elle prise au départ? 7. Quelle position a-t-elle prise dans le golfe du Lion? 8. Le flot que faisait-il? 9. De quoi le lit avait-il l'air? 10. Avez-vous jamais eu le mal de mer?

VIII

(Page 40)

TRANSLATION

1. What is said is not always true. 2. Tartarin must have started with joy on debarking from the *Zouave*. 3. What is floating in the air is not what you think. 4. Who are on the shore? 5. I can scarcely see what there is in the nets which the sailors are pulling in. 6. There was a Moor smoking his pipe on the quay. 7. He rose from among the stones, threw himself on Tartarin, and clung to his clothes. 8. They carried off his baggage. 9. Tartarin did not know how to make himself understood. 10. They threw outlandish names at his head.

QUESTIONS

1. Que dit-on de ce qui reste des grands hommes? 2. Pourquoi ce qui restait de Cervantes a-t-il dû tressaillir de joie? 3. Qu'y avait-il sur la berge? 4. Les sauvages étaient-ils beaux? 5. Qui se disputaient ses bagages? 6. Que faisaient les uns? 7. Que faisaient les autres? 8. Qu'est-ce que Tartarin faisait? 9. Pourquoi ne pouvait-il pas se faire comprendre? 10. Quelles langues pouvait-il parler?

IX

(Page 45)

TRANSLATION

1. There were wild beasts here, but they did not wait for Tartarin. 2. He remembered that he had not brought along a kid. 3. Great lion-hunters pull the kid's foot with a string. 4. Nothing came all the same. 5. Not being afraid, Tartarin cried louder. 6. Something black stooped in front of him. 7. That is surely a lion! 8. Suddenly Tartarin became silent. 9. Nothing answered the shot. 10. He was afraid and made a leap backward.

QUESTIONS

1. Qu'y a-t-il à gauche? 2. Comment Tartarin attendait-il le lion? 3. Qu'est-ce que les grands tueurs de lions faisaient? 4. Comment est-ce que Tartarin les a imités? 5. De quoi avait-il peur? 6. Qu'est-ce que l'objet noir a fait? 7. Était-ce le lion? 8. Comment savez-vous que c'était le lion? 9. Après avoir tiré le coup de feu qu'est-ce que Tartarin a fait? 10. Pourquoi la bête n'est-elle pas revenue?

X

(Page 50)

TRANSLATION

1. Signal, and then get in. 2. You would have done better not to go to the city on foot. 3. Tartarin got into the first omnibus that passed. 4. He perceived that there was a sailor at the back of the omnibus smoking cigarettes. 5. Opposite him there were some young Moorish women whose eyes he could not see. 6. The one who was sitting there thought she noticed that he was looking at her. 7. He had just spoken to the Maltese merchant with the heavy black beard at the risk of hearing him laugh. 8. From time to time he was cold. 9. What was he to do? 10. The eyes whose glance answered his were large and black.

QUESTIONS

1. Pourquoi Tartarin est-il monté dans l'omnibus? 2. Aurait-il mieux fait de ne pas monter dans l'omnibus? 3. Qu'est-ce qu'il aurait dû faire au lieu de monter dans l'omnibus? 4. Qui était dans l'omnibus? 5. Qu'est-ce que les dames mauresques venaient de faire? 6. Qu'a fait celle qui était assise en face de lui? 7. Pourquoi ne pouvait-il pas voir la figure de la dame? 8. Est-ce qu'il a vu son poignet? 9. Qu'est-ce que ses mouvements disaient? 10. Où Tartarin s'est-il fourré?

XI

(Page 55)

TRANSLATION

1. He ended by turning his eye toward the table. 2. Their eyes make the gold pieces frisk. 3. The guard comes up because there are knives unsheathed and money missing. 4. One evening he strayed into the middle of this crowd. 5. The hero was thinking of the peace of his heart, when suddenly angry voices rose. 6. I am twenty francs short. 7. I ask no better. 8. He was proud to make the acquaintance of the prince whose title had dazzled him. 9. He turned toward Tartarin sneering. 10. Tartarin made a step forward without producing the slightest impression upon the officer.

QUESTIONS

1. Quel était l'effet des terribles yeux? 2. Où le héros tarasconnais est-il venu s'égarer? 3. Pourquoi y est-il venu? 4. A quoi pensait-il? 5. Qu'est-ce qui a interrompu ses pensées? 6. Qu'est-ce qui vous manque? 7. Qu'est-ce que Tartarin a fait en apprenant que c'était le prince? 8. Le titre d'altesse a-t-il produit la même impression sur les autres que sur Tartarin? 9. Qu'est-ce que l'officier a fait quand le prince a prononcé son titre? 10. Qu'a-t-il fait quand Tartarin a dit « Je connais le *préince* »?

XII

(Page 60)

TRANSLATION

1. The negress appeared on seeing the door open. 2. He retired after having knocked twice at the postern. 3. The gentlemen were led across the narrow court. 4. The lady in

question seems to me smaller. 5. As a matter of fact, the suspicion came to me that she was not the same. 6. She seemed to him so pretty through the smoke which enveloped her entirely! 7. Tartarin bowed and placed his hand on his lips. 8. Baïa dropped the amber mouthpiece without saying anything. 9. The only thing you ('on') could see any more was her white neck. 10. If you looked at her, she would laugh.

QUESTIONS

1. Qu'est-ce qu'Ali a fait? 2. Qu'est-ce que la négresse a fait? 3. Pourquoi semblait-il à Tartarin que ce n'était pas la dame qu'il avait vue dans l'omnibus? 4. Ce soupçon est-il resté longtemps dans son esprit? 5. Quelle était l'apparence de la dame? 6. Qu'est-ce que Tartarin a fait en entrant? 7. Qu'est-ce que Baïa a fait? 8. Qu'est-ce qu'on entendait chez les cafetiers algériens? 9. Depuis combien de temps Tartarin a-t-il quitté Alger? 10. Comment les Maures causaient-ils entre eux?

XIII

(Page 65)

TRANSLATION

1. He refused to believe that, although the insinuation awakened melancholy in his great soul. 2. He found nobody who seemed ugly to him. 3. Sit down near the fountain, although you are a prey to remorse. 4. We hear from Tarascon that they have not heard from you for many months. 5. What has become of you? 6. So many of our fellow-countrymen gave some that I scarcely dare to ask them for it. 7. However, when they came to the fair they claimed to have known over there a man whose description tallied with his. 8. He was making for Paris. 9. When he had read that, Tartarin was ashamed of himself. 10. You think he is hunting lions in Africa.

QUESTIONS

1. En quittant Barbassou où est-ce que Tartarin s'est dirigé ?
2. Quel était l'effet des jurons du capitaine ? 3. En arrivant à
la maison qu'est-ce que Tartarin a fait ? 4. Comment a-t-il
appris ce qu'on pensait de lui à Tarascon ? 5. Que pensait-on
de lui ? 6. Quel était le sort de beaucoup d'autres qui étaient
partis pour chasser les lions ? 7. Les marchands nègres que
prétendaient-ils ? 8. Qu'est-ce que Tartarin a fait après avoir lu
le journal ? 9. Qu'est-ce qui lui a apparu ? 10. Pourquoi avait-il
honte de lui-même ?

XIV

(Page 70)

TRANSLATION

1. Is he going to begrudge me good horses ? Never ! 2. Nobody treats me well any more. 3. It's beginning again ! 4. Instead
of biting each other they would do well to take a roundabout
way across the plains and stop at a farm. 5. If they did not
fight, they would be able to make up lost time. 6. After which,
he swam the river. 7. If you get wet, you will catch cold. 8. At
night he feared the marauders, for he had to sleep under the
open sky. 9. You could not lead the life I lead. 10. He could
not do anything else.

QUESTIONS

1. Qu'est-ce que la diligence avait au lieu de ses chevaux
d'autrefois ? 2. Comment les chevaux arabes lui brisaient-ils ses
brancards ? 3. Quelle sorte de routes traversait-elle ? 4. Où
s'arrêtait-on ? 5. Qu'est-ce que le conducteur faisait faire à la
diligence ? 6. Après l'arrêt que faisait-on pour rattraper le temps
perdu ? 7. Où fallait-il que la diligence couchât ? 8. Qu'est-ce
que les maraudeurs faisaient ? 9. Jusque quand la diligence
continuera-t-elle à mener cette vie ? 10. Qu'est-ce que les Arabes
en feront ?

XV

(Page 75)

TRANSLATION

1. After a desperate struggle a man broke through the crowd. 2. Tartarin himself was rolling on the ground. 3. He shook himself and sat down all out of breath. 4. As soon as he received the letter, he put aside the Arabs with a gesture. 5. What under the sun have you done? 6. You are mistaken; you are not a laughing-stock to the women and children. 7. On the contrary, you arrive just in time to get into an ugly difficulty. 8. He tried to rescue ('arracher') the lion from the hands of the strange monks who were taming him. 9. There are hundreds of them in the convent. 10. He belonged to that convent whose ('dont') friars receive gifts which they never steal.

QUESTIONS

1. Où était le cordonnier juif? 2. Où a-t-on fait rouler Tartarin? 3. Qu'est-ce que le prince a fait? 4. Comment est-il arrivé ici? 5. Comment Tartarin a-t-il expliqué son action? 6. Qu'est-ce que le lion était pour les nègres? 7. De quel couvent faisait-il partie? 8. Qu'est-ce que les moines font dans ce couvent? 9. A quoi servent les dons reçus par les frères quêteurs? 10. Pourquoi les nègres ont-ils montré tant d'humeur?

XVI

(Page 80)

TRANSLATION

1. After several strides the camel lengthened out his long knotty legs. 2. Tartarin picked himself up. 3. He felt himself grow pale, but had to resign himself. 4. Nothing could stop him

any more. 5. One by one the Arabs gesticulated and laughed like madmen. 6. Tartarin clung to the hump and collapsed on it. 7. They had to give up the camel. 8. The old Orient had something fairy-like (about it), but nothing burlesque. 9. Out of consideration for Tartarin the prince wandered from plain to plain for nearly a month. 10. However bizarre their mount was, they felt that it was picturesque.

QUESTIONS

1. Qu'est-ce que le chameau a fait ? 2. Qu'est-ce qui est arrivé à Tartarin et à la chechia au bout de quelques enjambées ? 3. Comment Tartarin se tenait-il sur le chameau ? 4. Comment les Arabes ont-ils fait voir qu'ils s'amusaient à voir courir le chameau ? 5. Tartarin se tenait-il droit ? 6. Pourquoi nos tueurs ont-ils renoncé au chameau ? 7. Quel était l'arrangement de la caravane ? 8. Où Tartarin errait-il ? 9. Quel est le caractère de l'Algérie française ? 10. Comment les parfums du vieil Orient se compliquent-ils ?

XVII

(Page 85)

TRANSLATION

1. The hero awoke at dawn and saw that his treasure was gone. 2. The next day he saw that he had been robbed for the first time. 3. He began to weep bitterly. 4. Now, it was the prince that had deserted him in the heart of Africa. 5. He was sitting there with his head in his hands ; suddenly he saw the camel looking at him. 6. Tartarin was stupefied on seeing the lion come forward. 7. He was ten paces from him, and made the saint's slippers tremble. 8. Everything was there in front of him. 9. Tartarin saw the big negroes running at him. 10. He had just slain the poor tame lion.

QUESTIONS

1. De quoi Tartarin s'est-il acquis la certitude en se réveillant ?
2. Dans quel état se voyait-il ? 3. De quoi doutait-il ? 4. Qu'est devenu le prince ? 5. Dans quelle position Tartarin était-il assis ?
6. Qu'a-t-il vu ? 7. Qu'a-t-il fait ? 8. Après le coup de fusil qu'a-t-on vu dans l'air ? 9. Qu'est-ce que Tartarin a aperçu ?
10. Qu'est-ce que Tartarin a tué ?

XVIII

(Page 90)

TRANSLATION

1. Put not your trust in princes. 2. He raised his head and asked if the captain knew where the prince was. 3. I believe that he even let himself be caught. 4. Besides, I know he saw only the most disagreeable things. 5. Your affair with the prince is known ; you must keep your eyes open mighty wide.
6. From the top of the penitentiary he could see only one side of the city. 7. Do that ; otherwise he will see you somewhere.
8. He courted Baïa from the top of the tower. 9. All that happened ('se passer') under Tartarin's nose. 10. If you'll take my advice, you'll return to ('en') France, for that is not the first time you have been fleeced.

QUESTIONS

1. Qu'est-ce que Tartarin a fait en apprenant que sa Mauresque savait même le marseillais ? 2. Qu'est-ce que Barbassou a dit ? 3. Où était le prince ? 4. Comment l'a-t-on pris ?
5. Qu'avait-il fait à Tarascon ? 6. Qu'est-ce que cela fait comprendre à Tartarin ? 7. Que faut-il faire en Algérie, d'après le capitaine ? 8. Quelle est l'histoire du muezzin ? 9. Quel conseil le capitaine donne-t-il à Tartarin ? 10. Pourquoi Tartarin ne pouvait-il pas suivre ce conseil ?

XIX

(Page 95)

TRANSLATION

1. The strangest effect of the mirage is that it makes a man lie ingenuously. 2. Tartarin had killed only one lion and had sent the skin to Bravida. 3. The telegram had reached Tarascon two hours ahead of him. 4. The camel had preceded Tartarin without knowing it, covered with dust and sweat. 5. He added that the camel had seen him kill all his lions. 6. Thereupon the camel hobbled down the station stairs. 7. That is what brought the Tarasconians' joy to the climax. 8. Tartarin calmly directed his steps toward his house, followed by his fellow-countrymen. 9. Tartarin, red with happiness, began the tale of his hunt. 10. The cap-hunters took his arm familiarly.

QUESTIONS

1. Quelle était la cause de tout ce bruit ? 2. Pourquoi le Midi s'est-il monté la tête ? 3. Quel drame le *Sémaphore* a-t-il inventé ? 4. Qu'est-ce qui était déjà arrivé quand Tartarin a débarqué à Marseille ? 5. Qu'est-ce qui a mis le comble à la joie populaire ? 6. Quel était sur Tartarin l'effet du soleil tarasconnais ? 7. Qu'a-t-il dit ? 8. Qu'a-t-il fait ensuite ? 9. Comment s'est-il dirigé vers la maison du baobab ? 10. Qu'a-t-il dit en commençant le récit de ses chasses ?

VOCABULARY

Numerals refer to notes; the sign "∾" is used in place of a repetition of the word at the head of the paragraph

à at, to, in, on, by, with, within, **4** 8, **18** 25; of, from, till, for, into, **51** 3; engaged in, **10** 22; = assez pour, **2** 2; *for* à l'enseigne de, **49** 11; ∾ l'anglaise *see* anglais; ∾ vous your turn, **8** 9; spectacle ∾ sensations *see* spectacle; mesure ∾ blé *see* mesure, *cf.* **2** 6

abandonner to abandon

abattre to knock down, kill, dishearten; s'∾ to fall, appear

Abd-el-Kader Abd-el-Kader, Algerian rebel chief, **50** 14

aboiement *m.* barking

abord *m.* approach; d'∾ first, at first, before all

aborder to accost

Abraham Abraham

abreuvoir *m.* drinking-place

abrutir to render stupid, stupefy

Abruzzes *f. pl.* Abruzzi, district in Italy, **11** 6

absinthe *f.* absinth

absolument absolutely

acajou *m.* mahogany

accélérer to quicken; pas accéléré quick step, **23** 11

accent *m.* accent

accident *m.* accident

acclamer to acclaim, cheer

accolade *f.* embrace

accompagner to accompany

s'accouder to rest on the elbow

Accoules *f. pl.* Accoules, a church, **34** 13

accourir to run up, assemble

accrocher to hook, get caught (on something); s'∾ to cling

s'accroupir to squat; accroupi -e squatting

accueillir to welcome

s'acharner (à) to persist, be tireless (in the pursuit of a thing)

acheter to buy, **5** 27

achever to finish

acier *m.* steel

acquérir to acquire

action *f.* action

adieu good-by, hello, **13** 7

admettre to admit

administration *f.* administration

admiration *f.* admiration

adorable adorable, lovely

adoration *f.* adoration

adorer to adore

adoucir to soften, mitigate

adresse *f.* address

adresser to address

advenir to happen, **87** 16

affable affable

affaire *f.* affair ; ∽s business ; **avoir ∽ à** to have to do with ; **faire son ∽ de** to attend to, **56** 6

s'affaisser to collapse

affamé -e famished

afficher to bulletin, **93** 33

affirmation *f.* assertion

affliger to afflict, distress

affolé -e panic-stricken, frantic

affreux -se dreadful

affronter to face

s'affubler de to don

affût *m.* hiding-place, watch, ambush ; **à l'∽** in wait, in ambush

africain -e African

Afrique *f.* Africa

aga *m.* aga, **82** 5

âge *m.* age

s'agenouiller to kneel down

agent *m.* agent ; ∽ **d'affaires** business agent

agir to act ; **il s'agit de** the point at stake is

agiter to agitate, shake

agrandir to enlarge

agréable agreeable, charming

agréé *m.* attorney

agrémenter to adorn

aguets *m. pl.* watch ; **aux ∽** on the watch

ah ça come now

ahuri -e dazed

aide *f.* aid

aïe ouch

aigle *m.* eagle

aigreur *f.* sourness, ill humor

aiguille *f.* needle ; **fusil à ∽** needle gun, **18** 5

ail *m.* garlic

aile *f.* wing

d'ailleurs moreover

aimable amiable, lovely

aimant *m.* loadstone, magnet

Aimard Aimard, a novelist, **3** 3

aimer to love, like ; ∽**mieux** to like better, prefer

aînesse *f.* seniority (between brothers) ; **droit d'∽** birthright

ainsi thus ; **et ∽ de suite** and so on

air *m.* air ; **avoir l'∽ (de)** to look, look like, seem, **1** 10 ; **donner un faux ∽ de** to make look like, **56** 27 ; **sur l'∽ de** to the tune of, **69** 8 ; **d'un . . . ∽** with a . . . air, **8** 26

aise *f.* ease ; **à l'∽** comfortable, comfortably, **2** 5 ; **mal à l'∽** uncomfortable, uncomfortably

ajouter to add

Akbar *m.* Akbar, the oldest Algerian newspaper

album *m.* album, note-book

Alcazar *m.* Alcazar, a dance-hall, **36** 25

alerte *f.* alarm

algarade *f.* raid, dispute, **55** 25

Alger *m.* Algiers, **37** 19

Algérie *f.* Algeria

algérien -ne Algerian

Ali Ali

alimentaire alimentary, for food

Allah *m.* Allah (*the Arabic name for God*) ; **92** 1

aller to go, suit, **76** 3 ; **s'en ∽** to go away, **17** 4 ; **va! allons!** come! **36** 18

allonger to stretch, lengthen ; **s'∽** to stretch out, lengthen allume ! quick ! **69** 12

allumer to light

allure *f.* gait

allusion *f.* allusion

aloès *m.* aloe

alors then ; d'∽ of that time

alourdir to make heavy, make dull

alsacien -ne Alsatian, **43** 7, **48** 6

altesse *f.* highness, **56** 33

amalgamer to amalgamate

amant -e lover

amateur *m.* amateur, **18** 4

ambre *m.* amber

âme *f.* soul

amèrement bitterly

américain -e American

ami -e friend

amitié *f.* friendship

amour *m.* love

amoureux -se enamored, passionate

amuser to amuse ; s'∽ à to amuse oneself by

an *m.* year

anchois *m.* anchovy

ancien -ne ancient, former, old

ancre *f.* anchor

âne *m.* ass, donkey

ange *m.* angel

anglais -e English ; à l'∽e in English fashion, **11** 29

angoisse *f.* anguish

animal *m.* animal

animer to animate, enliven, **5** 23

anis *m.* anise ; à l'∽ flavored with anise

Annibal Hannibal, Carthaginian general, **61** 9

annonce *f.* announcement

antique ancient

anxieux -se anxious

août *m.* August ; quinze ∽ **81** 9

apache Apache

apaiser to appease, alleviate

apercevoir to perceive ; s'∽ (de) to notice

apparaître to appear

apparition *f.* appearance

appel *m.* call

appeler to call ; s'∽ to be called, be named

appétissant -e appetizing

appétit *m.* appetite

applaudissement *m.* applause

apporter to bring

apprendre to learn

s'apprêter (à) to prepare (to)

apprivoiser to tame

approcher to approach ; s'∽ (de) to approach, **7** 29

appuyer to lean

après after, afterwards ; well? **55** 15

après-midi *m. f.* afternoon

arabe Arab, Arabian, Arabic

Arabie *f.* Arabia

araignée *f.* spider

arbitre *m.* arbiter, umpire

arbos gigantea Lat. giant tree, **2** 5

arbre *m.* tree

arcade *f.* arcade, arch

arceau *m.* small arch

ardent -e hot, burning, impetuous

ardeur *f.* ardor, eagerness

argent *m.* silver, money

argenté -e silvered, silver

Arles *f.* Arles, **29** 11

arme *f.* arm ; ∽ à feu firearm

armée *f.* army

armement *m.* armament

armer to arm, cock (a gun)

armure *f.* armor, arms

armurier *m.* gunsmith

arnica *m.* arnica

arracher (à) to snatch (from), tear (from), strike (from); **s'∾** (à) to escape (from), **4** 24

arranger to arrange; **s'∾** to place oneself, be arranged, *cf.* **5** 23

arrêt *m.* stop, decision

arrêter to stop; **s'∾** to stop

arrière back; **en ∾** backward, **37** 7; *m.* back, stern

arrivée *f.* arrival

arriver to arrive, come; **en ∾ à** to reach the point of, **16** 19; **∾ sur** to project over, **32** 22

arroser to water, wash down

arsenal *m.* arsenal

artichaut *m.* (globe) artichoke, **46** 19

artifice *m.* art, trick; **feu d' ∾** fireworks

as *m.* ace

Asie *f.* Asia

aspect *m.* aspect, sight

asphyxier to suffocate

assaillir to assail, attack

assassin *m.* murderer

assaut *m.* assault; **prendre d'∾** to take by storm

asseoir to seat; **s'∾** to sit down

assez enough, rather, somewhat

assiéger to besiege

assis -e seated (*from* asseoir)

assoupi -e dozing, asleep

assourdissant -e deafening

assurance *f.* assurance

assurer to assure

astreindre to force

Athènes *f.* Athens

Atlas *m.* Atlas Mountains, **17** *chapter heading*

atmosphère *f.* atmosphere

atroce atrocious, terrible

attacher to attach

attaquer to attack

attardé -e belated

atteindre to strike, reach, catch

atteinte *f.* attack, pang

atteler to harness, hitch up; **attelé de** drawn by

attendre to wait, await; **s'∾ à** to expect; **en attendant** meanwhile

attendrir to move, fill with emotion

attente *f.* waiting; **salle d'∾** waiting-room

attention *f.* attention; look out!

atterrer to strike down, overwhelm

attifer to adorn

attirail *m.* outfit, paraphernalia

attirer to attract, draw, draw upon

attitude *f.* attitude

attrister to sadden

attrouper to assemble

aube *f.* dawn

auberge *f.* inn

aucun -e any, no

audace *f.* boldness

au-dessous *see* **dessous**

au-dessus *see* **dessus**

augmenter to increase

aujourd'hui to-day

auparavant before

auprès (de) near, alongside (of), in comparison (with)

auréoler to surround with a halo

aussi also, too, as, therefore, **5** 32; **∾ . . . que** as . . . as

aussitôt immediately, straightway

autant as much, as many; d'∞ que especially because, 88 3

autorité *f.* authority

autour (de) around, 1 6

autre other, another, 2 11; d'∞s others

autrefois formerly, long ago

autrement otherwise; et ∞ by the way, 21 10

autruche *f.* ostrich

avaler to swallow

avance *f.* advance; d'∞, par ∞, in advance

avancer to advance; s'∞ to advance; avancé -e ahead, 55 26

avant (de) before, forward, 91 10; ∞ peu before long; ∞ que before; en ∞ forward, 37 7; en ∞ de in front of; *m.* front, bow (of a ship)

avantage *m.* advantage

avec with, besides

aventure *f.* adventure

aventureux -se adventurous

aventurier *m.* adventurer

avenue *f.* avenue

aveugle blind

aveuglement *m.* blindness

aveugler to blind

Avignon *m.* Avignon, 1 5

avis *m.* advice, opinion

aviser to consider the matter, reflect

avocassier -ère pettifogging, 86 14

avoine *f.* oats

avoir to have; il y a there is (are), ago, 1 2, 54 1; qu'est-ce qu'il y a? what is the matter? il en a he is hit, 45 29; 14 6, 15 *chapter heading*

avouer to confess

azur *m.* blue

Bab-Azoun Bab-Azoun, street in Algiers, 37 27

babouche *f.* Turkish slipper, 66 12

bachaga *m.* bashaga, 81 5

bâche *f.* wagon-awning, tarpaulin

bafouer to scoff at

bagage *m.*, ∞s *m. pl.*, baggage

bague *f.* ring

bah! bah!

Baïa Baia

baignoire *f.* bath-tub, tank

bâiller to yawn

bain *m.* bath

baïonnette *f.* bayonet

baiser to kiss

baisser to lower; se ∞ to stoop

bal *m.* ball

se balancer to swing

balayette *f.* small broom, 33 27

balayures *f. pl.* sweepings

balcon *m.* balcony

balin-balan *m.* swaying, 63 21

balle *f.* ball, bullet; ∞ explosible 24 29

ballon *m.* balloon

banane *f.* banana

bananier *m.* banana tree

bande *f.* band, flock

bandit *m.* bandit

bandoulière *f.* shoulder belt; en ∞ slung over the shoulder

banlieue *f.* suburbs

banque *f.* bank

baobab *m.* baobab, 1 17

baraque *f.* hut, tent

barbare *m.* barbarian, 40 26

barbaresque Barbary, 39 23

Barbarie *f.* Barbary, 39 23

Barbarin Barbarin, 56 12

Barbassou Barbassou

barbe *f.* beard

barbouiller to smear, muddle

bariolé -e motley

barque *f.* boat

barreau *m.* bar

Bart Jean Bart, naval officer, **33** 11

bas -se low; là-∽ there, yonder; *m.* lower part, stocking; en ∽ below, at the bottom

basque Biscayan, **53** 15

bassin *m.* basin; ∽ de carénage dry dock, **33** 28

bastide *f.*, bastidon *m.*, villa, **46** 24

bastingage *m.* rail (of a ship)

bataille *f.* battle, combat

bateau *m.* boat

bâtiment *m.* building

bâton *m.* stick, cudgel

bâtonner to bastinade

battement *m.* beating, throb

battre to beat, strike, beat for game, **76** 7; se ∽ to fight

battue *f.* hunt, **10** 5

bavard -e garrulous

bazar *m.* bazaar

bé *Provençal for* bien, **19** 5

beau, bel, belle, beautiful, fine; avoir beau ... to ... in vain, **11** 9, for all one may, *p.* 28, *l.* 16; de plus belle louder, **8** 18, *cf.* **86** 1; il y a ∽ jour, long ago, **3** 27

Beaucaire *f.* Beaucaire, **13** 28

beaucoup (de) much, many

beaupré *m.* bowsprit

bécasse *f.* woodcock

Bédouin *m.* Bedouin, **69** 30

bêler to bleat

Bellegarde *f.* Bellegarde, **68** 18

belliqueusement in warlike fashion

ben = bien **49** 1

ben (*Arabic*) son of, **60** *chapter heading*

bercer to rock, lull

berge *f.* bank

besoin *m.* need; au ∽ if need be

bête foolish, stupid, **4** 6

bête *f.* beast, animal, **4** 6

betterave *f.* beet

beurre *m.* butter

bezigue *f.* bezique, **13** 18

Bézuquet Bézuquet

biceps *m.* biceps

bien well, indeed, certainly, very, quite, much, **2** 11; ∽ de + *definite article* much, many; ∽ que although; eh ∽ well; ou ∽ or; si ∽ que so that; *m.* good

bien-être *m.* comfort

bière *f.* beer

bijou *m.* jewel

billard *m.* billiards

billet *m.* ticket, bank note; ∽ de banque bank note

birman -e of Burma, **6** 3

bis (*Lat.*) twice, **8** 6

bise *f.* north wind

biseau *m.* bevel; en ∽ aslant

biskri -e Biskri, Biskran, **88** 20

bizarre strange, queer

bizarrement queerly

blafard -e dull, wan

blague *f.* tobacco pouch

blagueur *m.* joker, humbug

blanc -che white; *noun* white

blanchâtre whitish

blanchisseuse *f.* laundress

blé *m.* wheat

blême wan

bleu -e blue; *m.* blue

Blidah *m.* Blidah, 66 10

blond -e blond, golden

blouse *f.* blouse

boa *m.* boa

bocal *m.* bocal (wide-mouthed glass vessel)

bœuf *m.* ox, beef

boghey *m.* buggy, 33 4

bohème *f.* Bohemia, 86 16

boire to drink

bois *m.* wood, grove

boîte *f.* box

bombé -e swollen, arched

Bombonnel Bombonnel, a hunter, 72 23

Bompard Bompard, 28 12

bon -ne good; ∾ à rien good for nothing; c'est ∾ all right; faire ∾ to be pleasant, 26 27; tenir ∾ to stand firm, 27 16; 58 4

bonasse guileless, 3 13

bondir to bound, leap

bondissement *m.* bound

bonheur *m.* happiness, joy

bonhomme *m.* good fellow, fellow; *adj.* kindly, 2 28

bonne *f.* maid

bonnet *m.* cap

bonsoir *m.* good evening

bonté *f.* kindness

bord *m.* edge, bank; à ∾ on board, 93 22; au ∾ de on the edge (banks) of

borne *f.* boundary, boundary-stone, milestone 69 17

bosse *f.* hump; à ∾ simple one-humped, 85 6

botte *f.* boot

bouche *f.* mouth

boucher *m.* butcher

boucherie *f.* butcher's shop

bouchon *m.* cork

boucler to buckle

bouffant -e puffed out, baggy

bouffée *f.* puff

bouffi -e bloated

bouger to budge, stir

bougie *f.* wax candle

bougonnement *m.* grumbling

bouillir to boil; faire ∾ to boil

bouillon *m.* broth

bouillotte *f.* bouillotte (a game of cards)

boulevard *m.* boulevard

boulot -te plump

boun Diou = bon Dieu, 38 21

bouquet *m.* bouquet, nosegay

bourgade *f.* straggling village

bourgeois -e citizen, bourgeois; *adj.* common, bourgeois

bourrasque *f.* squall

bourrer to stuff, fill

bourriquot *m.* donkey, 47 8

bourse *f.* purse

bousculade *f.* jostling, tussle, scramble

bousculer to jostle

bout *m.* end; venir à ∾ (de) to succeed, dispose (of), 46 7

boutique *f.* shop

bouton *m.* button

boutonner to button, 27 26

bracelet *m.* bracelet, anklet

brancard *m.* shaft, 70 5

branche *f.* branch

brandir to brandish

branle-bas *m.* clearing, 11 20

braquer to point (a telescope)

bras *m.* arm; à ∾ ouverts with open arms; au ∾ de on the arm of

brassière *f.* arm-strap, **67** 15

brave brave, kind, fine, **3** 12

bravement bravely

Bravida Bravida

bravo *m.* bravo, cheer

bref in short

breuvage *m.* potion

bréviaire *m.* breviary, prayer-book

bric-à-brac *m.* bric-a-brac, **33** 8

brick *m.* brig

brider to bridle

brigadier *m.* brigadier

brillant brilliant, shining

brin *m.* blade, sprig, bit

brise *f.* breeze

briser to break

broder to embroider

brodeur *m.* embroiderer

brosser to brush

brosseur *m.* servant (of an officer in the army)

brouette *f.* wheelbarrow

brouillard *m.* fog

brouiller to confuse

broussailles *f. pl.* brushwood, bushes

brr ! brr ! (*shivering*)

bruit *m.* noise, sound, rumor

brûler to burn

brume *f.* fog, haze

brusquement suddenly

brutalité *f.* brutality

bruyamment noisily, loudly

bruyant -e noisy

buée *f.* steam, mist

buisson *f.* bush

buffleterie *f.* strappings, **51** 18

Bullier Bullier, a dance-hall, **54** 8

bureau *m.* office ; ∽ **arabe** Arab office, **77** 23

burlesque burlesque, comical

burnous *m.* burnoose (long, hooded Arab cloak)

butte *f.* hill

ça that, **55** 28 ; **c'est donc** ∽ that's why, **90** 14

cà here ; **ah** ∽ ! come now !

cabane *f.* hut

cabaret *m.* wine-shop, tavern

cabaretier *m.* tavern-keeper

cabine *f.* cabin, stateroom

cabinet *m.* study

cabotin *m.* second-rate actor

cacher to hide

cachette *f.* hiding-place

cactus *m.* cactus

cadavre *m.* corpse

cadet *m.* younger (of brothers), young fellow ; ∽-**Roussel** Young Roussel, **72** 17

cadi *m.* cadi, **81** 8

café *m.* coffee, café

cafetier *m.* proprietor of a café

cage *f.* cage

cahot *m.* jolt

caïd *m.* caid, **81** 12

caille *f.* quail ; **lever la** ∽ to start the game, **57** 18

Caillé Caillé, explorer, **22** 30

caillou *m.* pebble, stone

caisse *f.* case, box

caisson *m.* body (of a carriage)

calebassier *m.* calabash tree

caleçon *m.* drawers

caler to wedge in

à califourchon astraddle

câlin -e caressing, wheedling

calme calm

calmer to calm

camarade *m. f.* comrade

Camargue *f.* the Camargue, delta of the Rhone, 4 19

cambouis *m.* axle-grease

Cambyse Cambyses, king of Persia 22 21

campagne *f.* country

camphre *m.* camphor

camphré -e camphorated

canaille *f.* rabble ; *adj.* vulgar

canard *m.* duck

candide candid, honest

Canebière *f.* the Canebière, street in Marseilles, 32 3

canne *f.* cane ; ∿ à épée sword cane ; ∿ à sucre sugar cane

canon *m.* cannon, barrel (of a gun)

cantharide cantharis ; mouche ∿ Spanish fly, 24 1

cantique *m.* canticle, song ; ∿ des Cantiques 58 27

cantonnier *m.* laborer on the roads

cap *m. obs.* head, 11 17

capable capable

capitaine *m.* captain ; ∿ d'habillement quartermaster

capitonné -e padded, upholstered

Capoue *f.* Capua, city in Italy, 61 9

caprice *m.* whim, fancy

car for

carabine *f.* carbine, rifle, 2 18

caracoler to caper

caractère *m.* character, appearance

caraïbe Carib (Indian), 2 20

caravane *f.* caravan

caravansérail *m.* caravansary, 70 21

carcasse *f.* carcass

carénage *m.* careenage, 33 28; bassin de ∿ dry-dock

caresse *f.* caress

caresser to caress

cargaison *f.* cargo

carnassière *f.* game-bag

carnet *m.* notebook

carnier *m.* game-bag

carotteur *m.* piker, 92 4

caroube *f.* carob pod, carob-bean, 33 19

caroubier *m.* carob, carob-tree, 33 19

carré -e square ; Maison ∿e Maison Carrée, 17 9 ; *m.* square, bed (of a garden)

carrément squarely

carrure *f.* breadth of the shoulders

carte *f.* card ; jouer aux ∿s to play cards

carton *m.* pasteboard, pasteboard box ; ∿ peint 93 5

cartouchière *f.* cartridge-box

cas *m.* case

Casbah *m.* the Kasbah, old citadel of Algiers, 37 27

caserne *f.* barracks

Casino *m.* Casino, a dance-hall, 54 8

casque *m.* helmet ; ∿ à mèche *jocular term for* nightcap, 36 2

casquette *f.* cap

casser to break

casserole *f.* saucepan

casse-tête *m.* war-club, 2 20, 59 29

castagnette *f.* castanet

catalan -e Catalan, of eastern Spain, 2 19

catastrophe *f.* catastrophe

cause *f.* cause ; à ∿ de on account of

causer to cause, talk, chat

cave *f.* cellar

ce this, that, these, those, he, she, it, they ; ∿ qui, ∿ que, what ;

∾ qu'il y a de . . . c'est que, what is . . . is that; est-∾ que . . . ? is it that . . . ? (e.g. est-ce que je suis? am I?); ∾, cet, cette, ces, this, that, these, those; *untranslatable*, **16** 13

ceci this

cédrat *m.* cedrat, **63** 20

cèdre *m.* cedar

ceinture *f.* belt, sash

cela that

célèbre famous

celui, celle, ceux, celles, this, that, these, those, the one, the ones; ∾-ci this one; ∾-là that one

cent hundred

centaine *f.* hundred, about a hundred

centième hundredth

central -e central; maison ∾e penitentiary, **90** 11

cependant meanwhile, however

cercle *m.* circle, club, **7** 21

certain -e certain

certainement certainly

certes certainly, to be sure

certitude *f.* certainty

Cervantes, Michel Cervantes Saavedra, Miguel Cervantes Saavedra, author of "Don Quixote," **10** 13, **39** 24, **40** 1

cerveau *m.* brain

cervelle *f.* brain

cesser to cease

chacal *m.* jackal

chacun -e each, each one

chair *f.* flesh

chaise *f.* chair, chaise

chaleur *f.* heat, warmth

chaloupe *f.* ship's boat, gig

se chamailler to wrangle

chambre *f.* room

chameau *m.* camel; à ∾ by camel

champ *m.* field

champagne *m.* champagne

champêtre rural; garde ∾ rural policeman

champoreau *m.* champoreau, a colonial drink, **70** 14

chance *f.* luck, **12** 28

changer (de) to change, **1** 3

chanson *f.* song

chansonnette *f.* little song, ditty

chant *m.* song

chanter to sing, prate

chapeau *m.* hat

chapelet *m.* chaplet

chapelier *m.* hatter

chaque each

charabia *m.* jargon, **40** 22

charger to load

charmant -e charming

charme *m.* charm

charpentier *m.* carpenter

charrette *f.* cart

charrier to cart, carry

charrue *f.* plow

Chassaing Chassaing, hunter, **73** 20

chasse *f.* hunt, hunting; à la ∾, en ∾, hunting; ∾ à l'ours bear-hunting, ∾ au faucon hawking, **34**; ∾ à la casquette cap-hunting

chasser to hunt, drive away

chasseur *m.* hunter, chasseur; ∾s d'Afrique **43** 5

chat *m.* cat

château *m.* castle

chaud -e warm, hot; fièvre ∾e violent fever; *m.* heat; avoir ∾ to be hot; se mettre au ∾ to find a warm place chauffer to heat, get up steam

chaussée *f.* highway, **12 15**

chausser to put on (stockings, shoes, etc.)

chauve bald, bare

chechia *f.* chechia, Algerian cap, **30 16**

chef *m.* chief; ∾ de gare station-master

Chéliff *m.* Sheliff, chief river of Algeria, **76 7**

chemin m. road, way, **12 22**; ∾ de fer railroad

chemise *f.* shirt; en ∾, en bras de ∾, in shirt-sleeves

chemisette *f.* chemisette, slip

chêne *m.* oak

ch-er -ère dear

chercher to seek

chéti-f -ve frail

cheval *m.* horse

chevaleresque chivalrous

chevalier *m.* knight

chevelure *f.* head of hair, scalp

cheveu *m.* hair

cheville *f.* ankle

chèvre *f.* goat

chevreau *m.* kid

chevrotant -e tremulous

chez at (to) the house (shop) of, among; ∾ lui at home; son ∾ lui his home, **30 29**

chicard *m.* dandy, **54 9**

chien *m.* dog

chinois -e Chinese

chiourme *f.* gang of galley slaves, body of convicts

chocolat *m.* chocolate

chœur *m.* chorus

choir to fall

chômer to stop working, be idle

chose *f.* thing, affair; autre ∾ que anything but

chou-fleur *m.* cauliflower

chrétien -ne Christian

Christ Christ, **85 9**

chuchotement *m.* whispering

chut hush

-ci here

ciel *m.* sky, heaven

cigare *m.* cigar

cigarette *f.* cigarette

cigüe *f.* (poison) hemlock, **31 16**

cimetière *m.* cemetery

cinq five

cinquante fifty

cinquième fifth

cirage *m.* blacking; boîte à ∾ blacking box

Circé Circe, enchantress, **62 14**

circonstance *f.* circumstance, occasion

cité *f.* city, the City, **52 29**

citer to quote

civil -e civil; au ∾ in the civil court

civiliser to civilize

clair -e clear; *m.* light; ∾ de lune moonlight

clairon *m.* bugle

clameur *f.* clamor

claquer to crack, chatter (of teeth)

classe *f.* class

classique classic

clignement *m.* winking

cligner de l'œil to wink, **8 25**

clignoter to blink

climat *m.* climate

clin d'œil *m.* wink

cloche *f.* bell, **29 10**

à cloche-pied hobbling, **95 12**

clocher *m.* bell-tower, steeple

cloître *m.* cloister

clos -e closed, cozy; *m.* inclosure, garden

clouer to nail

clovisse *f.* clam

cocasse bizarre, ludicrous

cochinchinois -e Cochin-Chinese, **87** 12

cocotier *m.* cocoa tree

cocotte *f.* cocotte, woman of ill repute

code *m.* code

cœur *m.* heart; de bon ∾ heartily; faire le joli ∾ to show off; joli comme un ∾ pretty as a pink

coffre *m.* coffer

cohue *f.* confused throng

coiffer to put on one's head (a hat)

coiffure *f.* head-dress

coin *m.* corner

coïncidence *f.* coincidence

col *m.* neck, **93** 18

colère *f.* anger

colique *f.* colic

colis *m.* package, piece of baggage

collégien *m.* schoolboy, **69** 23

collègue *m.* comrade, **64** 28

coller to glue, fasten; collant -e tight-fitting

collet *m.* collar

colline *f.* hill

collinette *f.* little hill, **33** 27

colon *m.* colonist

colonel *m.* colonel

colonial -e colonial

colza *m.* rape, colza, rapeseed, **33** 19

comanche Comanche

combat *m.* fight, combat

combattre to fight

combien (de) how much, how many

comble *m.* height, climax

comique comic, humorous

comiquement comically

commandant *m.* commandant

commander to command, order

comme as, **32** 17, like, how, **18** 17, as if, as it were, **29** 22; tout ∾ all the same, **16** 11

commémorati-f -ve commemorative

commencer to commence

comment how, what! ∾ ça! how is that!

commentaire *m.* commentary, **56** 30

commerçant *m.* tradesman

commerce *m.* business, commerce; haut ∾ commerce, **15** *chapter heading*

commis *m.* clerk

commissionaire *m.* porter, errand-boy

commode easy, comfortable, accommodating

commode *f.* bureau

commun -e common

commune *f.* commune, **17** 14

compagnie *f.* company

compagnon *m.* companion, journeyman; canne de ∾ stout cane, **41** 3

compartiment *m.* compartment

compassé -e stiff

compatriote *m.f.* fellow-countryman

complaisance *f.* kindness

compl-et -ète full, **50** 8

complexion *f.* construction, workmanship

compliquer to complicate; se ∾ de **80** 27

composer to compose

comprendre to understand; *with* à, 69 33

comptable *m.* accountant, business man

compte *m.* account; à meilleur ∽ cheaper; en fin de ∽ in the end; son ∽ all he wants, 45 30

compter to count, count on

comptoir *m.* counter, office

concerter to plot; se ∽ to put (their) heads together

conciliabule *m.* conference

concitoyen -ne fellow-citizen

conducteur *m.* conductor

conduire to conduct, lead, take

confection *f.* ready-made garment

confectionner to make up

confier to intrust

confiture *f.* sweetmeat, preserve

confondre to confuse, blend

confus -e confused, embarrassed, bewildered

connaissance *f.* acquaintance

connaître to know, become acquainted with; s'y ∽ to be an expert in, 9 7

conscience *f.* conscience

conseil *m.* counsel, advice, bit of advice, council

consentir to consent

conséquence *f.* consequence

conserve *f.* consort, 93 16; *pl.* preserves; ∽s alimentaires canned goods

considérable considerable, extensive, imposing

consister to consist

consommer to consume

consomption *f.* consumption; mourir de ∽ to waste away

Constantinople *f.* Constantinople

constellé -e bestarred

consterné -e dismayed

constitution *f.* constitution

consulaire consular

contact *m.* contact, touch

contempler to contemplate, gaze upon

content -e satisfied

contenter to satisfy; se ∽ de to be satisfied with

continuer to continue

contraire contrary; au ∽ on the contrary

contre against

contredanse *f.* quadrille

contrôle *m.* control

convenance *f.* fitness; à sa ∽ satisfactory

convention *f.* agreement

conviction *f.* conviction

convulsi-f -ve convulsive

convulsion *f.* convulsive movement

convulsionné -e convulsed

Cook Captain Cook, 3 3

Cooper James Fenimore Cooper, 3 3

coque *f.* hull

coquillage *m.* shell-fish

coquin *m.* rascal

cor *m.* horn; ∽ de chasse hunting-horn

Coran *m.* Koran, 81 9

corbeau *m.* crow

cordage *m.* cordage

corde *f.* cord, rope

cordon *m.* cord, ribbon

cordonnier *m.* shoemaker

corps *m.* body, corps, flesh, 68 20; les coudes au ∽ elbows close to the body; ∾ de garde guard-house; à ∾ perdu headlong, **93** 15

corpulence *f.* corpulence

corricolo *m.* corricolo, Neapolitan gig, **43** 4

corriger to correct

corse Corsican

corselet *m.* corselet, bodice

Costecalde Costecalde

costume *m.* costume

côte *f.* coast, shore, slope, side, rib

côté *m.* side; à ∾ (de) next (to), beside, adjoining; à ses ∾s at his side, **37** 26; de tous ∾s on all sides; du ∾ de in the neighborhood of, towards; d'un ∾ on one side

coteau *m.* hill-slope

cotonnier *m.* cotton plant

cou *m.* neck

coucher to lay, put to bed, sleep; se ∾ to lie down, go to bed; couché -e lying

couchette *f.* berth

coude *m.* elbow

coudre to sew

couleur *f.* color

coulevrine *f.* culverin, **33** 9

couloir *m.* corridor

coup *m.* blow, attack, shot, trick; à ∾s de with blows of; ∾ d'épée sword-thrust; ∾ d'épingle pin-prick; ∾ de feu shot, report (of a gun); ∾ de fusil shot; ∾ de main sudden attack, **77** 25; ∾ d'œil glance, sight, **54** 12, **78** 31; ∾ de pied kick; ∾ de tonnerre clap of thunder; ∾ de vent gust of wind, gale; faire les cent ∾s

to run riot, **3** 25; rifle à deux ∾s double-barreled rifle, **14** 32; pour le ∾ for the nonce, thereupon; tout à ∾ suddenly

coupable culpable, guilty

coup-de-poing *m.* brass knuckles; ∾ à pointes de fer iron-spiked brass knuckles

coupe-gorge *m.* haunt of cut-throats, **12** 25

couple *m.* couple, span

coupole *f.* cupola

cour *f.* court, courtyard; faire la ∾ à to court, **26** 5

courage *m.* courage, energy, **36** 15

couramment fluently

courant -e current

courir to run, roam

cours *m.* promenade, **12** 21

course *f.* running, running about, excursion, expedition

court -e short

coussin *m.* cushion

couteau *m.* knife; ∾ de chasse hunting knife; ∾-poignard dagger-knife, ∾-revolver pistol-dirk, **2** 19

coutelas *m.* cutlass; ∾ de chasse large hunting knife

couvent *m.* convent

couvercle *m.* cover

couverture *f.* blanket

couvrir to cover

craindre to fear

se cramponner to cling

crâne *m.* skull

craquer to crack, creak

Crau *m.* the Crau, a stony plain, **94** 14

cravache *f.* riding whip

cravate *f.* cravat

crépu -e woolly, curly

crépuscule _m._ twilight

Crescia _f._ Crescia, in Algeria, **42** 15

crever, se ∞, to burst, die

cri _m._ cry

cribler to sift, riddle

crier to cry, cry out, squeak, bleat

crinière _f._ mane

crochet _m._ hook, turn

crocodile _m._ crocodile

croire to believe; ∞ **à** to believe in, **6** 14, **77** 25; ∞ **bien** to be sure

croiser to cross; ∞ **la baïonnette** to stand at charge-bayonets

croix _f._ cross

croquer to munch, eat

crosse _f._ stock (of a gun)

croupe _f._ crupper, hind quarters (of a horse); **en ∞ (de)** riding behind, **29** 11

croupir to stagnate, rot

croustade _f._ crusty pie, **91** 5

croûte _f._ crust (of bread)

croyant -e believer, faithful

cru -e raw

cru _m._ local product, **26** 6

cruel -le cruel

Crusoé Crusoe, **41** 24

cueillir to pluck (flowers)

cuillerée _f._ spoonful

cuir _m._ leather, **36** 15

cuirasse _f._ cuirass

cuire to cook, roast

cuisine _f._ kitchen; **faire la ∞** to cook

cuivre _m._ copper

culasse _f._ breech (of a firearm)

cul-blanc _m._ snipe

cultiver to cultivate

culture _f._ culture, cultivation

curé _m._ parish priest

curieu-x -se curious

curiosité _f._ curiosity

cynégétique cynegetic, relating to hunting (cynegetics)

dague _f._ dagger

dame _f._ lady

damner to damn; **damné -e** cursed

se dandiner to shamble along

danger _m._ danger

dans in, into, to, among, **26** 24

danse _f._ dance

danser to dance

Danube _m._ Danube (river)

date _f._ date

daube _f._ stew, **5** 11

davantage more

de of, **1** 12, **79** 15, from, **31** 20, in, on, to, at, with, **8** 25, **19** 1, **51** 20, about, for, **51** 28, by, **42** 25, than; _omitted in translation, of time_ **69** 24, _of distance_ **50** 19, _introducing historical infinitive_ **72** 17, _in partitive uses_ **23** 16, **8** 1, _translated by transposition of nouns_ **1** 5, **2** 6, **30** 14

débardeur _m._ stevedore, **54** 9

débarquant -e newly-landed person

débarquement _m._ landing

débarquer to disembark

débarrasser to rid

déboucher to debouch, issue, **32** 3

déboucler to unbuckle

debout standing

débris _m._ remains

début _m._ beginning

décapiter to decapitate

décembre _m._ December

décharger to unload

déchiqueter to hack to shreds, **86** 20

déchirement *m.* tearing, discord

déchirer to tear; **déchirant** -e piercing

décider to decide; **se** ∾ (**à**) to decide

déclaration *f.* declaration; **faire des** ∾**s** to make love, **90** 23

déclarer to declare

déclassé -e declassed, out of place

décolérer (*cf.* **colère**) to lay aside one's wrath

se déconcerter to become (be) disconcerted

découdre to unsew, rip; **en** ∾ to fight it out (*on en see* **8** 19)

découper to cut into pieces, to cut out, make a silhouette of, **63** 5; **en fer découpé** open-work iron

décourager to discourage; **se** ∾ to get discouraged, **5** 23

découvrir to discover; **se** ∾ to take off one's hat

décrocher to unhook, take down

décrotteur *m.* bootblack

dédaigneusement disdainfully

dédaigneu-x -se disdainful

dedans inside

déesse *f.* goddess

défaillance *f.* weakness

défaire to undo; **se** ∾ (**de**) to rid oneself (of)

défection *f.* defection

défendre to defend

défi *m.* defiance, challenge

défier to defy

défiler to march by

défroque *f.* cast-offs, **66** 12

se défubler (**de**) to strip oneself (of)

défunt -e defunct

dégaîner to unsheathe, draw

dégarnir to strip, clear

dégringolade *f.* tumble, tumbling crowd, avalanche

dégringoler to tumble down

dehors outside; *m.* outside; **du** ∾ from the outside, **1** 10; **en** ∾ outside; **par** ∾ on the outside

déjà already, all the same, **2** 7

déjeuner to breakfast, lunch; *m.* breakfast, lunch

délayer to dissolve

se délecter (**à**) to take delight (in), be delighted (with)

délicat -e delicate

délice *m.*, ∾**s** *f. pl.*, delight, rapture

délicieu-x -se delicious, delightful, charming

délimitation *f.* delimitation

délinquant -e delinquent

déloyal -e disloyal, treacherous, unfair

demain to-morrow

demander to ask, ask for; **ne pas** ∾ **mieux 55** 17; **se** ∾ to ask oneself, wonder

démarche *f.* gait, bearing

démarrer to unmoor, cast off

se démener to bustle about

demeure *f.* dwelling

demi-douzaine *f.* half-dozen

demi-heure *f.* half-hour

demoiselle *f.* young lady

démonter to take down

démontrer to demonstrate

dent *f.* tooth; **aux** ∾**s** between one's teeth

départ *m.* departure

dépecer to cut up

dépit *m.* vexation; **en** ∾ **de** in spite of

déplaire (**à**) to displease, **76** 4

déployer to open

dépolir to take off the polish, render dull

déporter to deport, exile

déposer to deposit

dépouille *f.* spoil, trophy

depuis since, from, for; ∾ long-temps long ago; ∾ que since; ∾ ... que in ... that, 7 4; ∾ ... jusque from ... to

dérision *f.* derision, mockery; par une ∾ du destin by the irony of fate

derni-er -ère last

déroute *f.* rout; en ∾ routed, ruined

derrière behind, in back, after; *m.* le ∾ sur sitting on

dès from the time of, as early as; ∾ l'aube at dawn; ∾ que as soon as

désagréable disagreeable

désappointer to disappoint

désarmer to disarm

désastreu-x -se disastrous

descendre to descend, alight, stop (at a hotel)

descente *f.* descent, attack

désert -e deserted; *m.* desert

désespérer to despair; désespéré -e desperate

déshabiller to undress

déshonorant -e dishonorable

désigner to designate

désillusion *f.* disillusion

désir *m.* desire

désirer to desire

désolé -e desolate

dessécher to dry up

desserrer to loosen

dessous under; au-∾ (de) beneath

dessus upon, on, above, 1 6; au-∾ (de) above

destin *m.* destiny, fate

destinée *f.* destiny, fate

détacher to detach

détail *m.* detail; au ∾ at retail, 87 7

détailler to detail, specify in detail

détaler to dash away, 69 15

dételer to unhitch

détente *f.* trigger

détonation *f.* detonation, popping

détour *m.* turn, turning; au ∾ de at the turn of, on turning; faire un ∾ to take a roundabout way

détourné -e out of the way

deuil *m.* mourning, 4 32

deux two; tous ∾ both

deuxième second

devancer to precede

devant before, in front (of), 1 6, = avant, 80 19; *m.* front, the space in front; pattes de ∾ fore-paws

devanture *f.* show-window

devenir to become, 65 15

devers near; par ∾ lui in his possession

deviner to divine, guess

devoir to owe, ought, 2 10; *m.* duty

dévorer to devour, consume

dévotement devoutly

dévotion *f.* devotion

dévouement *m.* devotion

diable *m.* devil, fellow, deuce, 4 14; ∾ de deuced, astonishing, 1 12; que ∾! hang it all! 22 27; ∾ au vert a long way off, 13 21

diablement deucedly, 4 14

diabolique diabolical

dialogue *m.* dialogue

diane *f.* reveille

diantre deuce, **13** 21

dicter to dictate

Dieu *m.* God, **4** 14 ; bon ∾ ! juste ∾ ! mon ∾ ! mille dieux ! good heavens ! for heaven's sake ! bless my soul ! surely !

diffa *f.* diffa, Arab reception, **82** 10

différent -e different

difficile difficult

digérer to digest

digne worthy

dignité *f.* dignity

*digo-li . . . Provençal=*dis-lui qu'il vienne, mon bon, **89** 29

diligence *f.* stage-coach

dimanche *m.* Sunday ; le ∾ on Sunday(s)

dindon *m.* turkey

dîner to dine ; *m.* dinner

Diou Provençal = Dieu

dire to say, tell, sing, **7** 26 ; c'est-à-∾ that is to say ; je ne dis pas perhaps, **21** 23 ; on dirait that looks like, **63** 27

direction *f.* direction, management

diriger to direct ; se ∾ to direct one's steps, proceed

discr-et -ète discreet, dim, **44** 28

discrètement discreetly

discrétion *f.* discretion ; par ∾ discreetly, considerately

discussion *f.* discussion

discuter to discuss

disparaître to disappear

disperser to disperse

se disposer (à) to prepare (to)

disputer to dispute ; ∾ . . . à to fight over . . . with ; se ∾ to quarrel (with one another) over

distinct -e distinct

distraction *f.* diversion

distraire to distract, entertain

distribution *f.* distribution

divan *m.* divan

dix ten

docteur *m.* doctor

doigt *m.* finger ; deux ∾s de a little, **26** 5

domestique domestic

dominer to dominate, command a view of

dompteur *m.* tamer, conqueror

don *m.* gift

don Quichotte Don Quixote, **10** 13

donc then, therefore, and so, now ; *for mere emphasis*, **74** 17, **75** 16

donner to give

dont of which, from which, of whom, from whom, whose

dorer to gild ; doré -e gilded, gold

dormir to sleep

dorure *f.* gilding

dos *m.* back

dossier *m.* bundle of papers, brief

douanier *m.* custom-house officer

douar *m.* douar, an Arab village, **80** 25

doublage *m.* lining, binding

double double

doubler to double, line, bind

doucement sweetly, gently

douillet -te effeminate, delicate

douleur *f.* sorrow

douro *m.* dollar, **48** 21

doute *m.* doubt

douter (de) to doubt

dou-x -ce sweet, gentle, quiet

douzaine *f.* dozen

douze twelve

drame *m.* drama

drap *m.* cloth, sheet; *translate* coat, 11 24

drapeau *m.* flag

dresser to raise; ∞ procès-verbal to draw up an official report; se ∞ to stand erect, stand on end, rise

droit -e right; *m.* right; *adv.* straight

droite *f.* right (hand, side); à ∞, de ∞, to the right

drôle funny; *m.* rascal

dromadaire *m.* dromedary, 93 6

Duguay-Trouin Duguay-Trouin, naval officer, 33 11

duo *m.* duet

dur -e hard, rough

durant during, 53 5

durer to last

Duveyrier Duveyrier, explorer, 22 31

dysenterie *f.* dysentery

eau *f.* water

eau-de-vie *f.* brandy

ébaucher to sketch, begin

ébène *f.* ebony

éblouir to dazzle

ébranler to shake; s'∞ to start up

écarter to put aside, spread out; s'∞ to turn aside, divide

échafaudage *m.* scaffolding

échanger to exchange

échapper (à) to escape, 4 24; l'∞ belle to have a narrow escape, 86 1

échaudé échaudé, a light pastry

échaudement *m.* scalding

s'échelonner to rise in terraces

échine *f.* spine, back

écho *m.* echo

échoppe *f.* booth, stall

éclair *m.* flash, flash of lightning

éclaircie *f.* clearing, clear spot

éclat *m.* fragment, piece, brilliancy

éclater to burst, burst forth; ∞ de rire to burst out laughing

écœurant -e disheartening, sickening

écornifler to tear

écouter to listen, listen to

s'écrier to exclaim

écrire to write

écriteau *m.* sign, notice

édenté -e toothless

effaré -e terrified, wild

effet *m.* effect; en ∞ in fact

effleurer to skim over, brush lightly

effrayer to frighten, startle; s'∞ to take fright

effroi *m.* fright

effroyable terrible

égal -e equal; c'est ∞ all the same, 2 6

égard *m.* regard; par ∞ pour out of respect for

s'égarer to stray

église *f.* church

égorger to cut the throat of, kill

s'égrener to strip (grain, etc.), 63 4

eh eh; ∞ bien well, well then; ∞ quoi ! what!

élan *m.* start, impetus

s'élancer to leap forth, rush

éléphant *m.* elephant

éléphantiasis *m.* elephantiasis, 22 16

élever to raise; bien élevé well bred; s'∞ to rise

elle -s she, it, they; ∞s-mêmes themselves

éloigner to remove; **s'∾** to go (far) away

éloquence *f.* eloquence

émanation *f.* emanation, odor

emballer to pack up

embarcadère *m.* wharf, platform (of a railway station)

s'embarquer to embark; **embarque !** all aboard !

embarrasser to embarrass

emblématique symbolical

emboîter to joint; **∾ le pas** to march in lock step, **19** 8

embrasé -e flaming

embrasser to kiss

s'embusquer to hide oneself (in ambush); **embusqué -e** lying in ambush

émietter to break to bits

émigrant -e emigrating

emmener to take (carry) away, take along

émotion *f.* emotion

empêcher to prevent; **s'∾ de** to keep from, avoid

empester to infect

empêtrer to entangle

empiler to pile up

emplette *f.* purchase

empoisonner to poison; **empoisonné -e** poisoned, poisonous

emporter to carry away, take along

empressement *m.* eagerness, assiduous attention

emprunter to borrow

ému -e moved, stirred, filled with emotion (*from* **émouvoir**)

en in, into, on, like a, **5** 20, made of, **30** 14; (+ *pres. part.*) while, **3** 10, **51** 14

en thence; some, any, of (from) him (her, it, them); *redundant*, **8** 19; = **de** + *pronoun*, **1** 3; *anticipating*, **32** 5

encadrement *m.* frame; **∾ de la porte** doorway

enchevêtrement *m.* entanglement

encolure *f.* neck and shoulders

encombrement *m.* crowd, crowding, throng, mass

encombrer to encumber, embarrass

encore again, still, yet, too, **18** 31, after all, **87** 20; **∾ un** another, one more; . . . **∾** keep on . . ., **91** 16

endormir to put to sleep; **s'∾** to go to sleep; **endormi -e** asleep, sleeping

endroit *m.* place, spot

énergie *f.* energy

énergique energetic

enfant *m.* child; **d'∾** childish

enfantin -e childlike, childish

enfiler to thread, **42** 28

enfin finally, in short, after all, surely, pray, **68** 24

enflammer to inflame

enfoncer to plunge; **s'∾** to plunge, bury oneself

s'enfuir to flee

enfumé -e smoked, smoky

engager to engage, advise

engin *m.* engine

engloutir to swallow up

engouement infatuation, fad

enjambée *f.* stride; **à grandes ∾s** with long strides

enlever to carry away, carry off, raise

ennemi -e enemy

s'ennuyer to be annoyed, be bored

énorme enormous

enragé -e mad, terrible; *m.* enthusiast, **4** 31

enregistrement *m.* registration; receveur de l'∾ recorder, **6** 23

s'enrhumer to catch cold

enroué -e hoarse

enseigne *f.* sign; *cf.* **49** 11

ensemble together

ensuite then, next

entasser to pile up

entendre to hear, understand; bien entendu of course, **2** 3; s'∾ to come to an understanding, **16** 29

enterrer to bury

s'entêter (à) to persist (in)

enthousiasme *m.* enthusiasm

enthousiaste enthusiastic

enti-er -ère whole; tout ∾ à engrossed in, **81** 30

entourer to surround

entrailles *f. pl.* entrails, interior

entraînement *m.* training

entraîner to carry away, drag away; s'∾ to train

entre between, among, in, **18** 24

entrée *f.* entrance, **51** 10

entrepont *m.* between-decks

entreprendre to undertake

entrer (dans) to enter

entretenir to keep, keep up (a road)

entretien *m.* maintenance

entrevoir to see vaguely, catch a glimpse of

entrevue *f.* interview

envahir to invade

enveloppe *f.* envelope

envelopper to envelop

envie *f.* desire; avoir ∾ de to wish, feel like

environs *m. pl.* environs, neighborhood

envoi *m.* sending, thing sent, missive

envoyer to send

épais -se thick

éparpiller to scatter about

épars -e scattered

épaule *f.* shoulder

épave *f.* wreck, castaway

épée *f.* sword

éperon *m.* beak (of ship), **93** 18

épice *f.* spice

épicier *m.* grocer

épigramme *f.* epigram

épingle *f.* pin

épisode *m.* episode

éployé -e spread, with outspread wings

s'éponger to sponge, mop (the brow)

époque *f.* epoch, time

épouse *f.* spouse, wife

épouvantable frightful

épouvanter to terrify

épreuve *f.* trial, proof; à toute ∾ proof against anything, **88** 2

éprouver to feel, experience

équarrisseur *m.* slaughterer, **43** 12–13

équipe *f.* homme d'∾ station hand, **31** 23

équiper to equip

errer to wander

Ésaü Esau

escadron *m.* squadron

escalier *m.* stairway, stairs

escorte *f.* escort

escrimer: s'∾ to exert oneself, **46** 8

espacer to space, **69** 17

espagnol -e Spanish, Spaniard

espèce *f.* kind

espérance *f.* hope

espérer to hope

esplanade *f.* esplanade

s'esquiver to slip away

essayer (de) to try

essieu *m.* axle

essor *m.* flight, impulse

essoufflé -e breathless

estime *f.* esteem

estomac *m.* stomach

et and, **23** 16, **72** 17

établir to establish

étage *m.* story (of a building)

étagère *f.* cabinet, **17** 9

étalage *m.* display, **37** 22

étaler to stretch out, display

étancher to stanch, stop

étape *f.* stage, march

état *m.* state, condition

état-major *m.* staff

été *m.* summer

éteindre to extinguish; **éteint -e** extinguished, dark

étendre to stretch out

éternel -le eternal, everlasting

étinceler to sparkle

étincelle *f.* spark

étiqueter to label

étirer to stretch; **s'∾** to stretch out

étoile *f.* star; **aux ∾s** by starlight; **à la belle ∾** under the open sky

étonner to astonish, startle; **s'∾** to be astonished

étouffer to smother

étoupe *f.* tow, oakum

étourdir to bewilder

étrange strange

étrang-er -ère foreign

étrangler to strangle

être to be; **soit** either, **20** 10; **14** 4, **15** *chapter heading*, **44** 7

étrier *m.* stirrup

étroit -e narrow

eunuque *m.* eunuch

Europe *f.* Europe

européen -ne European

eux they, them; **∾-mêmes** themselves

évasi-f -ve evasive

éveil *m.* awakening, warning

éveiller to awaken; **s'∾** to awake

événement *m.* event

éventrer to disembowel

évêque *m.* bishop

éviter to avoid

exagérer to exaggerate

exalter to exalt; **s'∾** to become excited; **exalté -e** excited

excellence *f.* excellence; **par ∾** preëminently, above all others

excellent -e excellent

excessivement excessively, greatly

excitation *f.* excitement

exclamation *f.* exclamation

excursion *f.* expedition

exemple *m.* example; **par ∾** for example, I assure you, indeed, **11** 24; **à l'∾ de** like

exempt -e exempt

exercer to exercise; **s'∾** to practice

exercice *m.* exercise, drill; **faire l'∾** to drill

exigence *f.* exigence, need

exiler to exile

existence *f.* existence

exotique exotic

expédition *f.* expedition

expirer to expire
explication *f.* explanation
expliquer to explain
explosible explosive, **24** 29
exposer to expose, exhibit
express *m.* express (train)
expression *f.* expression
s'extasier to be in ecstasy
exterminer to exterminate
extraordinaire extraordinary
ex-voto *m.* ex-voto, **83** 8

fabuleu-x -se fabulous, storied
face *f.* face; en ∽ (de) facing,
opposite, **85** 13
fâcher to anger; fâché -e angry,
sorry; se ∽ to be angry
facile easy
facilement easily
façon *f.* manner, way; de ∽ à ce
que in such a way that
fade tasteless, stale
faillir to fail; ∽ ... to almost ...,
15 13
faim *f.* hunger
faire to make, do; = dire, **21** 22,
82 20; to play (cards), **13** 18; *of
the weather* to be, **49** 24; ∽ bon
to be pleasant, **26** 27; ∽ de to do
with; ∽ voir to show; ∽ une
scène à *see* scène; se ∽ to be,
become, **5** 23, **44** 15; ∽ + *inf.* to
cause, **7** 18, **7** 25; se ∽ à to accustom oneself to; ∽ bien to be fit-
ting, **78** 31; ne ∽ que ... to merely
..., **60** 9; pourquoi ∽? what for?
38 21; ∽ foi *see* foi; ∽ la cour à
see cour; ∽ fureur *see* fureur; ∽
mauvais ménage *see* ménage; ∽ un
tour *see* tour; se ∽ fort de *see* fort

fait *m.* fact; au ∽ as a matter of
fact; en ∽ de in the way of
falloir to be necessary, be needed; il
fallait voir you should have seen,
24 3; il lui faut he must have
falot -e droll
fameu-x -se famous
familial -e family
familiariser to familiarize
familièrement familiarly
famille *f.* family; en ∽ among
themselves
fanatique fanatic
fané -e faded, withered
fanfare *f.* flourish of trumpets,
horn-blast
fantasia *f.* fantasia, Arab equestrian exhibition, **82** 10
fantastique fantastic, grotesque
farce *f.* drollery, trick
farceu-r -se funny, droll; *noun*
trickster, crook, fraud
farouche fierce
fatal -e fatal
fatigue *f.* fatigue, hardship
faubourg *m.* faubourg, **43** 2, **49** 7
faucon *m.* falcon; chasse au ∽ *see*
chasse
faute *f.* fault
fauteuil *m.* armchair
fauve tawny; *m.* wild beast
fau-x -sse false
faveur *f.* favor
fée *f.* fairy
féerique fairy-like
feindre to feign, pretend
fêlé -e cracked
félicitation *f.* congratulation
félins *m. pl.* felines
femelle *f.* female

femme *f.* woman, wife

fendre to cleave, break through; se ∾ to lunge, **11** 27

fenêtre *f.* window

Fenimore Cooper *see* **Cooper**

fer *m.* iron; **friser au petit** ∾ to curl hair tightly, **56** 25

ferme firm; **terre** ∾ terra firma, dry land

ferme *f.* farm, farmhouse

fermer to close, lock, clench

fermoir *m.* clasp

féroce fierce

férocité *f.* ferocity

ferraille *f.* old iron

ferré -e iron-shod, versed

féru -e smitten

fête *f.* feast, reception

feu -e late, **22** 21

feu *m.* fire; ∾! fire! **arme à** ∾ firearm; ∾ **d'artifice** fireworks; **en** ∾ on fire, flashing

feuille *f.* leaf, sheet (of paper); ∾ **de route** itinerary

fez *m.* fez, **33** 25

fi! fie! ∾ **donc!** pish!

fiacre *m.* cab

ficelle *f.* string

fidèle faithful

fidélité *f.* fidelity

fi-er -ère proud

fièrement proudly, boldly

fierté *f.* pride

fièvre *f.* fever

fiévreusement feverishly

fiévreu-x -se feverish

figuier *m.* fig tree; ∾ **de Barbarie** prickly pear

figure *f.* face

se figurer to imagine

fil *m.* thread; **au** ∾ **d'argent** with silver thread, **77** 1

filer to spin, scamper off, **84** 23

filet *m.* net

fille *f.* daughter, girl

fils *m.* son

fin -e fine, delicate

fin *f.* end; **à la** ∾ finally, **93** 21

finaud -e shrewd

finir to finish, end

fiole *f.* phial, bottle

fixe fixed

fixer to fix, fix one's eyes upon

flacon *m.* flask

flairer to scent, sniff at

flambeau *m.* torch; **aux** ∾**x** by torchlight

flamber to flash, singe

flamboyant -e blazing, gleaming

flanc *m.* flank, side; **aux** ∾**s de** alongside, **93** 19

flanelle *f.* flannel

flaque *f.* pool

flasque flabby

flèche *f.* arrow

flegme *m.* composure

fleur *f.* flower; **en** ∾**s** flowered

fleuri -e in flower

flot *m.* wave, flood, tassel

flotter to float

foi *f.* faith, pledge; **de bonne** ∾ in good faith; **faire** ∾ to be trusted, **26** 2; **ma** ∾**!** upon my word!

foin *m.* hay

foire *f.* fair

fois *f.* time; **par trois** ∾ three times; **que de** ∾ how many times, **10** 24; **une** ∾ once; **encore une** ∾ once more; **une** ∾ **que** when once folie *f.* folly, passion, craze

fonction *f.* function

fond *m.* bottom, background; à ∽ thoroughly; au ∽ at the bottom, at the back, at heart; au ∽ de in the depths of, at the back of; à triple ∽ triple-bottomed

fonder to found

fondre to melt; ∽ sur to fall upon

fontaine *f.* fountain

forban *m.* pirate

force *f.* strength; à ∽ de by dint of; à toute ∽ at any cost; de première ∽ very strong; ∽s strength; de toutes ses ∽s with all one's might

forcer to force

formellement formally, positively

former to form

formidable formidable, terrible, tremendous

formule *f.* formula, rule

fort -e strong, heavy; *adv.* very, hard, loudly; se faire ∽ de to guarantee; le plus ∽ the best of it all

fort *m.* fort

fortement strongly

fossé *m.* ditch

fou, fol, folle, mad, wild; *noun* lunatic

fouchtra *m.* rascal, 27 14

fouet *m.* whip

fouetter to whip

fougueu-x -se impetuous

fouiller to search, explore

fouillis *m.* confusion, confused mass

foulard *m.* silk handkerchief, muffler; ∽ de tête kerchief, 10 27

foule *f.* crowd

fouler to trample

fourgon *m.* army wagon; ∽ du train army wagon, 43 4

fourmillement *m.* swarming, buzzing

fourrer to stuff, thrust

fourrure *f.* fur, hide

foyer *m.* lobby

fragilité *f.* fragility

fragment *m.* fragment

fraîcheur *f.* coolness, dampness

fra-is -îche fresh, cool; *adv.* freshly, 69 24; *m.* coolness; au bon ∽ in the fresh air, 77 23

frais *m. pl.* expenses, costs

franc *m.* franc (about 20 cents)

français -e French, Frenchman

France *f.* France

frapper to strike, rap

frayeur *f.* fright

fredon *m.* hum, tinkle

frégate *f.* frigate

frêle frail

frémir to shudder, quiver

frère *m.* brother, friar

fréter to charter, 42 22

frétillement *m.* frisking

frétiller to frisk

friand -e dainty, fond

friche *m.* uncultivated state (of land); en ∽ uncultivated

friser to curl; ∽ au petit fer *see* fer

frisson *m.* shiver, shudder; donner le ∽ to make one shudder

frissonner to shiver, shudder, quiver

froid -e cold; *m.* cold, chill; avoir ∽ to be cold; jeter un ∽ to throw cold water, 19 20

frôlement *m.* buzzing

frôler to graze, rub lightly

fromage *m.* cheese ; ∿ **de Hollande** Dutch cheese, **33** 20

front *m.* forehead

frotter to rub

frrt ! sst ! **82** 20

fuir to flee

fuite *f.* flight

fumée *f.* smoke, dust

fumer to smoke

funèbre funereal

furet *m.* ferret

fureur *f.* fury ; **faire** ∿ to be the rage, **25** 22

furie *f.* fury ; **en** ∿ infuriated

furieu-x -se furious

fusil *m.* gun, **2** 18

fusiller to shoot, execute

futaine *f.* fustian

futé -e sharp, shrewd

futur -e future

gagner to gain, win

gai -e gay

gaieté *f.* gayety

gaillardement light-heartedly

gaine *f.* sheath

galère *f.* galley

galerie *f.* gallery, spectators

galérien *m.* galley slave, convict

galette *f.* cake

galonner to lace, adorn with gold or silver lace

galop *m.* gallop ; **au** ∿ at a gallop ; **au triple** ∿ at full gallop

galoper to gallop

gamelle *f.* mess-bowl, mess (military)

gant *m.* glove

ganté -e gloved, **27** 26

Garcio-Camus Garcio-Camus

garçon *m.* boy, porter, waiter

garçonnet *m.* urchin, **25** 2

garde *m.* guard, policeman

garde *f.* guard, hilt ; **se mettre en** ∿ to put oneself on guard

garder to keep, protect ; **se** ∿ to be on one's guard

gare *f.* railway station ; **chef de** ∿ station master

garniture *f.* trimming, ornament

gâter to spoil ; **se** ∿ to go wrong

gauche left ; **à** ∿, **à main** ∿, **de** ∿, to the left, on the left

gaver to cram, stuff

gaze *f.* gauze, haze

géant *m.* giant ; *adj.* giant

geignard -e given to whining

geindre to moan

gémissement *m.* groan

gêner to inconvenience, embarrass

général -e general, comprehensive

général *m.* general

générale *f.* alarm (sounded by drums) ; **battre la** ∿ to sound the alarm

Géno-is -ïse Genoese, **33** 21

genou *m.* knee

genouillère *f.* knee-cap, **15** 2

gens *m. f. pl.* people

gentilhomme *m.* gentleman

Gérard Jules Gérard, a hunter, **24** 11

Gervaï (*Provençal*) Gervase, = Gervais (*French*)

Gessler Gessler, **77** 17

geste *m.* gesture ; **avoir un** ∿ **de philosophe** to shrug the shoulders, **90** 28

gesticuler to gesticulate

Gethsémani Gethsemane, **85** 10

gibier *m.* game

giboyeu-x -se abounding in game

gigantesque gigantic

Gil Pérès Gil Pérès, a comedian, **36** 28

gilet *m.* jacket

gîte *m.* lair, burrow

glace *f.* mirror

glaive *m.* sword, **2** 23

gland *m.* tassel

glane *f.* gleaning; **panier à ∾** gleaning basket

glisser to slip

gloire *f.* glory, halo

glorieu-x -se glorious

glouglou *m.* gurgling

goguenard -e jeering

golfe *m.* gulf

gommier *m.* gum-arabic tree

gond *m.* hinge

gonfler to swell

goudron *m.* tar

goum *m.* goum, contingent of Arabs in the French army, **82** 11

gourde *f.* gourd

gourdin *m.* club

gousse *f.* pod; ∾ **d'ail** clove of garlic

gouvernement *m.* government, government building, **42** 1

gouverner to govern

gouverneur *m.* governor

grâce *f.* grace, mercy; ∾ **à** thanks to; **de bonne ∾** with a good grace

gracieu-x -se gracious, graceful

grade *m.* grade, rank.

grain *m.* grain

grand -e grand, great, high, big; **à ∾e eau** with plenty of water; **∾' *fem.*, 25** 3; **∾ ouvert** wide open,

42 14; **huit ∾s jours** a whole week, **88** 16

grandeur *f.* size

grandiose grandiose, impressive

grand'peur *f.* great fear, **25** 3 ; **avoir ∾** to be much afraid

gras -se fat

grassouillet -te chubby

grave grave, serious

gravement gravely

gravité *f.* gravity

gravure *f.* engraving

gré *m.* liking, **68** 27

grec -que Greek

Grèce *f.* Greece

gredin *m.* scoundrel

greffe *m.* clerk's office

greffier *m.* clerk (of court or market)

Grégory Gregory

grêle thin, slender, delicate

grelot *m.* bell, **29** 10

grenade *f.* pomegranate

grenier *m.* garret, granary

griffe *f.* claw

griffer to claw

grillade *f.* toast (of bread), slice of broiled meat

grillager to provide with grating, grate

grille *f.* grating, iron gate

grimace *f.* grimace; **faire la ∾** to make faces

grimper to climb

grippe *f.* **prendre en ∾** to take a dislike to, **88** 8

gris -e gray; **∾ de fer** iron-gray

griser to intoxicate

grisette *f.* working girl, grisette, woman of loose character

grommeler to growl

gronder to scold, growl

gros -se big, stout; ∽ bleu dark blue, 67 2

grosse f. gross (twelve dozen)

grouiller to stir, move, swarm

groupe m. group

grouper to group

grue f. crane; faire le pied de ∽ to stand and wait, 53 6

guenille f. rag

guère: ne . . . ∽ scarcely; ne . . . ∽ que scarcely (any one) besides, 5 26

guéridon m. gueridon, small round table

guerre f. war

guerrier m. warrior

gueule f. mouth (of animals)

guimbarde f. van, worthless old carriage

guitare f. guitar

gymnastique gymnastic; pas ∽ run, 23 11

(ʽ denotes h aspirate)

habillement m. clothing; capitaine d'∽ quartermaster

habiller to clothe, dress, fit out

habit m. coat; pl. clothes

habiter to inhabit, live, live in

habitude f. habit; prendre l'∽ de to get accustomed to

s'habituer (à) to accustom oneself (to)

ʽhache f. ax

ʽhaie f. hedge, row

haleine f. breath

ʽhaleter to pant for breath, heave

ʽhalle f. market

ʽhalte f. halt, stop; ∽! halt!

ʽhanche f. haunch, hip

ʽharanguer to harangue

ʽharasser to harass, wear out

ʽharnacher to harness; s'∽ to accouter oneself

ʽhasard m. chance; au ∽ at random

ʽhasarder to hasard, venture

ʽhâte f. haste; en ∽, à la ∽, in haste

se ʽhâter to hasten

ʽhaut -e high, tall; adv. loudly; là-∽ up there; m. upper part, 59 32; en ∽ on top, at the top; depuis en ∽ jusqu'en bas from top to bottom; du ∽ de from the top of

ʽhauteur f. height, dignity

ʽhâve haggard

ʽhé hey, I say; ∽ bé = eh bien, 19 5

hébraique Hebrew, Hebraic

ʽhélas! alas!

hélice f. screw (of a steamer)

herbe f. herb, grass, weed

héréditaire hereditary, 56 31

se ʽhérisser to bristle (up); ʽhérissé -e bristling

héroïque heroic

héroïsme m. heroism

ʽhéros m. hero

hésitation f. hesitation

hésiter to hesitate

heure f. hour, time, o'clock, cf. 6 6; à l' ∽ qu'il est même even at the present time; de bonne ∽ soon, early; tout à l'∽ a little while ago, in a little while

heureusement fortunately

heureu-x -se happy, lucky

hidalgo m. hidalgo, 14 10

ʽhideusement hideously

ʽhideu-x -se hideous

hier yesterday

hirondelle f. swallow, 5 1

'hiss*r to hoist, mount; oh! 'hisse heave ho!

histoire *f.* history, story, affair

historien *m.* historian

hiver *m.* winter

'hocher to shake (the head)

'Hollande *f.* Holland

Homère Homer

hommage *m.* homage; faire ∞ de to present, 93 23

homme *m.* man, 58 4

honnête honest

honnêtement honestly, respectably

honneur *m.* honor

'honte *f.* shame; avoir ∞ to be ashamed

Horace Horace, 56 30

horizon *m.* horizon

horloge *f.* clock

horriblement horribly

'hors (de) outside; ∞ de lui beside himself

hospitalité *f.* hospitality

hôte *m.* guest, host

hôtel *m.* hotel

hôtelier *m.* hotel-keeper

'hottentot -e Hottentot

'hourra *m.* hurrah

'housse *f.* cloth covering (for furniture)

'hublot *m.* port-hole

huile *f.* oil

huissier *m.* bailiff

'huit eight

humble humble

humblement humbly

humeur humor, disposition, ill humor; de bonne (méchante) ∞ in good (ill) humor; donner de l'∞ to make ill-tempered, 20 10

humide damp

humilier to humiliate

'hurlement *m.* roar

'hurler to roar, yell

hussard *m.* hussar

hydre *f.* Hydra, 84 17

hyène *f.* hyena

hypocrite *m.* hypocrite

ici here; par ∞ this way, hereabout

idéal *m.* ideal

idée *f.* idea; venir à l'∞ de to occur to

ignorer to be ignorant of

il he, it, there, 4 23, 5 23; ∞s they

illuminer to illuminate, enlighten

illusion *f.* illusion

illustre illustrious, famous

imaginaire imaginary

imagination *f.* imagination

imaginer, s'∞, to imagine

imbécile *m.* fool, idiot

imitation *f.* imitation

imiter to imitate

immédiatement immediately

immense immense

immobile motionless, immovable

immonde unclean, ignoble

immortel -le immortal

impatienté -e out of patience

impériale *f.* imperial (top of a stage-coach)

imperturbablement imperturbably

impitoyable pitiless

important -e important

importer to be of importance; n'importe no matter

impossible impossible

imposteur *m.* impostor

impression *f.* impression

impressionnable impressionable

imprévu -e unforeseen

imprudence *f.* imprudence; faire des ∽s to be reckless

imprudent -e imprudent

impudemment shamelessly, impudently

incapable incapable

s'incarner to be incarnate

incertitude *f.* uncertainty

s'incliner to bow

incognito incognito

incomparable incomparable

incontinent straightway

indéfinissable undefinable

indemnité *f.* indemnity

indien -ne Indian

indigène native

indignation *f.* indignation

indigné -e indignant

indispensable indispensable

inévitable inevitable

inexplicable inexplicable

infâme infamous

infatigable tireless

inférieur -e inferior, lower

infidèle faithless; *m. f.* infidel

influence *f.* influence

informe shapeless

infortune *f.* misfortune

infortuné -e unfortunate

ingénieu-x -se ingenious

ingénument ingenuously

inoffensi-f -ve inoffensive

inoubliable never to be forgotten

inscription *f.* inscription

inscrire to inscribe; s'∽ to enter one's name, **31** 13

insigne signal, matchless

insigne *m.* insignia

insinuation *f.* insinuation

insipide insipid, dull

insistance *f.* persistence

insolite unaccustomed

insomnie *f.* sleeplessness

insouciance *f.* carelessness

inspecter to inspect

inspirer to inspire

installer to install, settle; s'∽ to take one's place

instant *m.* instant

instruction *f.* instruction

insupportable insufferable

intempérance *f.* excess

intendant *m.* steward

intention *f.* intention

intérieur -e interior; *m.* interior

interloquer to nonplus

interminable interminable

interprète *m.* interpreter

interroger to question

interrompre to interrupt

intervenir to intervene

intrépide intrepid, fearless

intrépidement fearlessly

intrigue *f.* intrigue

intriguer to puzzle

introduire to introduce

introuvable unfindable

inutile useless, unnecessary

inventer to invent

invisible invisible

inviter to invite

invocation *f.* invocation

invoquer to invoke

invraisemblable strange, improbable, **40** 23

irriter to irritate, anger

italien -ne Italian

ivre drunk; ∽ mort dead drunk

ivresse *f.* intoxication, ecstasy, delight

ivrogne *m.* drunkard; *adj.* drunken

jacasser to chatter

jamais ever, never; ne . . . ∾ never; au grand ∾ NEVER, 12 27

jambe *f.* leg; à toutes ∾s at full speed, 78 2

janissaire *m.* janizary, 53 3

jardin *m.* garden

jargon *m.* jargon

jarre *f.* jar

jarret *m.* hamstring

jasmin *m.* jasmine

jaune yellow

jaunir to grow yellow

je I

Jeannette Jeannette, Jenny

jeter to throw, throw aside, cast, utter; ∾de to throw with, 51 20; se ∾ to throw oneself, strike out

jeu *m.* game, gambling

jeune young

jeûne *m.* fast

jeunesse *f.* youth

joie *f.* joy

joindre to join, add

jointure *f.* joint

joli -e pretty, nice

joliment prettily, jolly, well

Joncquières *f.* Jonquières, a town, 68 18

joue *f.* cheek; en ∾! aim! 45 24

jouer to play; faire ∾ to bring into play, to work (cf. 7 25)

joueur *m.* player, gambler

jour *m.* day, light, 44 28; ∾ levant, petit ∾, dawn, 85 2; de ∾ by day; tous les ∾s every day;

huit ∾s a week, 88 16; il y a beau ∾ long ago, 3 27

journal *m.* newspaper, diary

journée *f.* day, day's march, 87 28

joyeusement joyously

joyeu-x -se joyous

judiciaire judiciary 87 5; *f.* judiciary, 86 15

juge *m.* judge

juger to judge; se ∾ to be tried

jui-f -ve Jew, Jewish

jurer to swear

juron *m.* oath

jusque, jusqu'à, to, up to, even to, 81 25, until; ∾-là so far

juste just, exact; tout ∾ exactly, 73 3

justice *f.* justice

justicier *m.* judge, authority

kabyle Kabyle, 19 14

képi *m.* military cap

k'hol *m.* kohl, 50 21

kilomètre *m.* kilometer (about five eighths of a mile)

kilométrique kilometric, 69 17

kousskouss *m.* couscous, 70 29

krish, kriss, *m.* creese, 2 19

la her, it

là there; ∾ there; ∾-bas there, down there, over there; ∾-dessus thereupon; par ∾-dessus over all that; ∾-dessous under there, under all that; ∾-haut up there

lâche *m.* coward

lâchement cowardly, basely

lâcher to let go, drop

Ladevèze Ladevèze

lagadigadeou lagadigadeou, 69 8

laid -e ugly

laine *f.* wool

laisser to leave, let, permit ; laissez let (it) go ; *inf. with* ∞, 7 25

Lamartine Lamartine, 58 26

lame *f.* wave

lamentablement mournfully

lampe *f.* lamp ; ∞-modérateur moderator lamp, 82 7

lancer to launch, cast, start ; se ∞ to start out, 54 10

langage *m.* language

langue *f.* tongue, language, 56 29

languir to languish

lanterne *f.* lantern

lapereau *m.* young rabbit

lapin *m.* rabbit, game person, 9 7

La Ramée La Ramée, popular name for a soldier, 81 1

large wide, great ; *m.* width ; au ∞ into the open sea

largeur *f.* width

larme *f.* tear

las -se tired ; de guerre lasse tired of struggling, 46 11

lasser to tire ; se ∞ to become tired

latin -e Latin

laurier *m.* laurel

laurier-rose *m.* oleander, 24 22

lavande *f.* lavender

laver to wash

lazo *m.* lasso

le him, it, 84 3 ; les them

le, la, les, the

lécher to lick

lecteur *m.* reader

lecture *f.* reading, 10 13

légal -e legal

lég-er -ère light, gentle

légion *f.* legion ; **Légion d'honneur** 81 5

léguer to bequeath

légume *m.* vegetable

lendemain *m.* next day ; ∞ de day after

lentement slowly

lentille *f.* lentil

lentisque *m.* mastic tree, 70 10

léonin -e leonine

lequel, laquelle, lesquels, lesquelles, who, which, whom, what

lésiner to be stingy, be niggardly

lesté -e ballasted, braced up

lestement briskly

lettre *f.* letter

leur, *pl.* ∞s, their, 29 11 ; *pr.* to (for) them

levant -e rising ; jour ∞ dawn

lever to raise, shrug (the shoulders), start (game), 57 18 ; se ∞ to rise

lèvre *f.* lip

levrette *f.* greyhound

lévrier *m.* greyhound

liard *m.* farthing, 47 18

Liban *m.* Lebanon, 76 27

libéral -e liberal

libérat-eur -rice delivering, liberator

libertin -e licentious

libre free

lieu *m.* place ; au ∞ de instead of

lieue *f.* league

lièvre *m.* hare

ligne *f.* line, 41 15

limite *f.* limit

linge *m.* linen, cloth

lion *m.* lion ; au ∞! after the lions ! aller au ∞ to go lion-hunting ; golfe du Lion Gulf of the Lion, off southern France, 35 12 lionne *f.* lioness

lire to read

lit *m.* bed; au ∾ in bed

Livingstone David Livingstone, 22 31

livre *m.* book

local -e local

locomotive *f.* locomotive

loger to lodge

logis *m.* lodging, house

loi *f.* law

loin far, afar; au ∾ in the distance; de ∾ en ∾ here and there

lointain -e distant, far off

loisir *m.* leisure

long -ue long; *m.* length; au ∾ de along; de ∾ en large up and down; le ∾ de along, alongside; à la ∾ue in the long run, 10 7

longer to run along

longtemps long, a long time

longueur *f.* length

longue-vue *f.* field-glasses, telescope

loque *f.* rag

lord *m.* lord

lorette *f.* lorette, woman of easy virtue

lorsque when

louche squinting, dubious, 86 15

louer to hire, rent

Louis-Philippe Louis Philippe, 82 9

lourd -e heavy, sultry, 49 25

loyal -e loyal, honest, 74 4

Lucien Lucian, 14 21

lui him, to him, for him, 12 25, 45 8, 62 26; lui-même himself

luire to shine

lumière *f.* light

lune *f.* moon

lunette *f.* spy-glass; *pl.* spectacles, glasses

lustrer to give a gloss to, beautify

lutte *f.* struggle

M. = monsieur Mr.; *cf.* MM.

macadamiser to macadamize

machine *f.* engine, 37 7

mâchoire *f.* jaw

madame Madam, Mrs.

magasin *m.* store, storehouse

magie *f.* magic

magique magic

magistrature *f.* magistracy

magnifique magnificent

magot *m.* grotesque figure, treasure

Mahom Mahound, Mohammed, 86 1

Mahomet Mohammed

Mahommed-ben-Aouda Mohammed ibn Auda

mahonnais -e Mahonese, 40 17

maigre lean

maigrir to grow thin

maille mesh

main *f.* hand; à la ∾ in the hand; à la ∾ gauche in his left hand; à ∾ gauche to (on) the left; de longue ∾ long beforehand; sous la ∾ at hand; aux ∾s de into the hands of, 51 3

maintenant now

maire *m.* mayor, 69 21

mais but; ∾ oui! oh yes!

maïs *m.* maize, corn

maison *f.* house; à la ∾ at home; ∾ de nuit late-supper house

maisonnette *f.* little house, cottage

maître *m.* master

majesté *f.* majesty

majestueu-x -se majestic

Major *f.* name of a cathedral in Marseilles, **34** 13

majorité majority, coming of age

mal badly ; ∾ à l'aise ill at ease ; pas ∾ a good many, **44** 1

mal *m.* illness ; ∾ de mer seasickness

malade ill ; *m. f.* sick person, patient

maladroit -e clumsy, unskillful

malais -e Malay

mâle manly

malédiction *f.* curse ; ∾ ! curse it !

malgré in spite of

malheur *m.* misfortune ; par ∾ unfortunately

malheureusement unfortunately

malheureu-x -se unfortunate, wretched

malle *f.* trunk ; faire une ∾ to pack a trunk

maltais -e Maltese

Malte *f.* Malta, **34** 3

manche *m.* handle, hilt, pole (of a tent)

manche *f.* sleeve

manège *m.* maneuvers

manger to eat, eat away

manguier *m.* mango tree

maniement *m.* handling, working

manière *f.* manner ; de la belle ∾ in fine style

manœuvre *f.* working (of a ship)

manquer to lack, **14** 11, fail

manteau *m.* cloak

manuel *m.* manual

maquis *m.* maquis, **81** 19

marabout *m.* (Mohammedan) saint's tomb

maraîcher *m.* market-gardener

marais *m.* marsh

maraudeur *m.* marauder

marchand -e merchant

marchandise *f.* merchandise

marche *f.* march ; en ∾ on the march

marché *m.* market

marcher to march, walk, progress

Marco Marco, **64** 11

mare *f.* pool

marelle *f.* hopscotch

mari *m.* husband

marin -e marine, of the sea ; *m.* sailor

marine *f.* navy ; officier de ∾ naval officer

marinier *m.* mariner

marmelade *f.* marmalade, **95** 6

marmite *f.* kettle

marmotte *f.* marmot, **74** 27, kerchief, **47** 28

marquer to mark, show

marseillais -e of Marseilles, inhabitant of Marseilles ; *m.* dialect of Marseilles, **90** 2

Marseille *m.* Marseilles, **13** 26

marteau *m.* hammer, knocker (of a door)

masque *m.* mask

masquer to mask

massacrer to massacre

masse *f.* mass

massue *f.* club

mat -e dull

mât *m.* mast

matelot *m.* sailor

matériel -le material ; *m.* outfit

matière *f.* matter ; en ∾ de conclusion by way of conclusion, **76** 3 matin *m.* morning, **4** 1

matinée *f.* morning

matraque *f.* bludgeon

maudire to curse

maugrabin -e Maghrebi, **52** 10

maure Moorish; *m.* Moor

mauresque Moorish, Moorish woman

mauresquement Moorishly

mauvais -e bad, disagreeable

Mazarin Mazarin, **56** 28

mazet *m.* little country-house, **69** 23

me me, to me, for me

mê ! baa!

méchant -e bad, wicked, wretched

mèche *f.* wick, lock (of hair); casque à ∾ *see* casque

la Mecque Mecca, **36** 27

mécréant -e miscreant

médecin *m.* doctor

méfiance *f.* suspicion, distrust

se méfier (de) to be on one's guard (against); méfiez-vous! look out!

meilleur -e better, best

mélancolie *f.* melancholy

mélancolique melancholy

mélancoliquement mournfully

mélange *m.* mixture; sans ∾ un adulterated

mêlée *f.* affray

mêler to mix; se ∾ (de) to mingle (in), take a hand (in)

mélodie *f.* melody

même same, self, even, very; sa ∾ vie the same life as he had before; tout de ∾, quand ∾, just the same; le jour ∾ that very day

mémoire *f.* memory; de ∾ d'homme within the memory of man, **18** 16

ménage *m.* household; avoir ∾ to have a home; faire mauvais ∾ to get along badly, **14** 19

ménagerie *f.* menagerie

mener to lead

mensonge *m.* lie

menteu-r -se liar

mentir to lie

menu *m.* detail; par le ∾ in detail

mépris *m.* contempt

méprise *f.* mistake

mer *f.* sea

merci *m.* thanks; no, thanks! **49** 1

mère *f.* mother

méridional -e southern, Southerner

mérite *m.* merit

mériter to deserve

merle *m.* blackbird

merveilleu-x -se marvelous

mésaventure *f.* misadventure

Mésopotamie *f.* Mesopotamia, **29** 18

messieurs *see* monsieur

mesure *f.* measure, cadence; à ∾ (que) in proportion as, as, **33** 25; par ∾ de as a measure of; ∾ à blé wheat measure, **79** 15

métal *m.* metal

mètre *m.* meter (39.37 inches)

mettre to put, place; ∾ dans to hit, **5** 19; ∾ en pièces to tear to pieces; mettons **64** 20; se ∾ (à) to begin, set out

Meudon *m.* Meudon, a town near Paris, **37** 22

meurtri-er -ère murderous

meurtrir to bruise

mexicain -e Mexican

microscopique minute

midi *m.* noon, South, **3** 19

miel *m.* honey

mieux better, best; aimer ∽ to prefer; ∽ que cela better than that, worse than that (*p.* 51, *l.* 3); *m.* best; de son ∽ as best one can (could)

mignon -ne pretty, dainty

Milianah *m.* Milianah, city in Algeria, **73** 27

milieu *m.* middle, environment; au ∽ de in the middle (midst) of

militaire military; *m.* military man, soldier, officer

mille thousand; Mille et une nuits **32** 16

millier *m.* thousand

mimer to mimic, act

minaret *m.* minaret, **63** 4

mince slight

mine *f.* countenance, mien

minerai *m.* ore

minuit *m.* midnight

minute *f.* minute; à la ∽ in a minute

miracle *m.* miracle

mirage *m.* mirage

mirer to look at (in a mirror)

mirifique marvelous, **2** 11

miroir *m.* mirror; ∽ à main hand-mirror

miser to stake

misérable *m. f.* wretch

misère *f.* misery

miséricorde *f.* mercy

mistral *m.* mistral, northwest wind, **34** 14

Mitaine Mitaine

MM. = messieurs Messrs., *cf.* M.

mocassin *m.* moccasin

mode *f.* manner, way; à la ∽ (de) in the manner (of)

modèle *m.* model

modeste modest, humble

mœurs *f. pl.* customs

Mohammed Mohammed

moi me, I; à ∽! help! **84** 18

moindre least, **4** 9

moine *m.* monk

moins less, least; au ∽ at least, **21** 10

moire *f.* moire, watered silk, *cf.* **15** 9

moiré shimmering, **15** 9

mois *m.* month

moisi -e moldy, musty

moitié *f.* half; à ∽ half

moka *m.* Mocha (coffee)

moment *m.* moment

mon, ma, mes, my

monde *m.* world, people, servants, **77** 12; tout le ∽ everybody; tout un ∽ a great crowd; peu de ∽ few people

monnaie *f.* money, change; ∽ de poche small change

monotone monotonous

mons = monsieur, **76** 4

monsieur *m.* Mr., gentleman; m'sieu **55** 13; *pl.* messieurs **69** 25; ces messieurs **16** 13

monstre *m.* monster

mont *m.* mount, hill

montagne *f.* mountain

monténégrin -e Montenegrin, of Montenegro

Monténégro *m.* Montenegro, **57** 12

monter to mount, come up, get in, carry up, **41** 28, set up; ∽ dans **31** 31; se ∽ to be set up, *cf.* **5** 23; se ∽ la tête to become excited, **95** 4

Montmartre *m*. Montmartre, hill in Paris, **17** 8

montrer to show, point out; se ∽ to appear

monture *f.* mount

se moquer (de) to mock, make fun (of)

morceau *m*. piece, bit

mordre to bite

morne dismal

mort -e dead

mort *f.* death

mortel -le mortal, deadly

mosaïque *f.* mosaic

mosquée *f.* mosque

Mostaganem *m*. Mostaganem, city in Algeria, **91** 21

mot *m*. word, saying, joke; **écrire deux ∽s** to write a line, **66** 7

mouche *f.* fly; **prendre la ∽** to take offense, **71** 21

se moucher to blow one's nose

moucheter to speck

mouci = monsieur, **78** 23

moue *f.* grimace, pout; **faire la ∽** to pout

mouette *f.* sea-gull

mouiller to wet; **mouillé -e** wet; se ∽ to get wet

moule *f.* mussel

mourir to die; **faire ∽** to kill

mousse *m*. cabin-boy, **32** 29

moustache *f.* mustache

mouton *m*. sheep, mutton

mouvement *m*. movement

moxa *m*. blister, **67** 4

moyen *m*. means

M'sieu *see* monsieur

muet -te mute

muezzin *m*. muezzin, **63** 5

mufle *m*. snout, muzzle

mule *f.* mule

Mungo-Park Mungo Park, **22** 30

municipal -e municipal

municipalité *f.* municipality

mur *m*. wall

muraille *f.* wall

murmurer to murmur, mutter

musc *m*. musk; **au ∽ perfumed with musk**, **61** 15

muscat muscatel

muscle *m*. muscle

muse *f.* muse

musical -e musical

musicien -ne musician

musique *f.* music

musqué -e musk

Mustapha *f.* Mustapha, suburb of Algiers, **43** 2

musulman -e Mussulman

myrte *m*. myrtle

mystérieu-x -se mysterious

mystification *f.* hoax

mythologique mythological

M'zabite Mzabite, **40** 17

nage *f.* swimming; **passer à la ∽** to swim across

nager to swim

naguère formerly

naïade *f.* naiad

naï-f -ve naïve, simple; *noun*, simpleton

nain -e dwarf

naïvement naïvely, artlessly

nan = non, **6** *chapter heading*

nappe *f.* table-cloth

narghilé *m*. nargile, **60** 15

narine *f.* nostril

nasiller to speak through the nose, sing through the nose, drone

natal -e native

natte *f.* mat

nature *f.* nature; **de sa** ∽ by nature, **5** 1

naturel -le natural

naturellement naturally

naufrage *m.* shipwreck

navet *m.* turnip, turnip plant

navire *m.* ship

navré -e heartbroken

ne : ∽ . . . pas not; ∽ . . . guère scarcely; ∽ . . . personne nobody; ∽ . . . plus not any more; ∽ . . . point not; ∽ . . . que only, **4** 23; ∽ . . . rien nothing; ∽ *omitted* **1** 17, **13** 1, **45** 13; **n'me 6** 24

néanmoins nevertheless

négligent -e indifferent

négliger to neglect

nègre *m.* negro, **40** 17

négresse *f.* negress

neige *f.* snow

Nemrod Nimrod, **6** 10

net *adv.* short

neuf nine

neu-f -ve new; **à** ∽ so as to be like new, **69** 5

nez *m.* nose; **mettre le** ∽ to look (out), **94** 1

ni nor; ∽ . . . ∽ neither . . . nor

niche *f.* niche

nichée *f.* nest (of young birds), brood

nid *m.* nest

Nîmes *f.* Nîmes, **7** 22, **17** 9, **69** 22

noble noble

nocturne nocturnal

nœud *m.* knot, bow; **jambes à** ∽s knotty legs, **80** 1

noir -e black

noirâtre blackish

Noiraud Blacky, **47** 23

noisette *f.* hazel-nut; *adj.* nut-brown

nom *m.* name

nombreu-x -se numerous

nommer to name

non no, not; ∽ pas not

nopal *m.* nopal, a species of cactus

nord *m.* north, North

notaire *m.* notary, **71** 15

note *f.* bill

noter to mark, note down; **très mal noté 4** 16

notre, nos, our; **Notre-Dame** Notre-Dame, cathedral in Paris, **17** 10

nourrir to nourish; **se** ∽ **de** *or* **avec** to live on

nous we, us, to us, for us

nouveau, nouvel, *m.*, nouvelle *f.*, new

nouveauté *f.* novelty

nouvelle *f.* news; **donner des** ∽s to send news, be heard from, **65** 14

noyer to drown, soak; **se** ∽ to drown, **79** 17

nu -e naked, bare

nuée *f.* cloud

nuit *f.* night, darkness; **de** ∽ by night; **la** ∽ at night; **toutes les** ∽s **de samedi** every Saturday night

ô O, oh

objet *m.* object

obliger to oblige; **obligeant -e** obliging

obscur -e obscure

s'obscurcir to grow dim

obstinément obstinately

obtenir to obtain, secure

occasion *f.* opportunity

Occident *m.* West, Occident

s'occuper (de) to occupy oneself (with)

occurrence *f.* juncture

odeur *f.* odor, smell

odorant -e fragrant

œil *m.*, yeux *pl.*, eye; coup d'∽ spectacle, looks, **54** 12, **78** 31

œuf *m.* egg

Offenbach Offenbach, a composer, **41** 15

officier *m.* officer

offrir to offer

ogive *f.* pointed arch; en ∽ ogival

oie *f.* goose; ∽ bridée ninny, **88** 8

oignon *m.* onion

oiseau *m.* bird

olive *f.* olive

olivier *m.* olive tree

ombragé -e shaded

ombre *f.* shade, shadow; à l'∽ in jail, **90** 11; ∽ trouée **78** 4

omnibus *m.* omnibus

on, l'on, one, they, people

onze eleven

Opéra *m.* Opera House, in Paris, **54** 6

opération *f.* operation

ophthalmie *f.* ophthalmia, inflammation of the eye

opinion *f.* opinion

opium *m.* opium

or now

or *m.* gold

orange *f.* orange

oranger *m.* orange tree

oratoire *m.* oratory

ordonner (à) to order

ordre *m.* order

oreille *f.* ear, **16** 5

oreiller *m.* pillow

oreillette *f.* ear-lap, **15** 3

organisation *f.* organization

organiser to organize

orgie *f.* orgy

orgueil *m.* pride

Orient *m.* East, Orient

oriental -e oriental

oripeau *m.* tinsel, frippery

Orléans *m. f.* Orleans

Orléansville *f.* Orleansville, city in Algeria, **67** 12

orphéon *m.* singing society

oser to dare

osseu-x -se bony

ôter to take off, take down

ou or; ∽ bien or

où where, when; d'∽ whence

oubli *m.* oblivion

oublier to forget

oublieu-x -se forgetful

oui yes

ouragan *m.* hurricane

ourdisseu-r -se warper, weaver

ours *m.* bear; ∽ gris grizzly bear

outiller to equip

outre beyond, besides; en ∽ besides

ouverture *f.* opening

ouvrir to open; s'∽ to open, **5** 23; ouvert -e open; grand ouvert wide open, **42** 14

page *f.* page

paille *f.* straw

pain *m.* bread

paire *f.* pair

paisible peaceful, calm

paisiblement peacefully

paix *f.* peace

palais *m.* palace

palan *m.* tackle

pâle pale

pâlir to turn pale

palme *f.* palm

palmier *m.* palm tree

pampa *f.* pampa, **10** 4

pan ! bang !

pan *m.* skirt (of a coat)

panier *m.* basket

panique *f.* panic

panoplie *f.* set of armor

pantalon *m.* trousers

panthère *f.* panther, leopard

Pantin *m.* Pantin, city near Paris

pantoufle *f.* slipper

papier *m.* paper

paquebot *m.* steamer, **33** 4

paquet *m.* package; ∾ de sang flush of blood

par by, through, during, **10** 22, under; ∾ici this way, hereabout; ∾-ci ∾-là here and there, now and then ; ∾-dessus above, over; ∾là-dessus over all that ; ∾ trois fois three times

parade *f.* exhibition

paraître to appear

parapluie *m.* umbrella

parbleu ! of course ! **47** 6

parce que because

parcourir to travel over, traverse

pardi = parbleu, **72** 27

pardon *m.* pardon; ∾! pardon me !

pareil -le similar, such, such a, equal

parenthèse *f.* parenthesis ; par ∾ by the way

parer to ward off

parfait -e perfect

parfois sometimes

parfum *m.* perfume, fragrance

parfumer to perfume

parier to bet, **16** 7

Paris *m.* Paris

parisien -ne Parisian

parler to speak, talk, **57** 18

parmi among, amidst, in the midst of

parole *f.* word ; ma ∾ d'historien upon my word as a historian ; prendre la ∾ to begin to speak

part *f.* part ; à ∾ besides ; d'une ∾ on the one hand ; d'autre ∾ on the other hand; quelque ∾ somewhere

partager to divide ; se ∾ to share, *cf.* **7** 2

parti *m.* party, side ; prendre son ∾ to make one's decision

partie *f.* part, game ; faire ∾ de to belong to

partir to depart, start, set out, go, go off (of a gun, **26** 12) ; à ∾ de beginning with, **23** 3 ; ∾ à rire to burst out laughing, **64** 6

partout everywhere ; ∾ où wherever

parvenir to succeed

pas no, not ; ∾ de no ; ∾ du tout not at all ; *omitted*, **36** 16, **86** 3

pas *m.* step ; ∾ accéléré, ∾ gymnastique, **23** 11 ; ∾ de la porte doorstep ; à deux ∾ **18** 25 ; à grands ∾ with long steps

passage *m.* passage

passag-er -ère passenger

passant -e passer-by

passe-partout *m.* pass-key

passer to pass, cross, spend (time) ; se ∾ happen, be spent ; y ∾ to go by the same road, **87** 10

passe-temps *m.* pastime; par ∽ as
'a pastime

passion *f.* passion, mania

passionné -e passionate

pastèque *f.* watermelon

patiemment patiently

patience *f.* patience

pâtisserie *f.* pastry

patriarcal -e patriarchal

patriarche *m.* patriarch

patte *f.* paw, foot, leg; court sur
∽s short-legged; ∽s de devant
fore-paws

pauvre poor, good

pavé *m.* paving-stone, pavement

pavillon *m.* flag

payer to pay, pay for, **87** 19; se ∽
to treat oneself to, **13** 27

pays *m.* country; du ∽ native, **1** 16;
au ∽ at home, **64** 27

paysage *m.* landscape

paysan -ne peasant

peau *f.* skin, hide, peel

pécaïré! alas! **11** 10

pédestrement afoot

se peigner to comb one's hair

peindre to paint

peine *f.* pain, labor; à ∽ scarcely,
5 32; faire ∽ à to distress; se
donner la ∽ to take the trouble

peintre *m.* painter

pêle-mêle pell-mell

pelisse *f.* pelisse, cloak

pemmican *m.* pemmican, **28** 19

pencher to bend; se ∽ to lean

pendant during; ∽ que while

pendre to hang; pendu à hanging
from, **79** 11

pendule *f.* clock; ∽ à sujet clock
with figures, **82** 9

pénitence *f.* penitence, penance

pensée *f.* thought

penser to think; ∽ . . . to almost
. . ., **31** 32; ∽ à to think of; vous
pensez (bien) you can imagine,
4 6

pensi-f -ve pensive

pensionnaire *m. f.* boarder, **19** 19

pensivement pensively

pente *f.* slope

perche *f.* pole

perdre to lose

père *m.* father; ∽ d'Église **14** 6;
de ∽ en fils from father to son;
Père éternel **54** 29

perfectionner to perfect, improve

perle *f.* pearl

permettre to permit

permission *f.* permission, furlough;
en ∽ on furlough

perpétuel -le perpetual

perpétuellement endlessly

perroquet *m.* parrot

perruque *f.* wig, **20** 7

Perse *f.* Persia

persienne *f.* Venetian blind, shutter

personnage *m.* personage

personne *f.* person; ne . . . ∽ *m.* nobody; *pl.* people

persuader to persuade, convince

perte *f.* loss; à ∽ de vue as far as
the eye could reach, **32** 19

peser to weigh, weigh upon

peste *f.* plague

pester to scold, bluster

pestilentiel -le pestilential

petit -e little, small, **4** 9–10

peu little; ∽ à ∽ little by little;
avant ∽ before long; ∽ de little,
few

peuple *m*. people; **tout un** ∾ a great crowd

peur *f*. fear; **avoir** ∾ to be afraid; **faire** ∾ **à** to frighten; **de** ∾ **de** for fear of

peut-être perhaps, it may be, **25** 11

pfft ! *sound of a bullet*, **24** 30

pharmacie *f*. pharmacy, medicine-chest

pharmacien *m*. druggist

phénoménal -e marvelous

philosophe *m*. philosopher; *adj*. philosophical

philosopher to philosophize

phoque *m*. seal

photographe *m*. photographer

photographie *f*. photograph

phrase *f*. phrase, sentence

physionomie *f*. character, appearance

piailler to bawl, chatter, shriek

piano *m*. piano

piastre *f*. dollar, **87** 3

à pic perpendicularly

pièce *f*. piece; **mettre en** ∾**s** to tear to pieces

pied *m*. foot; **à** ∾ on foot; **être sur** ∾ to be up; **de** ∾ **en cap** from head to foot, **11** 17; **lui tenir** ∾ **tu** keep up with it, **94** 14; **mettre** ∾ **à terre** to land; **coup de** ∾ kick

pierre *f*. stone

pieu *m*. post

pillage *m*. pillage, plunder

pimpant -e trig

pipe *f*. pipe, pipeful, **64** 30

piquer to sting

pirate *m*. pirate

piste *f*. track

piston *m*. cornet

piteusement piteously

pitié *f*. pity; **faire** ∾ to excite pity

Pitou Pitou, popular name for soldier, **81** 1

pittoresque picturesque

place *f*. place, spot, square, room; **sur** ∾ on the spot, to the spot

placement *m*. investment, sale, **87** 21

placer to place; **se** ∾ to station oneself

plage *f*. shore

plaie *f*. wound

plaignant -e plaintiff

plaindre to pity, begrudge, **70** 1; **se** ∾ to complain

plaine *f*. plain

de plain-pied on a level, **2** 14

plaisir *m*. pleasure; **faire** ∾ **à** to give pleasure to

plan *m*. plan

planer to hover

plant *m*. stalk, **86** 20, patch, bed (of a garden)

plante *f*. plant, sole (of the foot)

planter to plant, fix; **rester planté sur place 12** 31; **en rester planté 44** 11 ; **se** ∾ to station oneself

plaque *f*. plate, badge

plastron *m*. breastplate, bodice

plat *m*. plate

platane *m*. plane-tree

plein -e full; **en** ∾ . . . in full . . ., in the heart of . . ., **5** 7, **2** 2, in all (their). . .; **en** ∾ **air** in the open air

pleurer to weep

plomb *m*. lead

plonger to plunge, project; **se** ∾ to plunge

pluie *f.* rain, **24** 23

plume *f.* feather, **4** 16

plumer to pluck (a fowl), fleece

plus more, most; ne . . . ∽ no more, no longer; ne . . . ∽ que **4** 23; ∽ de **13** 1; au ∽ at the most; c'est au ∽ si scarcely, **13** 27; de ∽ furthermore; en ∽ in addition; de ∽ en ∽ more and more; non ∽ either

plusieurs several

plutôt rather, **44** 1

poche *f.* pocket; ∽ de cuir holster

poésie *f.* poetry

poids *m.* weight

poignard *m.* poniard, dagger

poignée *f.* handful; ∽ de main handshake

poignet *m.* wrist

poil *m.* hair, fur; du ∽ et de la plume **4** 16

poing *m.* fist; au ∽ in the hand

point *m.* point; à ∽ suitably, **60** 14; *adv.* not, not at all

pointe *f.* point, spike

poitrine *f.* breast, chest

poli -e polite

poliment politely

polisson *m.* rascal

polka *f.* polka

poltron -ne poltroon, coward

pompon *m.* tuft

ponce *f.* pumice; pierre ∽ pumice stone, **56** 26

pont *m.* bridge, deck (of a ship); ∽ -Neuf **82** 15

pont-levis *m.* drawbridge

populaire popular

popularité *f.* popularity

port *m.* port

portati-f -ve portable

porte *f.* door, gate, doorstep, **64** 2

portefaix *m.* porter

portefeuille *m.* pocketbook

porter to carry, bear, wear, **27** 4

porteur *m.* porter

porte-voix *m.* speaking-trumpet

portière *f.* door (of a vehicle), **94** 11

poser to place, set

positi-f -ve positive; être une chose positive to be a fact

position *f.* position

possible possible

poste *m.* post, position; *f.* post, post-office; chaise de ∽ post-chaise

postillon *m.* postilion

pot *m.* pot; ∽ de réséda **2** 6

potag-er -ère kitchen-gardenish

poteau *m.* stake

potée *f.* potful

poterne *f.* postern, **53** 19

poudre *f.* powder

poudreu-x -se dusty

pouillerie *f.* rabble

poule *f.* hen; chair de ∽ **2** 24

poulet *m.* chicken

poulie *f.* pulley

poulpe *m.* poulp, octopus

pour for, as for, to, as to, in order to; ∽ que so that; ∽ moi **7** 28

Pourceaugnac Pourceaugnac, character in Molière's play, **40** 28

pourquoi why; ∽ faire *see* faire

pourrir to rot, corrupt

poursuite *f.* pursuit; à la ∽ de in pursuit of

pourtant however

pousser to push, utter (a cry), heave (a sigh)

poussière *f.* dust

pouvoir to be able

pratique *f.* practice

précaution *f.* precaution, caution

précieu-x -se precious

précipiter to hurl; **précipité -e** hasty; **se ∾** to hurl oneself, rush

précisément precisely, **78** 8

préférer to prefer

prèince = prince, **55** 30

premi-er -ère first; *m.* first story, **89** 30

prendre to take, take up, assume, seize, captivate, **9** 4; **se ∾ à** to begin; **s'y ∾** to go at a thing, **24** 7; **se ∾ de . . . pour** to conceive . . . for, **87** 30

préparer to prepare; **se ∾ (à)** to prepare

près (de) near, almost

présence *f.* presence

présenter to present

président *m.* president, chief justice

presque almost

presser to press, hurry; **rien ne presse** there is no hurry; **pressé -e** in a hurry; **se ∾** to hurry, crowd one another

pression *f.* pressure

prestement quickly, nimbly

prêt -e ready

prêt *m.* pay, **54** 16

prétendre to pretend, claim

prétexte *m.* pretext, pretense, **14** 10

preuve *f.* proof

prévenir to prevent, forestall

prévoir to foresee

prier to pray, beg

prière *f.* prayer

prince *m.* prince

prise *f.* hold; **aux ∾s (avec)** struggling (with)

prison *f.* prison

privation *f.* privation

privé -e private; *m.* private life

priver to deprive

privilège *m.* privilege

prix *m.* price, value

probable probable

procédure *f.* procedure, proceedings

processi-f -ve litigious, **86** 14

procès-verbal *m.* official report

prochain -e next, near at hand, coming

proclamer to proclaim

prodigieu-x -se remarkable

produire to produce

profession *f.* profession

profiter (de) to profit (by)

profond -e deep

proie *f.* prey; **en ∾ à** a prey to

projet *m.* plan

projeter to project, cast

prolonger to prolong

promener to lead about, **74** 26; **se ∾** to walk, walk up and down; **va te ∾!** get out! **48** 11

promettre to promise

promotion *f.* promotion

promptement promptly

prononcer to pronounce

prophète *m.* prophet, **62** 29

propos *m.* discourse, subject, purpose; **à ∾** appropriately, opportunely, by the way; **à tout ∾** apropos of everthing, **56** 29

se proposer to resolve

proposition *f.* proposition

propre own

propreté *f.* cleanliness

prouver to prove

provençal -e Provençal, **13** 27

Provence *f.* Provence, **13** 27

providence *f.* providence

province *f.* province, **54** 7

prudence *f.* prudence

prudent -e prudent

psalmodier to chant

publi-c -que public

puce *f.* flea

puis then

puisque since

puissance *f.* power, force

puits *m.* well

punaise *f.* bed-bug, bug

punch *m.* punch; ∾ aux œufs egg-nog

quadrupède *m.* quadruped

quai *m.* quay; ∾ au blé wheat-quay

qualité *f.* quality

quand when; + *conditional* even if, **7** 28

quant à as for

quarante forty; ∾-cinq forty-five; ∾-huit forty-eight

quart *m.* quarter; aux trois ∾s three-fourths

quartier *m.* quarter

quatorze fourteen

quatre four

quatrième fourth

que whom, which, what, that, than, as, how, but, may; ∾ de how much, how many, **10** 24; bien ∾ although; ne . . . ∾ only, **1** 17, **4** 23; ce ∾ c'est ∾ what . . . is, **21** 19; qu'est-ce ∾, qu'est-ce ∾ c'est ∾, what, what is, **73** 24,

74 17; si . . . ∾ however, **4** 6; ∾ faire **50** 32; *to avoid repetition,* **5** 1; *redundant,* **41** 2, **16** 7

qué (*Provençal*) = quel, **64** 9

quel -le which, what, what a

quelconque any . . . whatever, any, some . . . or other, **81** 13

quelque some; ∾ chose something, anything, **8** 1; quelqu'un some one, any one; ∾s-uns, ∾s-unes, some

quelquefois sometimes

querelle *f.* quarrel, squabble

qués aco? *Provençal for* qu'est-ce que c'est que cela? **38** 18

question *f.* question; être ∾ de to concern, be about, **56** 2

quête *f.* quest, collection, search

quêteu-r -se mendicant

queue *f.* tail, (billiard) cue; en ∾ in the rear

qui who, which, what, that, he who, whom

don Quichotte Don Quixote, **10** 13

quinze fifteen

quitte free; en être ∾ pour to get off with

quitter to leave, take off

quoi what, which; ∾ que + *subj.* whatever, **52** 9; de ∾ **10** 7; sans ∾ otherwise, **90** 17; sur ∾ whereupon; à ∾ bon? what is the good of? **74** 11

quoique although

rabaisser to lower, lessen

racaille *f.* rabble, riffraff

race *f.* race

raconter to relate

rade *f.* roadstead

radieu-x -se radiant

radoucir to soften; **se ∾** to relent

rage *f.* rage, mania

raide stiff

raidillon *m.* steep path

rail *m.* rail

raisin *m.* grape, grapes

râler to groan

ramage *m.* flowers and foliage (on cloth)

ramasser to pick up; **ramassé -e** crouching; **se ∾ sur soi-même** to crouch, **13** 3

rame *f.* oar

rameau *m.* branch, **49** 8

ramener to bring back, pull in

rancune *f.* rancor; **sans ∾ 91** 5

rang *m.* row, rank; **par ∾ de grade** in order of rank

rangée *f.* row

ranger to arrange, set in order; **se ∾** to draw up, **93** 19

rapatrier to take home

rapetasser to patch

rapide rapid; *m.* express, **4** 27

rapidement rapidly

rappeler to recall; **se ∾** to remember

se rapporter (à) to correspond (with)

se rapprocher (de) to approach, **7** 29

rare scarce

ras *m.* **au ∾ de** on a level with

raser, se ∾, to shave

rasoir *m.* razor

rassurer to reassure, rally

rattraper to catch again, catch, overtake, make up

ravaler to degrade

Ravel Ravel, a comedian, **36** 28

se raviser to change one's mind

rayer to scratch, rifle (a gun); **fusil rayé** rifle, **50** 7

rayonnant -e radiant

rayonnement *m.* radiance

razzia *f.* raid

réactionnaire reactionary, **68** 31

réalité *f.* reality

receveur *m.* receiver, **6** 23

recevoir to receive

rechausser to put on again (shoes)

rêche rough

récit *m.* account, tale

réclamer (à) to demand (from), **48** 1

recommander to recommend, urge, request

recommencer to begin again

reconnaître to recognize

recours *m.* recourse

recouvrir to cover again, cover

recueillir to collect; **se ∾** to collect oneself, meditate

redescendre to come down again

redingote *f.* frock coat, **33** 4

redoubler to increase

redoutable redoubtable, terrible

redresser to straighten; **se ∾** to get up (again)

réduire to reduce

réduit *m.* small room, locker, hole

réellement really

refermer to close again, close

reflet *m.* reflection

réflexion *f.* reflection

réforme *f.* reform

refroidir to cool

se refuser (à) to refuse, **83** 12

regagner to regain, get back to

regard *m.* look, glance

regarder look at, look, concern

régime *m.* diet

régiment *m.* regiment

régler to regulate

réglisse *f.* licorice

régner to reign

regret *m.* regret

regretter to regret, long for, **69** 2

réguli-er -ère regular

régulièrement regularly

reins *m. pl.* loins, back

rejeter to throw back

rejoindre to rejoin, meet, reach, return to

relais *m.* relay

relation *f.* relation, account

relever to raise; ∾ de to be under the jurisdiction of; se ∾ to rise again, rise

religieusement religiously, steadfastly

religion *f.* religion

reluire to shine

remercier to thank

remettre to put again, put back; se ∾ (à) to put oneself again, begin again; se ∾ en route to set out again

réminiscence *f.* recollection

remis -e recovered, recognized, **68** 19

remiser to put (a carriage) in the carriage-house, leave

remords *m.* remorse

rempart *m.* rampart

remplir to fill

remuer to move, shake

se rencoigner to draw back into a corner, **94** 15

rencontre *f.* meeting, encounter

rencontrer to meet

rendez-vous *m.* appointment, meeting-place

rendre to render, restore; ∾ la justice to administer justice

renégat *m.* renegade

se renfoncer to throw oneself back again

renfort *m.* reënforcement; à grand ∾ de with the aid of many

rengaîner to sheathe

rengorgé -e with head high, pompous

renier to disown

renifler to sniff

renoncer (à) to renounce

renouer to knot again, renew

renseignement *m.* information

renseigner to inform

rentier *m.* capitalist, gentleman

rentrée *f.* return, reëntrance, entrance

rentrer to reënter, return

renverser to overturn; se ∾ to throw oneself back

répandre to spill, scatter

répéter to repeat

se replier to fall back, retreat

répondre (à) to answer; je vous en réponds I answer for it, I assure you

réponse *f.* answer

repos *m.* repose, rest

reposer to repose; se ∾ to rest

repousser to push back, spurn

reprendre to take again, resume

réputation *f.* reputation

réséda *m.* mignonette

résigner to resign

résine *f.* resin

resister (à) to resist

résolu -e resolute, determined

respect *m.* respect

respectueu-x -se respectful

respirer to breathe

ressembler (à) to resemble; se ∾ to look alike, **52** 17

ressort *m.* spring

ressource *f.* resource

restaurant *m.* restaurant

reste *m.* rest; du ∾ besides

rester to remain, be left; en ∾ là **8** 19; en ∾ planté **44** 11

retenir to hold back

retentir to resound, rattle

retirer, se retirer, to retire

retomber to fall again, fall

retour *m.* return

retourner to return; se ∾ to turn around; s'en ∾ to return, **2** 8

retraite *f.* retreat, tattoo; clairons de la ∾ evening bugle-call; en ∾ retired

retrouver to find again, recover

réunir to reunite; se ∾ to assemble

rêve *m.* dream

réveiller to waken; se ∾ to awake

revenir to come back, return, **16** 12; revenu -e surfeited, **7** 18; s'en ∾ to return, **53** 11

rêver to dream, dream of

réverbère *m.* street lamp

revers *m.* back, back stroke; d'un ∾ de manche with a back stroke of the sleeve

revoir to see again

revolver *m.* revolver

rhétorique *f.* rhetoric

Rhône *m.* Rhone, **4** 14

rhum *m.* rum

rhumatisme *m.* rheumatism

ribote *f.* intoxication, orgy; en ∾ intoxicated

ricaner to sneer

riche rich

ridé -e wrinkled

rideau *m.* curtain

ridicule ridiculous

rien nothing, anything; ∾ que nothing but, **1** 17; ne . . . ∾ nothing

rifle *m.* rifle, **2** 18; ∾ à deux coups **14** 32

rigide rigid

ripaille *f.* feast

rire to laugh; ∾ de to laugh at

rire *m.* laughter, laugh

risée *f.* laughing-stock

risque *m.* risk

risquer to risk

rive *f.* shore

rivière *f.* river

riz *m.* rice

robe *f.* dress; ∾ à fleurs flowered dress, **60** 13

Robert le Diable Robert the Devil, **7** 26

Robinson Crusoé Robinson Crusoe, **41** 24

rocheu-x -se rocky; **montagnes Rocheuses** Rocky Mountains

rôdeu-r -se roving, prowling

rogaton *m.* scraps

roi *m.* king

rôle *m.* rôle, part

roman *m.* novel, **6** 13

romance *f.* ballad, **6** 13

romanesque romantic, **10** 13

romarin *m.* rosemary

rompre to break

ronce *f.* bramble

rond -e round

ronfler to snore

rose *f.* rose (flower); *m.* rose (color); *adj.* rosy; ∽ tendre pale pink

rosé -e roseate

rosée *f.* dew

rossignol *m.* nightingale

rôtir to roast

rotonde *f.* rotunda, back of a stage-coach, 67 5

roue *f.* wheel

rouge red

rougeaud -e ruddy

rougir to blush

rouillé -e rusty

roulement *m.* rolling, rumble

rouler to roll; se ∽ to roll over

roulette *f.* roulette

route *f.* route, road, way, traveling; grande ∽ highway, 69 15; en ∽ on the way, off he went! faire la ∽ to make the journey; se mettre en ∽ to set out

rou-x -sse red (of hair)

royal -e royal

royalement royally

royauté *f.* royalty, sovereignty

ruban *m.* ribbon

rude rough, 42 4

rue *f.* street; tourner la ∽ to turn the corner; grande ∽ main street

ruelle *f.* narrow street, alley

se ruer to hurl oneself, rush

rugir to roar

rugissement *m.* roar

ruine *f.* ruin

ruisseau *m.* stream

ruisseler to stream, pour; ruisse-lant -e streaming, dripping

russe Russian

Russie *f.* Russia

rustre *m.* boor

rut *m.* rut; au temps du ∽ in the mating season

Saavedra *see* Cervantes

sable *m.* sand

sabre *m.* saber

sac *m.* sack, game-bag; ∽ de nuit traveling-bag

sacré -e sacred, confounded

safrané -e flavored with saffron

sage wise

Sahara *m.* Sahara desert

saint -e holy, saint; Saint-Jean, Saint-Nicolas St. John, St. Nicho-las, 34 12; Saint-Victor St. Vic-tor, 34 13; *noun* saint

Saint-Évremond Saint-Évremond, a satirist, 14 21

saisir to seize

salade *f.* salad; ∽ russe 56 22

salle *f.* room, ball-room, hall; ∽ d'attente waiting-room; ∽ à man-ger dining-room

salmis *m.* stew, 5 1

Salomon Solomon, 6 10

salon *m.* drawing-room, parlor; ∽ de jeu gambling-room

saluer to salute, bow

samedi *m.* Saturday

Sancho Pança Sancho Panza, 10 13, 14 16

sanctuaire *m.* sanctuary

sandale *f.* sandal

sang *m.* blood

sanglant -e bloody

sangler to strap, 9 20

sans without; ∽ parler de not to speak of

sardine *f.* sardine

.satanique satanic, demoniac

satin *m.* satin

satisfait -e satisfied

saturnales *f. pl.* Saturnalia, **55** 8

sauce *f.* sauce

saucissot *m.* sausage, **5** 11

saumon *m.* salmon, pig (of metal), **33** 18

saut *m.* leap

sauter to leap, jerk

sauterelle *f.* grasshopper, locust; pluie de ∽s **24** 23

sauvage savage, wild

sauver to save; se ∽ to run away, **78** 2

savoir to know, know how, be able, **81** 3; se ∽ to be known, **5** 23; vous saurez **3** 22; est-ce que je sais! **2** 21

savon *m.* soap

savonnerie *f.* soap factory

savonnette *f.* shaving-brush

savoyard -e Savoyard, **18, 47** 28, **74** 27

scalper to scalp

scène *f.* scene; faire une ∽ à to scold, **22** 12

science *f.* science

scintillement *m.* scintillating

scorpion *m.* scorpion

scrupule *m.* scruple

scruter to scrutinize, peer into

sculpture *f.* sculpture, carved figure

se himself, herself, itself, themselves, to himself, for himself, *etc.*; *reciprocal*, **7** 2

sébile *f.* wooden bowl

sec, sèche, dry; à ∽ dried up (of a river); boire ∽ to drink hard, **57** 11

sécher to dry

second -e second

secouer to shake

secours *m.* aid

secousse *f.* shake, shock

séculaire secular, **17** 25

sécurité *f.* security

séduire to seduce, tempt, persuade; séduisant -e entrancing

seigneur *m.* lord

seigneurial -e of one's master

sein *m.* bosom, heart

selon according to

semaine *f.* week; par ∽ a week

Sémaphore *m.* Semaphore, a daily newspaper in Marseilles

semblable like, such a

sembler to seem

semelle *f.* sole (of a shoe), **87** 32

semer to sow

sens *m.* sense; en tous ∽, dans tous les ∽, in all directions

sensation *f.* sensation; spectacle à ∽ sensational spectacle

sensuel -le sensual

sentencieusement sententiously

sentier *m.* path; ∽ de la guerre war-path

sentimental -e sentimental

sentir to feel, smell, smell of, savor of, **71** 7

sept seven

septembrisade *f.* massacre, **4** 24

septentrional -e northern

sequin *m.* sequin, **82** 8

sérénade *f.* serenade

sergent *m.* sergeant; ∽ de ville policeman

serrer to press, shake, clench

serre-tête *m.* kerchief

service *m.* service; faire le ∽ to run (of an omnibus, a train) serviette *f.* portfolio, **71** 14

servir to serve ; ∽ de to serve as ; se ∽ de to use

seuil *m.* threshold

seul -e only, only one, alone, single ; ∽ à ∽ all alone

seulement only

seulet -te alone, **63** 18

sévère severe

lord Seymour Lord Seymour, **9** 17

Shang-Haï *m.* Shanghai, **15** *chapter heading*

si if, so, such, whether, yes, **16** 7 ; ∽ . . . que however, **4** 6 ; *in exclamatory affirmation*, **72** 27 ; pas *omitted with* ∽, **86** 3

Sidi Sidi, **60** *chapter heading*

siège *m.* siege ; mettre en état de ∽ to proclaim martial law in, **77** 26

sien -ne his, hers, its ; le ∽ his

sifflement *m.* whistling

siffler to whistle, call by whistling

sifflet *m.* whistle

signal *m.* signal

signalement *m.* description

signe *m.* sign

signer to sign ; se ∽ to make the sign of the cross, cross oneself

silence *m.* silence

silencieusement silently

silencieu-x -se silent

silex *m.* flint

sillon *m.* furrow

silo *m.* silo, **86** 27

simple simple, single

simplement simply

Sinbad Sindbad, **32** 16

sincèrement sincerely

singe *m.* monkey

singuli-er -ère singular, strange

sinistrement ominously, malignantly

Sioux *m.* Sioux

siroter to sip

sitôt as soon, **75** 12 ; ∽ que as soon as

situation *f.* situation

six six

Smyrne *f.* Smyrna, **82** 7

société *f.* society, company

Socrate Socrates, **31** 15

soi self

soie *f.* silk

soieries *f. pl.* silks

soif *f.* thirst

soigner to care for

soigneusement carefully

soin *m.* care ; avoir ∽ to be careful

soir *m.* evening ; le ∽, du ∽, in the evening

soit *see* être

sol *m.* soil

soldat *m.* soldier

soleil *m.* sun, sunshine ; au (bon) ∽ in the (warm) sun ; grand ∽ bright sunshine

solennel -le solemn

solide solid

solidité *f.* solidity

sombre dark, gloomy

sombrer to sink

somme *m.* nap ; faire un ∽ to take a nap

somme *f.* sum ; en ∽ in short

son, sa, ses, his

son *m.* sound

son *m.* bran

sonder to sound, fathom

songer to dream, muse, think ; ∽ à to think of

sonner to sound, resound, ring, ring for, **15** 6

sonnette *f.* bell, **29** 10

sort *m.* fate, fortune; **coquin de ∾, monstre de ∾, 1** 12

sorte *f.* kind

sortie *f.* going out, sortie; **à la ∾ de** on leaving

sortir to go out, come out, **52** 17

sou *m.* sou, cent; **gros ∾** two cents, **9** 16; **pas le ∾ 94** 19

soudain **-e** sudden; *adv.* suddenly

soudard *m.* worn-out old soldier

soude *f.* soda

souffler to blow, puff, breathe, prompt, **56** 13

souffrance *f.* suffering

souffrir to suffer

souhaiter to wish

soulager to relieve

se soûler to get drunk

soupçon *m.* suspicion

soupir *m.* sigh

source *f.* source, spring

sourd **-e** deaf, dull, underhand

sourdement dully, hollowly

sourire to smile; *m.* smile

souris *f.* mouse

sous under

sous-préfecture *f.* subprefecture, **17** 14

se souvenir (de) to remember, **1** 3; **souvenir** *m.* memory, souvenir

souvent often

souverain **-e** sovereign, supreme

soyeu-x **-se** silky

spahi *m.* spahi, **43** 8

sparadrap *m.* cerecloth, adhesive plaster

Sparte *f.* Sparta

sparterie *f.* esparto cloth, **63** 19

spectacle *m.* spectacle, show

spleen *m.* melancholy

splendeur *f.* splendor

splendide splendid

station *f.* station, waiting

stoïque stoical

stop! stop! **37** 9

store *m.* window shade

stupéfait **-e** astonished, astounded

stupeur *f.* stupor

style *m.* style; **∾ Louis-Philippe 82** 9

subitement suddenly

sublime sublime

succès *m.* success

succulent **-e** succulent, delicious

sucre *m.* sugar

sud *m.* south, South

suédois **-e** Swedish

suer to sweat, perspire

sueur *f.* sweat, perspiration

suffire to suffice; **il suffit de 62** 12

suite *f.* continuation; **se mettre à la ∾ de** to fall in behind; **de ∾** in succession; **et ainsi de ∾** and so on; **par ∾ de** as a result of; **tout de ∾** immediately

suivre to follow

sujet *m.* subject; **premier ∾** star, **18** 27; **pendule à ∾** *see* **pendule**

superbe superb, splendid

supérieur **-e** superior, upper

supériorité *f.* superiority

superstitieu-x **-se** superstitious

superstition *f.* superstition

supportable endurable

supporter to endure

sur upon, on, over, to, towards; **∾ quoi** whereupon

sûr -e sure

suraig-u -üe high-pitched, shrill

sûrement surely

surpris -e surprised

surprise *f.* surprise

sursaut *m.* start; en ∽ with a start

surtout especially

surveiller to watch

sympathique friendly, **94** 29

système *m.* system

tabac *m.* tobacco

table *f.* table; ∽ de jeu gaming-table

tablette *f.* tablet

tablier *m.* apron

tache *f.* spot

tacher to spot, stain

Tacite Tacitus, **56** 29

taffetassi-er -ère taffeta-maker

tailler to cut, trim

taillis *m.* thicket

se taire to become silent, be silent, remain silent

talent *m.* talent

taloche *f.* blow on the head, cuff

talon *m.* heel; sur les ∽s at one's heels

tambour *m.* drum, **89** 13; ∽ de basque tambourine, **53** 15

tambourin *m.* drum, **89** 13

tamis *m.* sieve

tandis que while

tanguer to pitch

tanné -e tanned

tant so much, so many, as much, as many; ∽ que as long as, as many as, **79** 1

tantôt presently; ∽ . . . ∽ now . . . now

tapage *m.* noise, racket

taper to tap, strike

tapis *m.* carpet, rug, cover; ∽ vert green cloth, **54** 15

tapisser to hang, carpet

Tarascon *m.* Tarascon, **1** 1

tarasconnais -e Tarasconian

Tarasque *f.* Tarasque, a fabulous monster, **3** 25

tartare Tartar, **15** *chapter heading*

Tartarin, Tart'ri, Tartarin, **56** 12

tarteifle ! the dickens ! **48** 6

tartufe *m.* Tartufe, hypocrite, **81** 9

tas *m.* heap, lot, **18** 14

Tastavin Tastavin

te thee, to thee, for thee

té ! vé ! = tiens! vois! **13** 7

teindre to dye, color; ∽ en rouge to color red

télégramme *m.* telegram

tellement so, so much

témoin *m.* witness

tempête *f.* tempest

temple *m.* temple; chevalier du Temple Knight Templar, **11** 14

temps *m.* time, weather; à ∽ in time; aux ∽ de at the time of; de ∽ en ∽ from time to time; en même ∽ at the same time

tendre to stretch out, stretch tight, hold out

tendre tender, pale

tendresse *f.* tenderness

tenir to hold, keep, occupy; ∽ à to care for, **83** 12; ∽ à l'aise dans to have plenty of room in, **2** 5; ∽ bon *see* bon; ∽ le milieu entre to be a cross between, **41** 11; tenez ! hold! see! **70** 6, **90** 12; qu'à cela ne tienne ! that makes no difference! **91** 1; se ∽ to sit,

stand, **53** 23, be held, be situated;
à quoi s'en **tenir sur** what to
reckon on in the matter of, **30** 26

tente *f.* tent

tente-abri *f.* tent, **28** 20

tenter to tempt, attempt

terrasse *f.* terrace, **64** 2; housetop,
62 31

terre *f.* earth, land; à ∽ on land,
to land; **contre** ∽, **par** ∽, on the
ground; **en** ∽ on the ground, in
the ground

terreur *f.* terror

terrible terrible

terrier *m.* burrow

territoire *m.* territory

testament *m.* testament; **Ancien
Testament** Old Testament

tête *f.* head, mind; **en** ∽ ahead;
en ∽ **de** at the beginning of; **se
monter la** ∽ *see* **monter**

Teur = **Turc**, *see p.* 29 *l.* 17 *ff.*

thé *m.* tea

théâtre *m.* theater

sainte Thérèse St. Theresa, **63** 12

thym *m.* thyme

tiède warm

tige *f.* stalk, leg (of a boot), **86** 20

tigre *m.* tiger; ∽ **chinois** **11** 15

timbrer to stamp; **papier timbré**
86 19

timidement timidly

tinter to tinkle

tirer to draw, pull, thrust, **11** 27,
shoot, shoot at, fire

tire-vieille *m.* man-rope, **39** 8

tiroir *m.* drawer

titre *m.* title

toile *m.* linen, cloth; ∽ **à voiles**
sail-cloth, canvas

toison *f.* fleece, hair

toit *m.* roof; **faire** ∽ **à** to be the
roof of, **62** 31

toiture *f.* roofing, roof

tomahawk *m.* tomahawk

tombe *f.* tomb

tombeau *m.* tomb

tombée *f.* fall; **à la** ∽ **de la nuit** at
nightfall

tomber to fall, **89** 2

Tombouctou *m.* Timbuktu, **65** 23

ton, ta, tes, thy

ton *m.* tone

tonnerre *m.* thunder

toque *f.* cap

toqué -e cracked, crazy

torpeur *f.* torpor

torrent *m.* torrent

torrentiel -le falling in torrents, tor-
rential

tort *m.* fault, wrong

Touache Touache, a Marseilles
shipping firm

Touareg *m.* Tuareg, **40** 17

touchant -e touching

toucher (à) to touch, **2** 29

toujours always, still, **79** 27, **11** 12,
25 9

Toulouse *f.* Toulouse, **16** 32,

tour *m.* turn, trick; **à son** ∽ in (his)
turn; **à double** ∽ with a double
turn, **12** 6; **d'un** ∽ **de bras** with
a swing, **69** 10; **en un** ∽ **de main**
like a flash, **26** 13; **faire le** ∽ **de**
to go around, **12** 21; **faire un** ∽
to turn, **74** 28

tour *f.* tower

tourbillon *m.* whirlwind

touriste *m. f.* tourist

tourmenter to torment, twist, **39** 17

tourner to turn ; se ∽ to turn

tourneur *m.* turner

tournure *f.* make-up, appearance

tout, tous, toute, toutes, *adj. and pr.* **20** 13, all, every ; tout *adv.* very, quite, **47** 11, **69** 24 ; ∽ à coup suddenly ; ∽à fait quite, exactly ; ∽à l'heure a little while ago, presently ; ∽au plus at the very most, **17** 14 ; ∽ de suite immediately ; ∽ de même all the same ; ∽ en + *pres. part.* while, **3** 10 ; ∽ le the whole ; tous (toutes) les every, **4** 1 ; ∽ un a whole, **28** 18 ; de ∽ un peu a little of everything, **67** 10 ; du ∽ at all ; *m.* whole, all, everything

toutefois however

tracer to trace, draw

traduire to translate

trafiquer to trade

tragique tragic

trahir to betray

train *m.* pace, train ; ∽ de bois raft of logs ; ∽ de derrière hind quarters, **74** 16 ; en ∽ de busy, **18** 4, in the mood for, **67** 13 ; aller son ∽ to go one's pace, **77** 18 ; filer bon ∽ to scamper, **94** 9 ; fourgon du ∽ army wagon, **43** 4

traînée *f.* train, trail

traîner to draw, drag

trait *m.* trait, feature ; sous les ∽s de in the form of

traité *m.* treatise

traiter to treat

tranche *f.* slice

tranquille tranquil, quiet

tranquillement quietly, calmly

transe *f.* fright ; être dans les ∽s to be in great anxiety

transfigurer to transfigure

transformer to transform

La Trappe *f.* La Trappe, an abbey, **67** 10

trappeur *m.* trapper ; pied de ∽ hunting boot, **52** 7

trappiste *m.* Trappist monk, **67** 10

trapu -e thick-set

à travers across

traversée *f.* crossing, passage

traverser to cross, pass through

trèfle *m.* clover, trefoil, **66** 13

treize thirteen

tremblement *m.* trembling, great lot, **4** 3

trembler to tremble

tremper to soak, dip, temper

trépignement *m.* stamping

très very, very much, very well

trésor *m.* treasure

tressaillir to start, tremble

triangle *m.* triangle

tribu *m.* tribe, **82** 3

tribunal *m.* tribunal ; en plein ∽ in open court

tricoter to knit

trinquer to touch glasses, toast, drink

triomphateur *m.* conqueror

triomphe *m.* triumph

triple triple ; ∽ fou complete fool

tripler to triple

tripoter to plot, act in an underhand manner ; se ∽ to be cooked up, **86** 15

trique *f.* cudgel

trirème *f.* trireme, **93** 18

triste sad, gloomy

tristement sadly

trois three

troisième third

tromblon *m.* blunderbuss

trompe *f.* trumpet

tromper to deceive; se ∾ to be mistaken

trompette *f.* trumpet, trumpeter; cheval de ∾ war-horse, 9 14

trompeu-r -se deceptive

tron de ler=tonnerre de l'air, 38 31 ; *tron de Diou* = tonnerre de Dieu, 89 9

trop too, too much, too many

trophée *m.* trophy

trot *m.* trot; au petit ∾ at a jog-trot

trotter to trot

trottoir *m.* sidewalk

troublant -e disturbing

trouble *m.* confusion; *adj.* troubled, dull

troubler to trouble; se ∾ to become embarrassed

trouer to make a hole in, riddle; ombre trouée broken shade, 78 4

troupe *f.* troop

troupeau *m.* flock, herd

trouver to find, consider, like; se ∾ to be, 13 22

tu thou

tuer to kill

tueur *m.* killer, slayer

tumulte *m.* tumult, confusion

tunique *f.* coat

tunisien -ne Tunisian, of Tunis, 32 21

tunnel *m.* tunnel

turban *m.* turban

tur-c -que Turkish, Turk

turco *m.* Turco, soldier in Algeria, 54 15

turco-marseillais -e Turco-Marseillais

Turquie *f.* Turkey ; ∾ d'Asie Turkey in Asia

tuya *m.* sandarac-tree, 76 24

tuyau *m.* tube, pipe, mouthpiece (of a tobacco-pipe)

type *m.* type

typhon *m.* typhoon

un -e one, a, an ; ∾ à ∾ one by one

usage *m.* use, custom ; à l'∾ de for the use of

ustensile *m.* utensil, tool

va *see* aller

vacances *f. pl.* vacation ; en ∾ on a vacation

vacarme *m.* racket

va-et-vient *m.* going and coming

vague vague

vague *f.* wave

vaguement vaguely

vaillant -e valiant, gallant

vain -e vain ; en ∾ in vain, 5 32

vaincre to conquer, subdue

vainement vainly

vaisseau *m.* vessel, ship

Valentin Valentine

valoir to be worth ; ∾ bien to be quite as good as ; ∾ mieux to be better

vanité *f.* vanity

Vanves *f.* Vanves, city near Paris

vapeur *f.* steam ; bateau à ∾ steamboat

varier to vary

vaste vast, huge

vautrer to wallow, sprawl; vautré -e wallowing

vé ! = vois ! 13 7

végétation *f.* vegetation

veille *f.* evening before

veillée *f.* vigil, 60 24

velours *m.* velvet; **pas de** ∞ soft step, 83 31

vendeu-r -se vender

vendre to sell

vengeance *f.* vengeance

venger to avenge

venimeu-x -se venomous

venir to come, grow; ∞ **à l'idée de** to occur to; ∞ **à propos** to come opportunely, 30 22; ∞ **de** to have just, 8 26

vent *m.* wind; **prendre le** ∞ to sniff the air, 12 32

ventre *m.* belly, stomach; ∞ **à terre** at full speed, 75 14; **danse du** ∞ muscle dance

ventru -e big-bellied, fat

verdure *f.* verdure

vergue *f.* yard (of a ship)

véridique true, true to fact

vérité *f.* truth

vermine *f.* vermin

vernisser to varnish

verre *m.* glass

vers towards, about

verser to pour, shed, upset

vert -e green

vert : diable au ∞ *see* **diable**

vertu *f.* virtue

veste *f.* jacket

veston *m.* jacket

vêtir to clothe; **vêtu** clad

veuve *f.* widow

vexer to vex

vibrant -e vibrating, resonant

vicaire *m.* curate

vice *m.* vice

victime *f.* victim

victuaille *f.* food

vide empty

vie *f.* life

viédaze *m.* trifle, good-for-nothing, 92 3

vieillard *m.* old man

vieillerie *f.* old thing

vierge *f.* virgin; **sainte** ∞ figure of the Virgin, 32 23; ∞ **folle** frail sister, 54 8

vieux, vieil, vieille, old; *noun* old man, old woman

vi-f -ve living, lively

vigne *f.* vine, vineyard

vigneron *m.* vine-grower

vigueur *f.* vigor, strength

vilain -e ugly

villa *f.* villa

village *m.* village

ville *f.* city, town; ∞ **haute** Upper City, 37 27

vin *m.* wine

vinaigre *m.* vinegar; ∞ **des quatre-voleurs** thieves' vinegar, 28 24

vingt twenty; ∞**-quatre** twenty-four

violemment violently

viol-et -ette violet; *m.* violet (color)

visage *m.* face

viser to aim

visière *f.* visor

visionnaire *m.* visionary

visite *f.* visit

visiteu-r -se visitor

vite quickly

vitre *f.* window pane

vitré -e glassed, glass; **porte** ∞**e** glass door

vivacité *f.* vivacity

vivant -e living, live; *m.* bon ∾ jolly fellow, 36 30

vivement quickly, sharply

vivre to live; vive! long live!

voguer to sail

voici here is,. here are; le ∾ here he is; 54 4, 60 28

voie *f.* way, track

voilà there is, there are, here is, here are, behold; le ∾ there he is, here he is; 64 6

voile *m.* veil

voile *f.* sail; toutes ∾s dehors all sails set

voiler to veil; se ∾ to become hazy

voir to see; faire ∾ to show; voyez-vous see here, 64 21; se ∾ to be seen, 30 30

voisin -e neighboring; *noun* neighbor

voisinage *m.* neighborhood

voiture *f.* carriage, wagon, car; en ∾! all aboard!

voix *f.* voice; à ∾ basse in a low voice; à ∾ haute in a loud voice, aloud

vol *m.* flight; au ∾ on the fly; prendre son ∾ to take flight

voler to steal, rob

volet *m.* shutter

voleu-r -se thief

volière *f.* aviary

volontiers willingly

voluptueu-x -se voluptuous

votre, vos, your

le (la) vôtre, les vôtres, yours

vouloir to wish, will; en ∾ à to bear a grudge against, 36 10; comment voulez-vous? how do you suppose? 78 15; que voulez-vous? what do you expect? 61 4; ∾ bien to be willing, have no objection, 2 11

vous you; à ∾ your turn, 8 9

voûte *f.* vault, arch

voyage *m.* voyage; album de ∾ traveler's notebook

voyager to travel

voyageu-r -se *noun* traveler, passenger

vrai -e true, veritable; *adv.* truly, 14 6

vraisemblablement likely, probably

vue *f.* view, sight; à perte de ∾ *see* perte

vulgaire vulgar, common

wagon *m.* car (of a train), 94 9

water-proof *m.* waterproof overcoat

y there, here, it, to (of) it (him, her, them); *redundant,* 9 7; ∾ avoir, il ∾ a, *see* avoir; = à + *pronoun,* 2 29

yataganerie *f.* paraphernalia of war, 2 26

yeux *pl. of* œil eye

Yusuf Yusuf, Joseph, 81 13

Zaccar *m.* Zakkar, mountain range in Algeria, 78 2

Zanzibar *m.* Zanzibar, 41 12

zoologique zoölogical

zouave *m.* zouave, 32 10

zouge = juge, 75 2

Zouzou = zouave, 80 28

ANNOUNCEMENTS

INTERNATIONAL
MODERN LANGUAGE SERIES

FRENCH

About: La Mère de la Marquise and La Fille du Chanoine (Super)
Aldrich and Foster: French Reader
Augier and Sandeau: La Pierre de Touche (Harper)
Beaumarchais: Le Barbier de Séville (Osgood)
Boileau-Despréaux: Dialogue, Les Héros de Roman (Crane)
Bourget: Extraits Choisis (Van Daell)
Colin: Contes et Saynètes
Coppée: On Rend l'Argent (Harry)
Corneille: Le Cid (Searles)
Corneille: Polyeucte, Martyr (Henning)
Daudet: La Belle-Nivernaise (Freeborn)
Daudet: Le Nabab (Wells)
Daudet: Le Petit Chose (François)
Daudet: Morceaux Choisis (Freeborn)
Daudet: Tartarin de Tarascon (Cerf)
Dumas: Vingt Ans Après (Super)
Erckmann-Chatrian: Madame Thérèse (Rollins)
Féval: La Fée des Grèves (Hawtrey)
Fortier: Napoléon: Extraits de Mémoires et d'Histoires
Guerlac: Selections from Standard French Authors
Halévy: L'Abbé Constantin (Babbitt)
Halévy: Un Mariage d'Amour (Patzer)
Henning: French Lyrics of the Nineteenth Century
Herdler: Scientific French Reader
Hugo: Notre-Dame de Paris (Wightman)
Hugo: Quatrevingt-Treize (Boëlle)
Hugo: Poems (Edgar and Squair)
Jaques: Intermediate French
Josselyn and Talbot: Elementary Reader of French History
Labiche: La Grammaire and Le Baron de Fourchevif (Piatt)
Labiche and Martin: Le Voyage de M. Perrichon (Spiers)
La Fayette, Mme. de: La Princesse de Clèves (Sledd and Gorrell)
La Fontaine: One Hundred Fables (Super)
Lazare: Contes et Nouvelles, First Series; Second Series
Lazare: Elementary French Composition
Lazare: Lectures Faciles pour les Commençants

GINN AND COMPANY Publishers

INTERNATIONAL

MODERN LANGUAGE SERIES

FRENCH — *continued*

Lazare : Les Plus Jolis Contes de Fées
Lazare : Premières Lectures en Prose et en Vers
Legouvé and Labiche : La Cigale chez les Fourmis (Van Daell)
Lemaître : Morceaux Choisis (Mellé)
Leune : Difficult Modern French
Loti : Pêcheur d'Islande (Peirce)
Luquiens : Places and Peoples
Luquiens : Popular Science
Maistre : La Jeune Sibérienne (Robson)
Maistre : Les Prisonniers du Caucase (Robson)
Marique and Gilson : Exercises in French Composition
Maupassant : Ten Short Stories (Schinz)
Maurey : Rosalie and Le Chauffeur (Du Poncet)   [*In Press*]
Meilhac and Halévy : L'Été de la Saint-Martin ; Labiche : La
    Lettre Chargée ; d'Hervilly : Vent d'Ouest (House)
Mellé : Contemporary French Writers
Mérimée : Carmen and Other Stories with Exercises (Manley)
Mérimée : Colomba (Schinz)
Michelet : La Prise de la Bastille (Luquiens)
Moireau : La Guerre de l'Indépendance en Amérique (Van Daell)
Molière : L'Avare
Molière : Le Bourgeois Gentilhomme (Oliver)
Molière : Le Malade Imaginaire (Olmsted)
Molière : Les Précieuses Ridicules (Davis)
Musset, Alfred de : Selections (Kuhns)
Pailleron : Le Monde où l'on s'ennuie (Price)
Paris : Chanson de Roland, Extraits de la
Picard : La Petite Ville (Dawson)
Potter : Dix Contes Modernes
Racine : Andromaque (Searles)
Renard : Trois Contes de Noël (Meylan)
Rostand : Les Romanesques (Le Daum)
Rotrou : Saint Genest and Venceslas (Crane)
Sainte-Beuve : Selected Essays (Effinger)
Sand : La Famille de Germandre (Kimball)
Sand : La Mare au Diable (Gregor)
Sévigné, Madame de : Letters of (Harrison)

GINN AND COMPANY Publishers

NOUVEAU COURS FRANÇAIS
(REVISED EDITION)

By ANDRÉ C. FONTAINE, Boys' High School, Brooklyn, N.Y.

272 pages, illustrated

THIS new book in first-year French combines the best features of the grammatical and natural methods. Advocates of class drill in the spoken language, in addition to written work, will find the book very satisfying. The exercises for translation into French are conversational in tone, and questions in French, which form a part of each lesson, offer abundant opportunity for oral work. Much of the grammar is given entirely in French.

The reading matter includes a concise résumé of French history; a description of Parisian life and geography; discussions of the metric system and of the government, the agriculture, the industry, the commerce, and other social and economic features of France.

The grammar is presented in a sane and practical manner, with special emphasis on the proper use of the French past tenses. The idiomatic expressions of everyday life receive particular attention, and frequently-used literary quotations, with their origin and modern application, are cited and explained. In short, the book is eminently adapted to the acquisition of a practical and well-grounded knowledge of simple written and spoken French.

EXERCISES IN
FRENCH COMPOSITION

By MARY STONE BRUCE, Formerly Head of the French Department in the Newton High School, Newtonville, Mass.

91 pages, illustrated

THE aim of this little book is to give second-year classes effective and satisfactory work in composition, based on simple, idiomatic French. "La Dernière Classe" and "Le Siège de Berlin," Daudet's beautiful stories, have been selected for this intensive study. The text of both tales is given.

GINN AND COMPANY PUBLISHERS

TWO BOOKS
FOR SPANISH STUDENTS

COESTER : SPANISH GRAMMAR New Edition

With Practical Introductory Lessons. By Alfred Coester

A COMPLETE, systematic, and, above all, practical grammar which meets the demand of the present by providing a knowledge of Spanish for commercial purposes, with no sacrifice of the long-recognized literary and cultural value of the language.

Part I presents in twenty introductory lessons the essential rules of grammar, treated with brevity and clearness. Each lesson contains but a few points of grammar, the emphasis being laid on the drill in new words and forms. Part I furnishes a good working knowledge of simple Spanish.

Part II contains a systematically and logically arranged presentation of grammar, treating in detail points treated briefly in Part I. It is intended to be used after the pupil has acquired a command of the fundamentals of grammar and ability to read a simple text.

The order of development is logical, practical, and progressive; the vocabulary contains the commonest and most important words and phrases; and the illustrations of the new edition are a valuable adjunct to the teaching material. The latter have been selected not only for their illustrative value but with the aim of reënforcing and supplementing the lessons. Each picture is accompanied by a questionnaire upon it in Spanish, providing an excellent basis for conversation and class drill. The exercises are such as produce, early in the course, the ability to read, write, and speak simple Spanish. *344 pages, illustrated.*

COOL : A SPANISH COMPOSITION

By Charles Dean Cool, University of Wisconsin

THE exercises in this book were written with a view to furnishing the student with the greatest possible amount of information about Spain — her cities, customs, and daily life — in a convenient and idiomatic form. The exercises are dialogues between two young American travelers, with an occasional letter. The English exercises are designed to lay emphasis upon the thorough acquisition of the Spanish original and to further aid in the mastery of the idiomatic expressions. The book furnishes new and unusual material in the field of Spanish daily life and travel. It will also serve excellently as a basis for conversation. Intended for the second-year or third-year student who has mastered the fundamentals of Spanish grammar. *156 pages.*

GINN AND COMPANY Publishers